新　潮　文　庫

アラスカ物語

新田次郎著

新　潮　社　版

2667

アラスカ物語

第一章　北極光《オーロラ》

1

フランク安田は、それを見まいとした。眼を氷原の上に落してひたすら歩き続けようとした。だがそうすることはすこぶる危険なことであった。方向を失ったときは死であり、彼の死は同時にベアー号の死でもあった。

フランク安田は眼を上げて北極光《オーロラ》を見た。

空で光彩の爆発が起っていた。赤と緑がからまり合って渦を巻き、その中心から緑の矢があらゆる空間に向って放射されていた。彼に向って降りそそがれる無限に近いほど長い緑の矢は間断なく明滅をくりかえしていた。

光の矢は彼を射抜くことはない。それは頭上はるかに高いところで消えた。だが、消えた緑の矢は、感覚的には、姿を隠したままで、彼に向って降りそそがれていた。身体《からだ》に痛みこそ感じないが、恐怖は彼の全身を貫き、しばしば立止らざるを得なかった。

空間で爆発する光彩のきらめきがあっても音はなかった。空間いっぱいを埋めている、濃緑色の矢のうなり音も聞えなかった。すべてが静寂な暗闇《くらやみ》の中で行われていた。

彼は北極光が想像もつかないほど高い空で起る神秘的自然現象であり極地でしか見られないものであることを既に知っていた。何等《なんら》危害を加えるものでないことも知っていた。

それは夜空に咲く花でもないし、打ち揚げられた煙火《はなび》のようなものでもなかった。それこそ暗い空間における色彩の舞踏であり、夜の天帝の権威を背景にした威嚇《いかく》であった。虹《にじ》とは全然異なったものだった。虹には色の配列の順序が決められていた。色と色の境目には中間色があった。

オーロラと虹との間には空間における色彩の表現の一つという以外には、ほとんど共通点はなかった。オーロラには虹のように、配列秩序に規則がなかった。色と色との境界をその両側の色の中間色に接続することもなく、不連続に赤から緑にまた突然黄色に転じていた。オーロラは原色に満ち満ちていた。原色以外の色もあったが、その色はすべて個性的で、オーロラという場でしか見られないものであった。

オーロラが出現すると、氷原が明るくなったように見える。確かにいかほどかは明るくなる。しかしそれはごく僅《わず》かな明るさであって、月の出ほどに期待されるものではなかった。明るさはあったが、少なくとも星の明るさよりも華麗な明るさというだけのことであり、北極海は、オーロラとかかわりのない黒い氷原として横たわっていた。

オーロラは静止している部分がなかった。あらゆる部分がせわしく動いていた。明滅を性急に続けながら揺れ動いていた。色彩の渦が空を回転しながら走ると、その後に赤い流れができ、それが河になり、帯となった瞬間、変転して緑の大蛇となった。

フランク安田にはこの次になにが起るかが不安だった。このような恐ろしい光景を何時間も見ていたら、気が狂って終《つい》には死ぬだろうとさえ思った。

眼を閉じよう。そして天の怒りがおさまるまで動くのを止《や》めようと思った。彼は背負っていた荷物をおろし、敷皮を氷原の上に延べ、毛布にくるまった。

彼が色彩の狂乱に対して恭順を示したとき、北極光もまた彼に対して、いささか態度を変えたようであった。明滅には変化がなかったが、色彩が穏やかになった。原色の濃度がうすめられたがために、景観が全体的に静かになった。緑の蛇は延びるだけ延びた後でS字状に縮まり、胴のふくらみが面に変り、そのまま氷原に向って垂れた。たちまちそれは緑一色の厚手のカーテンになり、カーテンが揺れるたびに、その陰影のように新たに黄色の光彩が現われた。

カーテンは揺れながらかなりの速度で空間を流れた。流れることによって少しずつ色あせて行った。

色彩で空間が埋め尽されたとき、オーロラは南に向って流れ出し規模を収縮して行った。どうやら、夜空の饗宴《きょうえん》はその終りに近づいたようだった。緑と黄色の縞《しま》のカーテンは、やがて二色の斑点《はんてん》となって南の果てにしぼんで行き、やがて消えた。後には星が輝いていた。

フランク安田はオーロラの消えた方向に正対してしばらく考えていたが、そのままそこに蹲《うずくま》って懐中から磁石を出し、マッチを擦った。米国沿岸警備船ベアー号のハーレイ船長との別れのひとこまが思い出された。

へフランク、ここでは磁石はあまり当てにはならない。しかし、他に当てになるものがない時にはやはりこれを使わねばならない。おそらく君は極地における磁石の使い方を知っているだろうけれど、念のために話して置こう。磁石の示す北は地理上の北ではない。ほんとうの北は磁石の示す北より西に二十五度寄ったところにある。そのことをはっきり頭の中に入れて使わないと、とんでもないことになる。北極星は頭上にありすぎて、これも頼りにはならない。月だが、極地の月はぜんぜん気まぐれだ。月齢によっても季節によっても、また年によってもその動きが違って来る。冬至のころ満月だったとしても、その月の南中時の高度は年によって四十六度から三十六度まで変化するし、北に廻ったときの高度も十度から零度まで変化する。つまり月は当てにならないということだ。ただ、月も太陽と同じように、その高度が一番高くなるときは、一番南に近づいたということになる。その逆に一番低くなったときは北に近づいたということになる。

このことを頭に入れて置けば、月もまんざら捨てたものではない。しかしなんと言っても、極地の暗夜の期間中に一番たよりになるのは、一日に一度やって来る青い夜明けだ。その青い夜明けの方向が南だから、それを眼ざして行けばポイントバローへ行きつくことができる。いいかね、フランク、お前が行かねばならないポイントバローは南の方向にある。南に向って一三〇マイルほど歩いたら、北極海の氷原とアラスカ大陸との境界線に出る。その海岸線を二〇マイルほど北東に向って歩けばポイントバローだ。南の方向を間違えるなよ。一日に一度訪れる青い夜明けの見える方向が南だ。確実に南の方向をつかむには青い夜明けにたよるのが一番だ〉

ハーレイ船長はその言葉を再度繰返して言ってから、

〈君の成功を祈る〉

と言った。低い声だった。自信のない声だった。成功を祈ると言われているのにさよならと言われているように聞えた。ハーレイ船長の眼には同情だけがあった。期待はなかった。絶望に近い気持で、成功を祈ると言わねばならない、船長としての義務感だけが表面に浮いて見えた。

フランクはいまオーロラが消えたばかりの空に眼を投げた。

「磁石によるとオーロラの消えたあたりが南になる。南へ南へと歩かないかぎり生きることはできないのだ」

そう言いながら見上げると北極星が頭上にあった。北極星と彼を結ぶ方向が北であることには間違いはないが、北極星の反対方向に当る南は、彼が踏みしめている氷原の直下になる。北緯七十度以上になると、たとえ北極星が見えても、北極星を道案内として旅をするのは、測定器械なしではむずかしいことなのだ。

彼はオーロラの消えた方向に輝いている星を目標とした。星の名も知らないし星座も知らなかった。しかし、彼が選んだその星はかなり明るい星であり、運がいいことには、南の地平線の近くに輝いていた。

その星を眼ざして歩けば、南に向って歩いていることになる。星は時間と共に動く。しかし、その星の動き方には法則がある。その星は地平線に対して或《あ》る角度を持って静かに動いていた。動いた時点で、その星を、その傾斜角に沿って地平線に戻せば、そこに南を発見できるのだ。

彼は荷物をまとめた。そして、南に向ってゆっくりと歩き出した。時々磁石を出して南の方向をチェックした。

静かな夜であった。このような夜が続けば、ポイントバローに到着することは、そうむずかしいことではないと思われる。

ベアー号を離れてから既に五日経《た》っていた。青い夜明けの空を目標にしてベアー号を後にしたが、青い空は三時間で暗い空になった。北極海にまがりなりにも、朝らしい明るさが見えるのはこの三時間だけであった。後の二十一時間は光はなかった。

出発して二日目に嵐《あらし》になった。吹雪は三日間続いた。動くことはできなかった。そして五日目に、彼はオーロラを見たのである。

ベアー号を出発したとき彼は頭の中で計算した。五日間で一三〇マイルは踏破し、そこらあたりにあるアラスカ大陸の北限の地を発見しようと思っていた。だが歩いたのは、最初の一日だけで、次の三日間は、吹雪の中で、エスキモー犬のように蹲って眠っているより仕方がなかった。だから彼は今、歩かねばならなかった。持っている食糧に限りがあった。ハーレイ船長が十日分の食糧を分けてくれた。その食糧が尽きるまでに、ポイントバローを発見しなければ、彼は確実に死ぬことになる。そしてもし、彼が死んで、氷に封じこめられたベアー号救援の手がさし延べられないということになると、おそらく、ベアー号では食糧を巡っての争いが起り、乗組員のうち何人かは死なねばならないような事態に立ち至るだろう。

米国沿岸警備船ベアー号は三本マストの大型機帆船（発動機付帆船）だった。真白く塗られた八百五十噸《トン》の警備船ベアー号は快速をもって鳴らしていた。大砲も持っていた。戦うための大砲ではなく、密猟船に警告を与えるための大砲だった。

かつて、北極海は鯨の宝庫であり、海獣の狩場だったが、ロシヤがアラスカを支配していたころ、ほとんど無制限に近い濫獲《らんかく》がなされたがためにこれらの動物たちは急激に減少した。ロシヤはアラスカを見限ってアメリカに売った。アメリカは、高価な冷蔵庫を買ったものだと、諸外国から陰口を叩《たた》かれながらも、アラスカを買い取ると、まず北極海の動物資源保護に乗り出した。原住民以外の者が海獣を獲《と》ることを禁止した。エスキモーには古来からの特権を認めてやることによって、彼等の生きる道を開いてやったのである。

沿岸警備船ベアー号は北極海における密猟を監視するために派遣されていた。鯨は絶滅に瀕《ひん》し、他の海獣もまた同じ運命にあった。海獣によっては保護区域を設けていたが、密猟船の中には悪名高い海狼号《シーウルフ》のようなものがあって、鯨の密猟をするばかりではなく、北極海の沿岸のエスキモー部落に乗りこんで殆《ほとん》ど掠奪《りゃくだつ》にひとしい方法で、彼等がためこんだ毛皮類をかっさらって行った。海賊船同様の船であった。

ベアー号は海狼号をその年も追い廻していた。海狼号が法を犯した現場を見つけて、拿捕《だほ》しようとした。だが海狼号は巧みにベアー号の裏をかいて、その年も北極海と北極海に面したアラスカ沿岸を荒し廻っていた。

如何《いか》なる船も九月の半ばを過ぎれば北極海におさらばすることを考えねばならなかった。年によっては一カ月も早く、氷が張りつめることがあった。

ベアー号が海狼号が現われたという情報を得たのは九月の末であった。そろそろ引き揚げようとしていたところに入って来た情報だった。

ハーレイ船長は海狼号を追った。今度こそ不法を行う現場を取りおさえ、武装を解除し、主なる船員を捕え、船を拿捕してやろうと考えた。だが、海狼号はとうとう捕えることはできなかった。そして、ベアー号はポイントバロー北方一三〇マイルの海上で突然襲って来た異常寒波による気温の急降に遭遇し、氷の中に封じこめられたのである。

フランク安田は、ベアー号を取り巻く蓮《はす》の葉状の氷を見たとき美しいと思った。氷の蓮は太陽の光を受けてきらきらと輝いた。だがその氷の蓮の葉は見ている間に面積を拡《ひろ》げ、氷の蓮の葉と蓮の葉の間に隙間《すきま》がなくなると、海は消え、そこに想像もしなかった氷原が出現した。ベアー号は氷から脱出しようと努力した。しかし、脱出速度より、氷の生長速度の方が上まわっていた。ベアー号は一夜にして、北極海の捕虜になった。

〈これで一冬、北極海の氷の上で寝て暮すことになったのか〉

と船員たちは口々に言った。だが、彼等はそれで取り乱すようなことはなかった。こういう場合を想定して、一冬過すだけの食糧は積みこんでいた。乗組員三十七名は、食糧のことよりも、退屈きわまる暗闇の冬をどうして過すかを心配していた。

十一月になると太陽は地平線の下に消え、やがて夜だけの世界がやって来た。うさばらしを兼ねたパーティーが船内で行われた。船員は飲んだ。食べて歌った。そして、お定まりの喧嘩《けんか》があった。ジョージという船員がマックという船員に殴り倒された。

そのうちくたばるさ、くたばって見せてやらあ、しかし、てめえだって、そのうちくたばる。それも、ただのくたばり方じゃあないぞ、飢え死にだ〉

とマックがジョージに言った。

〈ああ、おれはくたばるさ、くたばって見せてやらあ、しかし、てめえだって、そのうちくたばる。それも、ただのくたばり方じゃあないぞ、飢え死にだ〉

ジョージは倉庫掛りをやっていた。このジョージの一言で、大騒動になった。正気になったジョージが言うには、食糧庫には一冬越すだけの食糧がないというのである。

クリスマスのパーティーどころではなかった。総動員して、倉庫の中の食糧を点検して見ると、あと二カ月分の食糧しかなかった。六月まで待てば氷が溶けて船が来る。ところが食糧のほうは二月にはなくなるということになる。

ハーレイ船長は消えた食糧の行方《ゆくえ》を調査した。ベアー号は監視船の任務のかたわら、北極海沿岸に定住する人たちに対する補給船をも兼ねていた。

その夏ベアー号は北極海沿岸の数カ所に停船し食糧や物資をおろした。ポイントバローのように捕鯨船の基地として発達し、同時に白人毛皮商人の定着地となったところでは、彼等の一年分の食糧や必需品を補給した。ポイントバローには捕鯨船の会社が経営している交易所と個人交易所が一カ所ずつあった。

調査の結果ポイントバローで荷揚げされた荷物について疑いがかかった。

ポイントバローにおいて荷揚中、事務長《パーサー》は軽い眩暈《めまい》を起した。二日目の荷揚中のことである。事務長は肥満体で、血圧が高く、それまでにも、時々頭痛や眩暈を訴えることがあった。パーサーは、それまで助手として使っていたフランク安田に、あとを任せて自室に戻った。

それまでには段取りはすべて終っていた。あとはビル・ワーレス宛《あて》に依託された荷物をおろし、ワーレスから受取り書を貰《もら》えばよいことになっていた。

ビル・ワーレス宛に依託された荷物は主として食糧であった。荷揚げは引き続いて行われる筈《はず》だったが、急に天候が悪化し吹雪になった。ポイントバローでは夏でも吹雪になることは珍しくはなかった。

作業は三時間ほど中止され、天気の恢復《かいふく》を待った。夜のない季節だった。晴れると太陽が出た。そしてそれは一日中沈むことなく、低い空を廻り続けていた。

荷役作業は再開された。

フランク安田は事務長に言われたように、ベアー号から、ボートに移され、さらに流氷の上におろされた荷物が、再びエスキモーたちが漕《こ》ぐ皮張舟《ウミアク》に積みかえられて、陸揚げされるのを待って個数を数え、ビル・ワーレスに引き渡し、その受取り書を取った。

ハーレイ船長は事務長に訊《き》いた。

〈君が荷役監視の眼を離したときに、なんらかの不正が行われたとは考えられないかね〉

〈不正が行われたとすれば、多分それは、吹雪となった三時間の間のできごとではないでしょうか〉

事務長は腕を組んだ。

三時間の吹雪の最中に、ベアー号の船艙《せんそう》から、食糧の梱包《こんぽう》が運び出されて、ベアー号とポイントバローとの中間に、浮島のように動かない、流氷のブロックの中に隠しこまれたと仮定すればどうであろうか。

〈もしそのような悪事が行われたとすれば、多分、その日荷役に当った五人の水夫とビル・ワーレスとがぐるになってやったことだろう〉

と言った。

〈そのとき、フランク安田はどうしていたのだ〉

ハーレイ船長はまさかフランク安田がこの悪事に加担していたとは思わなかったが一応訊いてみた。

〈フランクは、私の代理として荷物の数をたしかめ、ワーレスに引き渡す仕事をやっていた。彼には荷揚げを監視する義務もないし、たとえ、その権限があっても、吹雪の中で行われた悪事を発見することはできなかったでしょう〉

事務長は、そこで、すべての責任は自分にあると言った。

〈あの五人に監視の眼をおこたったことが手落ちだった〉

と事務長は残念がった。ジョージ等五人はかねてから、とかくの噂《うわさ》がある水夫だった。吹雪の中でベアー号から氷山に運ばれて隠匿《いんとく》された食糧の梱包は、ベアー号が去ってからワーレスの手によって悠々と陸揚げされたのではないかと想像された。

〈だが、その五人を取っちめるべき証拠はなにもない〉

と船長は言った。事務長も同感だった。吹雪の中の悪事は飽くまでも想像であった。

船長と事務長は、その日の荷役にたずさわった五人の白人水夫と、事務長の補佐を務めたフランク安田を一人ずつ呼んで訊いた。

五人の水夫は吹雪の間の三時間は、船艙で休憩していたと答え、フランク安田は、ビル・ワーレスの事務所で吹雪をさけていたと答えた。

〈三時間ぶっつづけに吹雪《ふぶ》いていたのではあるまい、吹雪は時々息をついた筈だ。そのときお前はなにをしていたか〉

船長はフランクの眼から視線を離さなかった。

〈時々外に出て見ました〉

〈なにか見たろう、見た筈だ〉

フランクはなにか言おうとした。しかしついに彼は一言も発しなかった。彼は吹雪の合間にうごめく人影を流氷の上に見ていたのである。なにをしているのかは分らなかったが、吹雪の最中に、誰かが流氷の上にいることだけは見届けていた。

いるのを見たであろう〉

事務長が言った。

〈いいえ、なにも見えませんでした。たとえ吹雪が息をついたとしても、氷霧で遠くは見えませんでした〉

フランクは、彼がいまいかなる立場にいるかを充分知っていた。流氷の上に人の影を見たと言えば、五人の船員は疑われることになる。それだけで、五人が食糧をごまかしたとは断定はできないが、その証言で、五人の船員が苦境に立つことは明らかである。

フランクは沈黙した。

ハーレイ船長は、調査した結果、食糧は手続き上の手違いで初めっから積んでいなかったと発表した。それでことが落着するとは考えられなかったが、この際、こんなことをいう以外に方法はなかった。

〈手続き上の手違いだというならば、その手続き上のミスをおかした上級幹部は、不足分の食糧の補給を求めに、ポイントバローへ行くべきである。二カ月分の食糧を六カ月分として食い延ばすということは、一日三食だったのを一食にすることだ。そんなことは絶対にできない〉

と船員は騒ぎ出した。

〈食糧を盗んでこっそり売った奴《やつ》がいる。そいつ等をポイントバローにやるべきである〉

という者もあった。ベアー号内部では、ジョージ等五人の水夫が食糧をごまかしたのだとひそかに囁《ささや》かれていた。

フランク安田は水夫たちにつかまって訊かれた。お前はなにか知っている筈だ。ジョージ等五人が吹雪の中で食糧を盗んで流氷の中に隠したのを知っている筈だ。それを言えとせまられた。

フランクが秘密を握っているらしいという噂が流れると、ジョージ等五人の水夫たちは身にふりかかった危険から逃れるために、フランクの口を封じようとした。

一等運転手が、ジョージ等に拉致《らち》されようとしているフランクを助けたのは、この問題が起きて数日後であった。一等運転手はこれを船長に報告した。

船長はフランクを船長の傍に置くことにした。他のオフィサーたちにも、フランクから眼を離さないように言った。だが、船長やオフィサーたちがいかにフランクの味方についたとしても、決して彼の身が安全だとは言えなかった。

〈フランクが事務長の眼をごまかして伝票を書きかえたらしい。フランクは食糧を盗んで売り払った一味である〉

というような噂が流れ出すと、フランクに対する船員の眼はきびしくなった。フランクが日本人であるにもかかわらず、キャビンボーイとしてベアー号に乗り込んでから僅か三年の間に、船長や事務長等の信頼を得て、事務長の助手を兼ねたり、最近は気象観測の仕事までするようになった。従来気象観測は二等運転手の仕事であった。

相手が有色人種であるということだけで、その人のすべてを否定しようとする偏見が、当時のアメリカ人の中に根強くはびこっていた。その感情は伏流となって人々の心の底を流れ、なにかのきっかけで爆発的に噴出した。有色人種が単なる風評だけでリンチにかけられて殺されたという例は珍しくはなかった。

〈なに、あのジャップがおれたちの食糧を盗んだ一味だったのか、それならば、まずフランクに責任を取らせようではないか、あの野郎にポイントバローまで行って、食糧を持って来て貰おうではないか〉

船員等は船長の命令によって、一日の食糧がそれまでの三分の一に減らされた鬱憤《うつぷん》をまずフランクにぶっつけた。

暗くて、外は寒かった。娯楽施設もない。酒もないし女もいない。その上食糧を減らされた彼等は、やり切れない怒りをどこかにぶっつけなければおさまらなかった。フランクは当面の対象として格好な存在だった。まずフランクが血祭りに上げられ、その次にはジョージ等五人が狙《ねら》われ、更には上級船員たちの身辺にも、わざわいが及ぶことが考えられた。

　フランクは、薄いスープを舐《な》めるように飲んでいる一人の船員が、ふと彼に向けた憎《ぞう》悪《お》の眼を見たとき、もはやこれ以上此処《ここ》に止《とど》まることは危険だと思った。暗いランプの光に照らし出されたその船員の顔は、子供のころ寺で見た地獄図の中の赤鬼の顔とそっくりだった。赤鬼は一人ではなかった。そこらじゅうにいっぱいいる赤鬼の中の一人が、ジャップを殺せと一声叫べば、それでおしまいになるだろうと思った。船長の力をもってしても集団の暴力にはかなわない。おそらくフランクは、手足を縛られ、船の外へ抛《ほう》り出されるであろう。寒気は彼を取りかこみ、三十分経《た》てば全身の知覚を失い、一時間後にはかちかちに凍った人間の形がそこに残るだろう。もし彼等が更に残酷なリンチを意図するならば、フランクは防寒具を着せられて、船外に抛り出されるだろう。死への苦しみは暗闇の中で数十時間先に持ち越されるに違いない。

〈フランク、気をつけろ、狙われているぞ〉

　彼に気象観測を教えた二等運転手が言った。

〈リンチですか〉

〈困ったことだが、あいつ等の頭は狂っている……〉

　二等運転手は気の毒そうに言った。

〈どうしたらよいと思いますか〉

〈先手を打つよりしようがないな〉

先手を打てと言われたときフランクの心は決った。彼は船長のところへ行って、ポイントバローへ救援を求めに行きたい旨《むね》を申し出た。

〈ばかなことを言え、そんなことができるものか、ポイントバローへ行けということは地獄へ歩いて行けということと同じだ〉

〈でも、ここにいても間も無く私は地獄へ追いやられるでしょう。私は自分を試してみたいのです。船長、言ってみて下さい。ポイントバローへは絶対に行けないでしょうか〉

〈いや、可能性はある。運がよければ行きつくことができるだろう。しかし、その確率はきわめてとぼしい〉

船長はその時苦痛を飲みこんだような顔をした。強いてフランクを引き止めても、再び、この氷原に太陽が現われるまでフランクの安全を保証できる自信がないようだった。

ハーレイ船長はフランクの決心を船員のすべてに告げた。

〈フランクはベアー号の食糧危機を救うためにポイントバローに救援を求めに行きたいと申し出た。フランクと共にポイントバローへ行く者を募集する〉

だが、フランクと共に暗闇の氷原へ飛び出そうという者は一人もなかった。

フランクがベアー号を後に青い夜明けに向って出発したとき、ベアー号の全員が外に出て彼を見送った。まるで葬列を見送る人のように静かだった。フランクを元気づけたり、彼の前途の安全を祈るような言葉を投げかける者はごく少数だった。多くの者は、ベアー号に乗っていたたった一人の日本人が今、ベアー号を去って行くのだという顔で見送っていた。

〈どうせ、氷原の上でのたれ死にする奴に食糧を背負わせてやるなんてもったいねえじゃあないか〉

フランクが背負っている食糧の入った袋を指して大きな声で言う者さえいた。

2

フランク安田は歩き続けた。時々彼はポケットからベーコン（豚肉の燻製《くんせい》）の肉片を出して噛《か》んだ。その後に激しい渇きが彼を襲った。足下の雪をすくって口に入れたかった。そうすれば一時的には渇きから逃れることができるが、すぐ前に倍する渇きが襲って来ることをよく知っている彼は、雪を口にするようなことはしなかった。雪が渇きを誘い、その誘惑に負けて、雪を口にすることは、その雪をとかして水に変えるだけのエネルギーが彼の体内で消費されることになる。そのことも彼はよく知っていた。

彼は星を見つめ磁石で方向をチェックしながら歩き続け、疲労と渇きの限界に達したときは荷物をおろし、彼の持物のすべてを利用して、そこに風よけの砦《とりで》を作った。その中で彼は覆《おお》いかぶさるようにしてアルコールランプに火をつけ、その上に小型の平鍋《ひらなべ》を置き雪を盛った。

〈これらの道具はかつて北極探検をした多くの先人たちの創意によるものだ。万が一の場合のために用意して置いたが、これをお前にやろう〉

ハーレイ船長はその道具にアルコールの瓶を添えてフランクに与えた。アルコールは貴重な燃料だった。それが無くなったときは、いよいよ雪を口に入れねばならない時であった。そして、そのころ、十日分の携帯食糧もまた尽きる筈《はず》だった。

彼は頭からシートをすっぽりとかぶった。彼の頭を頂点とするテントができた。そうすると、アルコールランプから発せられる熱を外に取り逃がすことがなかった。彼だけの家ができた。彼は湯を沸かす音を聞きたかった。熱くてすぐには飲めないような湯が欲しかったが我慢した。アルコールを節約するためには、水で満足しなければならなかった。彼は雪を溶かした水を水筒に移し、皿に残った僅《わず》かばかりの水を飲んだ。咽喉《のど》をすべりおちる水の感触に生きている確証を与えられたような気がした。

彼は毛皮の外套《がいとう》を脱ぐと、いそいで水筒の革紐《かわひも》を肩にかけ、その上に毛皮の外套を着た。手早くやってのけたのだが、全身が氷で打たれたような冷たさが後に残った。此処《ここ》では一秒たりとも毛皮の外套を身体《からだ》からはなすことはできなかった。彼は荷物をまとめ、背負い、南に向って歩き出した。水筒を毛皮の外套の下にしたのは水が凍らないためだった。

南の方向に現われた星を目標に歩き出してから数時間は経《た》っていた。その間に星座はいちじるしく動いていた。最初の星は彼の進路とは関係のないところに行っていた。彼は南だと見当をつけたところに現われる星を次から次ととらえた。星の動く速度を頭の中に入れて、南の方向を決めていた。時計はないし、測定器はなかった。彼はその航路決定を彼の眼と勘でやった。危ないものだった。時々磁石でチェックしたが方向は合っていた。南を眼ざして歩いていると思うのは彼の自己満足だけではなく、既に自信のようなものになっていた。

全身で努力して決定した南の方向に向って歩き続けられるような、静かな夜であり、星がいっぱいある限りは、やがて目的地に到着できるだろうと思った。

(星から眼をはなしてはいけない。たとえば此処で何時間か眠ってしまったら、星の位置はすっかり変り、おそらく方向を失ってしまうであろう)

彼はそう考えた。星が位置を変える方向とは逆の方向に、星の移動する角度だけ、彼の進路を補正しながら歩くことも、馴《な》れてしまうとそれほど、むずかしいことではなかった。

彼は歩き疲れた。そろそろ、あの青い夜明けが来てもいいと思っていた。その青い夜明けが彼が歩いている方向に現われたならば、彼は方向を誤ってはいなかったことになるのだ。彼は自分の能力について、間もなく、青い夜明けが判定してくれるだろうと思っていた。

星の光が少しずつ薄れて行くようだった。靄《もや》が出たようにも考えられた。霧かも知れない。嵐《あらし》になる前兆かもしれない。彼は立止って、全天をぐるっと見廻した。そして、彼は、彼が進行している南の方向に青い夜明けが近づいているのを知った。

進路は正しかった。道しるべの星の影は薄くなり、そこに青い夜明けが始まった。真《まっ》暗闇《くらやみ》の一日の中に僅かながら訪れた光であった。この北極海の冬においても、光はやはり存在することを示すものだった。

青い夜明けは朝であり、昼であり、そして夕方でもあった。そのつつましい青い夜明けは南の空を中心として始まり、そこを中心として終った。三時間後には再び夜となった。

フランクは尚《なお》も歩き続けた。歩いている方向が南であったことが証明されたから、彼は自信と共に勇気を得た。

(とにかく天気が変らないうちに歩けるだけ歩くのだ)

青い夜明けは終り、その方向に星が出た。彼と星との睨《にら》み合いがまた始まった。

彼はベーコンを食べ水筒の水を飲んだ。ベアー号を出発してから経過した日時を頭の中に明記した。

睡魔が彼をしばしば襲った。寒さによるものではなく、とっくに睡眠を取らねばならない時間になっていたのだ。歩いていて、ふと星を見失いかけたり、眼を閉じたりした。彼は自らに鞭《むち》を当てた。

前方がかすんで星が見えなくなった。なにか遠いところに突然山脈が現われて視界をさえぎったようだった。高い空では星が輝いていた。それまでほとんど風らしい風がなかったのに、時折風が吹いた。強、弱の変化はあったが、次第に風速は増し、飛雪が顔を打った。全天の星が消え、風の唸《うな》り声が、聞えた。この世界で最も恐ろしいのは風だった。風は防寒具を通して体温を奪った。

暴風雪がやって来た。降雪と、飛雪とが風に乗り渦を巻きながら移動した。

フランクは仮泊の準備にかかった。スコップで雪を掻《か》きのけて穴を作り、その中に入り、天井をシートでふさいだ。この作業は既に経験済みだった。

積雪はそう深くはなかった。吹きだまりを選んでも、完全な雪洞は掘れなかった。或《あ》る程度掘ると氷原の氷に達した。氷はツルハシを使ってもそう簡単に掘ることはできないほどの固さを持っているのに、ツルハシに替るべき道具を持ち合せていない彼は、ようやく蹲《うずくま》ることができる程度の穴を掘り、その周囲に雪を盛り上げるのがせいいっぱいだった。その作業が完全に終らないうちに、暴風雪の修羅場《しゅらじょう》を迎えた。

北極海の黒い嵐との戦いが始まった。嵐は、あらゆる方法で、穴の入口を覆っているシートを剝《は》ぎ取ろうとした。剝ぎ取れば、その中にいるフランクを吹雪の中に埋め込んでしまうことができた。

フランクは、シートを奪い取られまいとして嵐と争ったが、とても、彼ひとりの力では、彼の雪洞を守ることが不可能と分ったとき、彼は、すべてのものを身につけ、シートで全身を包んで、穴の中にうずくまった。

しかし吹雪は降伏した彼を許さなかった。

間もなく彼は穴の中に埋められた。嵐は僅かに彼の存在を示すだけの隆起を氷原上に残した。やがてその隆起も吹雪の流線に沿うようにならされたときに戦いは終った。風はそれ以上フランクを痛めつけようとはしなかった。

フランクは嵐に対して降伏したように見せかけただけで、実際は再起の機会を狙《ねら》っていた。彼はちゃんと空気の通う穴を作って置いた。吹雪がそれを発見して埋めた直後には、また別な形の空気の穴が風下に向って口を開いていた。その空気穴の争奪戦がしばらく続いたあとで、フランクは一方的に休戦を宣して、穴の中で眠った。

彼は時々ひどく息苦しくなって眼を覚ましては、空気の穴の位置を変えた。風の方向が時間と共に少しずつ変化していることは明らかだった。

吹雪は三日続いた。時計を持っていない彼に取って三日間という判定は必ずしも正確ではなかった。一日二日の区切りとなる青い夜明けはこの吹雪の中で確かめることはできなかった。だが彼は、吹雪に閉じこめられた期間をこの前も三日、そして今度も三日と踏んだ。時計はないが、その雪洞の中で何回食事を摂《と》ったかということが何日経過したかということだった。

誠に彼にとって幸いなことには、その暴風雪が終った時が丁度青い夜明けの時間だった。

彼は雪洞から這《は》い出し、いそいで水を作り、そして、南の空に向って歩き出した。彼の頭の中の地図によると、その位置は、ベアー号とポイントバローのほぼ中間であって、あと六五マイルは歩かねばならない。彼はそのコースに向って歩き出したのである。

食糧も燃料もあと僅かになっていた。生死が決るのは、嵐が去った直後の一日か一日半の静穏な星の下でどこまで歩けるかということだった。

青い夜明けが沈み、星の夜になり、再び青い夜明けが訪れるまで歩き続けた彼は、その青い夜明けの中に隠されている朝焼けのような薄い紅色を南の空に見た。オーロラかと思ったがそうではなく、それは青い夜明けの変形であることに気がつくまでには更にしばらくの時間の経過があった。

彼はその淡いバラ色の夜明けの地平線に、地平線とはいい難い乱れを感じた。一般的には、それは地平線だったが、じっと見詰めると、ごく僅かながら、波状の起伏が見えた。錯覚だとも思われた。はっきりと認められるものではなかった。

「陸地だ。陸地に近づいたのだ」

と彼は叫んだ。アラスカ大陸の北端の地形を望見したのだと思いたかった。しかし、それは、彼の心の中の希望が、淡いバラ色の空の下に蜃気楼《しんきろう》として現われたのかもしれないし、単に眼の錯覚かも分らなかった。だが彼は地平線ではなく地表線らしいものを見たことで力づけられた。そろそろ、アラスカ大陸の沿岸にさしかかっていた。間もなく、氷原から去り、人の住む大陸へ足を踏み入れることになるのだ。

彼は、その希望の方向に、長々と一条の雪の溝を掘り、念のために磁石を出して、その方向をチェックしてから、眠りについた。ほとんど二十時間歩き続けた後であった。彼は間もなく熟睡に入った。

眼を覚ましたら、まだ雪が降っていた。暴風雪ではなかった。降ったり止《や》んだりの、どちらかと言えば、おだやかな降り方だったが、真暗闇では動きようがなかった。

「あのまま歩き続ければよかった」

と言ってみた。歩き続けていたら陸地に達していたかもしれない。しかし、そこからポイントバローまでがたいへんなことなのだ。

フランクは前進をあきらめた。磁石があっても、それを使って歩くためには、間断なくマッチを擦らねばならなかった。マッチの軸も残り少なくなっていた。

彼は雪の止むのを待った。二日ほど経過したところで再び嵐になった。嵐は三日間続いた。つまり彼はこの場で五日間を過したことになる。

食糧が底をつこうとしていた。食べないと寒さが身にしみる。食糧を食べ尽せば死である。彼は残り少ない食糧をどう使うべきかを考えたが、考えている間にそれはどんどん減って行った。どうにでもなれという気になって、最後の肉塊に手をかけたことが何回かあったが、彼の自制心はそれ以上に強く、食糧の管理は厳然として守られていた。最後の一塊の肉は最後の行動食にしなければならないと彼は思いつづけていた。

嵐が止んで星が出た。彼は南の方向を示すために掘って置いた溝を探した。そのためにマッチの軸を十数本消費した。進路が決ったところで彼は最後のアルコールを使って水を作った。それは水筒に八分目ほどもあった。ポケットにはまだひとつかみのベーコンがあった。

彼は南の空に星の動きをとらえた。頭がひどく冴《さ》えた。彼は死ぬか生きるかの最後の賭《かけ》に挑戦しようとしている自分自身を振り返った。

彼は頭の中で神や仏に祈願した。その神や仏はすべて彼の故郷に実在するものだった。心の中に浮んで来る、それらの神社や寺は、彼の記憶のままだった。それらは輝く太陽の下にあった。緑の葉が風にそよぎ、小鳥が鳴いていた。彼は、それらの神社や寺の前で、熱心に祈った。助けて下さい。ポイントバローまでこのフランク安田を導いて下さいと祈りながら彼は南の星を求めて歩いていた。

風は止んではいなかった。風の音の中に、彼は人の声らしきものを聞いた。北極海の氷原の上で彼に呼びかける人がいる筈がなかった。彼は歩き続けた。

〈恭輔《きようすけ》さん〉

彼は背後にそう呼びかけて来る女の遠い声を聞いたような気がした。瞬間彼は足を止め、それが女の声ではなく、空耳であると自分自身に言い聞かせて再び歩き出した。

〈恭輔さん〉

再びその声を聞いたときフランクは、反射的に立止った。背後に人の足音がせまり、その手が彼に触れたような気がした。だが、心の中の影はそれ以上動かなかった。千代の声も消えた。風が起って前方をさえぎり、また晴れた。

「いまさら思い出してもどうにもならないことなのだ」

彼はつぶやいた。口を開くと歯が痛むほどの寒さが彼を刺した。

あのとき、彼に追いすがって来た千代をしっかりと抱き止めることができたならば、彼の人生はまた違っていたのだろうと彼は考えた。しかし、あのとき千代の手は彼には届かなかった。その手を取って引き寄せる余裕さえもなく、千代と恭輔の仲は、石原田家の人々の手によって、引き離されてしまったのだ。

〈ああなるように生れついたのだ。人間の力ではどうにもならない、運命の手にゆだね

られたのかもしれない〉

彼は幼いころの自分の姿を思い浮べた。紺飛白《こんがすり》の着物を着て、豆しぼりの三尺を結んで、下駄をからころと鳴らして走り廻っていたころが懐《なつ》かしかった。

3

安田恭輔は明治元年十一月二十日、宮城県石巻町の医師安田静娯《せいご》の三男として生れた。安田家は代々この地で医業を営んでいた。恭輔の父静娯は十六代目の医者となるに先だって、仙台養賢堂医学館で医学の基礎を学び、後、上京して水戸藩の楊清友のもとで臨床医学を学んだ。明治六年に石巻湊町《みなとまち》に小学校が創立されると、初代校長として故郷に招かれ、教育のかたわら先祖伝来の医業を引継いだ。

恭輔の祖父友琳《ゆうりん》はまだ矍鑠《かくしやく》としていた。町の人は友琳のことを大先生と呼んでいた。友琳は十六歳のころ長崎に渡って蘭方医《らんぽう》としての勉学をした人である。彼は医師としての名声よりも漢学者としての名声を得ていた。武芸にも秀《ひい》でていた。維新のころは憂国の志士として京都にいたことがあった。

友琳は孫のなかで、三男の恭輔に特に眼をかけていた。

〈この子はおれの子供のころとよく似ている。なにごとに対しても恐れることを知らず

きっと大物になる〉

に立向って行こうとする。この子の性格は安田家を代表する血筋である。この子は将来、

友琳は口癖のように言っていた。

友琳には幼い恭輔の姿がそう見えたが、両親や兄弟姉妹等には、いささか乱暴者の気のつよい子として扱われていた。負けん気が先になって、すぐ直接行動に出る恭輔に、

〈喧嘩《けんか》はいくらやってもよいぞ、だが、弱い者をいじめるな、強い者を相手にしろ、そして負けても泣いてはいけないぞ〉

と友琳は教えた。

恭輔は広い庭内の一角にある隠居屋に祖父友琳と共に住んでいた。

当時恭輔には十歳年上の姉の京《きょう》と七歳年上の兄清安《せいあん》、そして四歳年上の次兄彦輔《ひこすけ》がいた。上の三人は父母とともに母屋《おもや》に暮していた。祖母は既に無く、隠居屋には祖父の身の廻りを世話する女中が一人いた。

恭輔が安田友琳のペット的な存在となったときから彼は姉兄たちとは違った道を歩いていた。友琳は恭輔を溺愛《できあい》した。欲しいものはなんでも買って与えた。彼の粗暴な行動をとがめず、むしろ勇気ある少年だと讃《ほ》め、将来は間違いなく名医になり、一家を興《おこ》すだろうと言った。友琳は幼い恭輔に竹刀《しない》の振り方を教えた。剣道の道場にもしばしば伴って行った。

明治八年（一八七五年）恭輔は小学校に入学した。友琳はその恭輔に紋付袴《もんつきはかま》をつけさせて入学式に臨んだ。そして彼は入学式の最中に倒れて、終《つい》に立上ることができなくなった。友琳は大きな鼾《いびき》をかき続け、その音が低くなりやがてとだえたとき彼の生命もまた消えた。享年《きょうねん》六十四歳だった。

恭輔は祖父の死とともに母屋に引き取られた。隠居屋の雨戸は閉められ、彼が日本を離れるまで開くことはなかった。

恭輔にとって祖父の死は大きな衝撃だった。彼は深い孤独感に襲われた。父母もいたし、姉兄もいるのに、彼には、もはや本気になって自分を見守ってくれる人はいないように思われた。祖父友琳の愛情があまりにも大きかっただけに彼の失意もまた大きかった。彼は、母屋に住むようになっても、なんとなく淋《さび》しそうだった。それまでのようにびっくりするようないたずらもせず、おしだまったままなにか考えこんでいる日が多くなった。祖父と住んでいた隠居屋の周囲を歩き廻ったり、急に思いついたように剣道の道場へでかけたりした。

恭輔の母いつは彼にいたわりの声をかけた。おじいさんのことはもう忘れなさいとも言った。いつは、おじいさん子になっていた恭輔を自分の子に取戻すためにあらゆる努力を惜しまなかった。そして恭輔の気持が、ようやく過去から離れ、父母や姉兄の中に溶けこもうとし始めたころ、妹のさだが生れた。母の愛情は妹のさだに移っていった。

祖父友琳が死んだ年の暮のことである。

　母のいつにかわって恭輔の面倒を見てくれたのは姉の京であった。そのとき姉の京は十八歳、恭輔は八歳であった。京は石巻小町とか湊小町とかうたわれるほどの美人だった。京が町を歩くと人が振返った。眼が澄んで大きく、鼻筋が通り、色白、中肉、中背というように美人の条件をすべて集めたような女だった。京は母に言われたのではなく、自らすすんで恭輔に着物を着せかえてやったり、勉強を見てやったりした。

〈ちょっと恭輔、じっとしていなさい〉

などと京に言われて、三尺を結んで貰《もら》ったり、よごれた顔を拭《ふ》いて貰ったりしているとき、恭輔は、なぜお京姉さんはこんなに美しくてやさしいのだろうと思った。京はお京さんと呼ばれた。京さんよりもお京さんのほうが呼びやすかったのだろう、その呼名がずっと通っていた。

　京は恭輔が十歳のとき仙台へ嫁に行った。京は嫁ぐ日を明日にひかえて、

〈恭輔はもう十《とお》でしょう、私がお嫁に行ってもお母さんにあまり手を掛けさせるのではないわよ〉

と言った。恭輔はその姉の言葉を聞きながら、お京姉さんがお嫁に行ってしまったら、いったい誰が、おれの面倒を見てくれるのだろうかと考えていた。

　恭輔が十二歳の正月、弟の昌平が生れた。母の愛は妹のさだから弟の昌平に移って行

ったようだった。

姉の京が嫁に行ったころから恭輔の腕白ぶりは激しくなった。近所で子供の泣き声がすると、ああまた恭輔がいじめたのだなと言われるほど彼の悪童ぶりは板についていた。学校でも評判だった。単純ないたずらではなく、頭脳的ないたずらをしても、安田家の三男坊ということで先生は大目に見ていた。それがかえって彼のいたずらを増長させたようだった。

いつは恭輔の変り方を心配して、時折、彼を呼んで叱《しか》った。叱ったあとで恭輔を引き寄せて、

〈お前は割が悪いんだよ、上と下にはさまれて、甘えるひまもなかったのだからねえ〉

と言った。上とは姉や兄たちのことで、下とは妹と弟のことであった。愛情の不足が、彼を粗暴に走らせていることを、母のいつはよく知っていた。だが彼女にはどうしようもなかった。子供が多すぎたし、よくないことに昌平を生んで以来、彼女は腎臓《じんぞう》を悪くした。はればったい顔をして重そうに足を運んでいる日が多かった。彼女は医者の妻であり、その病気は簡単には治らないことを知っていたし、決して無理をしてはならないこともよく承知していた。夫の静娯も口うるさく彼女に安静を要求した。だが、彼女には妻として母としての責任があった。幼い子供たちを放ったらかして寝てはおられなかった。むくみが激しくなって、寝こんでしまってから一カ月後に彼女は死んだ。明治十

四年（一八八一年）の春のことである。

静娯は妻いつを失ったことでひどいショックを受けた。妻の病も治せないで、なんで他人の病を治療できようかと言って、しばらく医院の門を閉じたほどだった。静娯は妻を失った悲しみを酒でまぎらした。そして、その酒が彼の身体《からだ》を駄目にした。急性の胃潰瘍《かいよう》になりそれが命取りとなった。妻が死んだ翌年の明治十五年、行年四十六歳で他界した。

恭輔は十五歳にして両親を失ったのである。

親族会議が開かれた。清安はその年東京医学校を卒業したばかりであったが、父静娯の死と同時に故郷に帰って医業を継ぐことになった。彦輔はそのまま東京で勉学を続けるほうがよいということになった。さだは、姉の京が引き取って面倒を見ることになり、三歳の昌平は、医師の沼倉家へ養子として貰われて行くことになった。

十五歳の恭輔はそのままにされた。小学校を卒業したら兄たちと同じように、仙台か東京の学校へ行って医学を勉強して将来医者になるつもりでいた恭輔は、父母が相継いで死んだことにより前途を断たれた。親族会議においても、恭輔の身のふり方だけが等閑に付された。

〈恭輔はもう十五だから〉

誰かが言った。恭輔は彼自身で生きる道を考えねばならなかった。長兄は既に医者となっている。次兄も医者の将来を約束されていた。幼い弟は医者の家へ養子として迎えられて行った。なぜおれ一人だけがと恭輔は不満であった。祖父の友琳が生きていたならば、いかなる方法を講じても医者にしてくれたのにと思うと、残念でならなかった。この頃から彼は熱心に剣道の道場に通った。

親族会議ではもう一つ重大な問題が討議された。静娯の死と同時に表面に出た借金であった。この借金は静娯が作ったものではなく、彼が知人に頼まれて借金の保証人になったがための結果であった。そういう金だから、相手は静娯の生きている間は強くは請求しなかった。死んだと同時に保証人としての義務の履行をせまったのである。

親族会議の結果、安田家の山林と田畑を売ってこの返済に当てることにした。安田家は大きな邸《やしき》を持ち、背後は山林に通じていた。その裏の畑と山林は他人のものになった。邸と家だけが残った。

清安は家業の医者を継いだが、不動産のほとんどを失ってしまった彼は、医業だけで、弟の彦輔の勉学資金を捻出《ねんしゅつ》することは困難だった。清安はまだ若く、医者としての経験はとぼしいから、祖父友琳や父静娯のときのように待合室が患者でいっぱいになるようなことはなかった。

清安の友人で北海道の病院に勤めている者がいた。北海道は新開地として医者が不足しているから来ないかという手紙が来た。条件はすこぶるよかった。その病院に医者として赴任すれば、弟彦輔の学資は出せる。そこには先輩も多いし、医療施設もかなり整備しているから、医師としての経験をつむにも好都合だった。

清安は従妹《いとこ》のしゅんと結婚して北海道に行くことになった。

〈恭輔、お前も学校に入れてやりたい。彦輔のように医者にしてやりたい。しかし、おれにはいまのところそれだけの力がない。許してくれ〉

と別れに臨んで清安が言った。

恭輔は黙っていた。父母の死と同時に一家が離散して、あとには自分ひとりだけが残るのだという現実だけを嚙《か》みしめていた。

十五歳という年齢は既に子供ではないと見做《みな》されている時代だった。恭輔は自ら働いて食べて行かねばならなかった。

彼は人にすすめられて、三菱《みつびし》汽船石巻支店に就職した。

石巻は古くから北上川の河口に発達した町である。源義経が兄頼朝に追われて海路石巻港に着き、北上川を舟で溯行《そこう》して平泉へ落ちて行った史実から見ても、北上川が水路として古くから重要な役割を果していたことが窺《うかが》われる。

東北地方の肥沃《ひよく》な農耕地帯を背景に北上川という長大な水路の末端に発達した石巻は港としても恵まれていた。徳川時代には伊達《だて》藩が石巻を米の積出し港として重視したばかりではなく、海外との貿易の根拠地にしようと考えたこともあった。石巻湾内の月の浦港は慶長十八年（一六一三年）支倉《はせくら》六右衛門常長が伊達政宗の命を受けて、遣欧使節としてローマに向って出発した港である。その月の浦と隣接して荻浜《おぎのはま》がある。荻浜はもともと戸数二十戸ほどの寒村だったが明治十四年に三菱汽船の寄港地と決定されてから急速に発達した。鉄道のない時代であった。荻浜はたちまち宮城県第一の港となり、東京、大阪方面へ向う者や北海道へ向う者は、すべて荻浜から汽船に乗った。

三菱汽船が荻浜に眼をつけたのは、荻浜が自然に恵まれた良港であると同時に、北上川という水路を考慮しての上のことであった。荻浜が開港し、大型の汽船が港に着くようになると、寒村は一変して町となり、荻浜と近接している石巻もまた賑《にぎ》わうようになった。荻浜港には、天津《てんしん》丸、万里丸、弁天丸、博愛丸、上繰寄《かみくりより》丸、択捉《えとろふ》丸、多聞《たもん》丸等が入港した。

恭輔は荻浜開港の翌年に三菱汽船株式会社石巻支店に職を得た。給仕という用語が官庁、会社を問わず広く一般に使用されていた時代だった。二十歳未満の者は給仕と呼ばれてもさほど屈辱感は持たなかった。

恭輔は湊町の広い家に一人で寝起きしながら三菱汽船に通勤していた。一人では不自由だろうから、来なさいと誘ってくれる親戚《しんせき》もあったが、恭輔はかたくなにこれをしりぞけた。自炊もするし、衣服のほころびも自分でつくろった。彼の気の強さが、他人の手を排除し、十五歳で既に精神的には独立していた。

給仕と言ってもお茶汲《く》みばかりさせるのではなく、走り使いもすれば、事務の補助もやり、支店長の私用も手伝った。恭輔は口は重いほうだったが身は軽かった。気が利《き》いて、しっかりした少年だという評判を取った。

4

恭輔が十六歳になった年、石巻にあった三菱支店は出張所を荻浜に設けた。恭輔は荻浜出張所勤務を命ぜられた。石巻から荻浜までは三里半あった。通勤はできないので、荻浜にできた会社の社員宿泊所に寝起きしていた。船が出入りする前後は多忙だったが、連日船の出入りがあるのではないから、ぽかっと穴が明いたように暇なときがあった。出張所長はこんな日を見計らって、恭輔に休暇を与えた。当時、三菱汽船には既に休日の規則はあったが、末端まで徹底してはいなかった。出先では適当に休みを取っていた。恭輔は初めての休日は洗濯をした。次の休日には近くを歩いて廻った。そして三度目の休日には久しぶりで、石巻へ帰ることにした。

その朝、彼は数日前に支給された詰襟の小倉の洋服に着かえ、竹馬に乗って荻浜を出た。足段の高さ三尺もある竹馬はこの日のために前夜準備したものだった。洋服を着て靴を履くとじろじろと見られる時代だった。詰襟の洋服を着てはだしで竹馬に乗って歩く恭輔の姿を荻浜の人たちは驚きの目で眺めていた。新しい洋服を見せびらかしたいがためにわざと竹馬に乗って歩くのだろう、いかにも少年らしいやり方だと微笑で見送る者もあったが、それにしても足段の高さ三尺の竹馬は異様だった。なんだってあんなに高い竹馬に乗ろうと考えたのだろうと不審に思った者も多かった。あの少年は少々頭がおかしいのではないかと首をかしげる者もいた。

恭輔はそれ等の種々の批判の目を後に、竹馬に乗ったまま石巻へ向って歩き出した。荻浜、侍浜、月の浦、蛤浜《はまぐりはま》と海岸に沿って続く道を約一里半（六キロメートル）歩いて来たところに神社があった。そこから道は二つに別れ、石巻へ行くには風越峠を越えねばならなかった。

〈荻浜から来たのか〉

と通りかかった人が恭輔に訊《き》いた。洋服を着ているから、荻浜の三菱汽船の社員だと見たのである。

恭輔は竹馬からおりて一休みした。足よりも、両手がひどく疲れた。

〈どこまで行くのだ。まさか峠を越えて、石巻へ行くつもりではないだろうな〉

そういう男に恭輔ははっきりと、竹馬で峠を越えて石巻へ行くのだと答えた。

〈なぜそんなばかなことをするのだ〉

〈ばかなことでしょうか〉

恭輔はその男に反発の眼を向けたが、強くは抗《あらが》わなかった。言ったところで、この男には分らないだろうと思った。

山道だから竹馬は肩に担《かつ》いで、歩いて登ったほうがいいのに、彼はその峠を竹馬で越えようとした。越えてみたかったからである。峠の高さは海抜一三〇メートルほどのものであったが、かなり急坂だった。汗が眼にしみた。

峠を越えて日溜《ひだま》りに出ると椿《つばき》が咲いていた。近くを通る暖流のために、この辺は比較的に温暖だった。雪が降ってもすぐ溶けた。内陸部のような厳しい寒さはここにはなかった。椿の北限は大体この付近になっていた。椿の花を見て、恭輔は多福院の裏山を思い出した。多福院は安田家の菩提寺《ぼだいじ》であると共に、この裏山の自然が、幼年のころの遊び場でもあった。

多福院の隣に祖父友琳の親友の石原田鳴斎の邸《やしき》があった。友琳は孫の恭輔をつれて、よくこの家を訪れたことがあった。二人は碁敵でもあり、終日碁盤を囲んで動かない日もあった。こんなとき恭輔は鳴斎の孫の千代と遊んだ。恭輔が一つ年上だった。恭輔は千代の前ではたいへんおとなしく、千代を泣かせたり悲しませたりするようなことはなかった。不思議に千代の前では気持が落ちつき素直な子になれた。

友琳の死後も、恭輔は石原田鳴斎の家を訪れた。鳴斎が特に眼をかけてくれたこともあったが、千代の存在が彼をこの家に引きつけたことも事実だった。彼は多福院の裏山から鳴斎の庭に突然現われることがしばしばあった。多福院の裏山には春早く椿が咲いた。この椿の木の繁《しげ》みの中を一気によじ登ると阿弥陀《あみだ》峰があり、五月ごろになると、ツツジが咲いた。

恭輔はツツジの花を抱いて鳴斎の家を訪れたこともあるし、多福院の裏山にある大公孫樹《いちょう》からこぼれ落ちる銀杏《ぎんなん》の実を拾いに行った帰りに寄ったこともあった。なにかのきっかけを考えては彼は石原田家を訪れ、千代の元気な顔を見て、ほっとした気持で家に帰った。

恭輔は椿の花を見たとき、千代の潤《うる》んだように大きな眼と、鳴斎の白い髯《ひげ》を同時に思い出した。

風越峠をおりてからはずっと平坦《へいたん》な道だった。彼は、渡波《わたのは》から長浜を経て湊町へ入った。

石巻は古くは伊寺牧《いじのまき》と呼ばれていた。北上川が伊寺《いじ》川と呼ばれていたころのことである。伊寺川が北上川と名称が変更されたころから伊寺牧もまた石巻《いしのまき》と変ったのである。

石巻は中央を北上川が流れているので東岸の町と西岸の町とに分れ、西岸は消費地（商業の町）として発展し、東岸は生産地（工業の町）として発達していた。

石巻は源平時代から諸国との間に船の往来があったので、海路、中央の文化がこの港を通じて入りこんでいた。南北朝時代には、京都から逃れて来た後醍醐《ごだいご》天皇を奉ずる人たちがこの地に都を移し皇子を迎えようと計ったが時代の波におし流されて野望はむなしく消え、後に多くの憂国の碑を残した。中央に何等かの政変があると、必ず誰かが海路この地に逃れて来て隠れ住んだ。

石原田家もその系図によると南朝の遺臣であり、この地に居をかまえて既に久しく、家屋敷の他に財産もあった。鳴斎はもともと漢学者であったが家督を鉄之助に譲っていた。千代は鉄之助の一人娘である。

恭輔は石原田家の門前で竹馬を降り、腰の風呂敷《ふろしき》包みをほどいて靴を出して履き、竹馬を小脇《こわき》にかかえて門を入った。庭で植木の手入れをしていた鳴斎と顔が合った。

〈よく来たな〉

と鳴斎は大きな声で言った。そして、恭輔が抱えている竹馬を見ると、なんでそんなものを抱えこんでいるのかと訊いた。

〈荻浜からこの竹馬に乗って来ました〉

恭輔は少々照れ臭そうに答えた。

なに、荻浜から竹馬に乗って来たのだと、鳴斎は一瞬眼を見張ったが、急におかしさがこみ上げたように、白い髯《ひげ》をふるわせて笑った。ばかな奴《やつ》だよ恭輔は、とも言った。

〈さあ上れ〉

と鳴斎は恭輔を家の中に入れると、なぜ竹馬なんかで、やって来たのかと訊いた。

〈亡《な》くなったお祖父《じい》さんが、馬に乗って歩けるような人間にならねばならないと、よく言っておりました。竹馬は馬の仲間には入らないでしょうか〉

恭輔はまじめ腐ってそんなことを言った。

〈そう言えば友琳は馬が好きだったな、往診にはいつも馬を使っておったわい。友琳先生なんて呼ぶものはいなかった。馬の先生で通っていた〉

鳴斎の顔から追憶の一瞬が去った後で彼はひどくきびしい顔になって言った。

〈ほんとうに馬に乗るつもりで竹馬に乗って来たのか〉

〈ただ乗って見たかったからです。荻浜からここまで竹馬でずっと通したらどういうことになるかやってみたかっただけです〉

〈それで……〉

〈ばかだとか、へんな奴だとか、いろいろのことを言われました。しかし、やってみただけの価値はありました。おそらく今後こんなばかげたことをやる人はないでしょう。しかし私にとってはやり遂げたということに意味があるように思われます〉

〈そうだ恭輔、荻浜から竹馬に乗って三里半の道をとことこやって来たということはたいへんなことだ。折角来たのだから、その竹馬に乗ったままで、お前の親類の家を一軒一軒廻って、竹馬の上から、恭輔は親類の厄介なんかにはいっさいなってはいませんよと大きな声で言ってやればよかった〉

鳴斎は安田家の親類たちが恭輔に冷淡な眼を向けているのだと曲解していた。実際はそうではなく、石巻に在住する親類たちは恭輔に、ひとり暮しは不便だから、家へ来なさいと誘ったし、道で会えば声を掛けてもいた。恭輔が荻浜へ行ってからはわざわざ荻浜に彼を訪ねて行った者もいた。そういう親類たちにそっぽを向いているのはむしろ恭輔であった。突然やって来た両親の死によって、彼はひとりぼっちにされたのであり、親類のせいでも誰のせいでもなかった。そうと分っていながらも、なんとなく、身近な者に抵抗したい年頃だった。

鳴斎は、友琳が可愛《かわい》がっていた恭輔が、兄弟のうちでもっとも籤《くじ》の悪い鬮を引き当てたのを見て、一途《いちず》に安田家の親類を冷酷だと決めつけていた。恭輔が荻浜から竹馬でやって来た、心の底には親類に対する怒りが燃えていたのだろうと邪推したのである。が、それはたいへんな見当違いだった。竹馬で来ようと考えたのは、その前日、荻浜の町で、竹馬に乗っている子供たちの姿を見て、幼いころのことを思い出したからであった。恭輔は石原田家へ竹馬に乗って行ったことがある。友琳が死ぬ前の年のことである。安田家から石原田家までは歩いて数分のところだったが、七歳の彼が竹馬で踏破したことを祖父の友琳も讃《ほ》めたし鳴斎も讃めた。しかし彼はその老人たちの讃め言葉よりも、千代が、丸い大きな眼を見張って、

〈ずっと竹馬に乗って来たの、恭輔さんはえらいのね〉

と言ったことのほうが鮮明な記憶となって残っていた。その日彼は友琳と鳴斎が碁に熱中しているとき、どうしても竹馬に乗りたいと言ってきかない千代に竹馬の乗り方を教えた。

庭で、その遊びに熱中している二人を見て、千代の母が女の癖に、そんなことをするものではないと激しく叱《しか》った。千代はなぜ母に叱られたのか分らないなという顔で母の顔を見詰めていた。

恭輔は荻浜から竹馬に乗ってやって来た彼のことは、おそらく千代の耳に入っているに違いない。それなのに千代はなぜ出て来ないのだろうかと考えていた。病気かなとも思ったが、それを確かめる勇気はなかった。時折、遠くに千代の声が聞えたような気がした。そんなときは全神経を耳に集中した。

〈千代はどうしたのだ、ここに来るように言いなさい〉

と鳴斎が家人に言った。それでも千代の姿が見えないので鳴斎は迎えに立った。

〈千代は恥ずかしいのだそうだ。あの子も恥ずかしがるような年頃になったのだよ〉

鳴斎は笑った。

その日、ついに千代は姿を現わさなかった。

恭輔はその後も、年に二、三度は鳴斎の家を訪ねた。千代はちょっと姿を見せるだけで、直《す》ぐ消えた。二人はほとんど口をきかなかった。千代は見違えるように美しくなっていた。

　恭輔が十八歳になった夏、鳴斎からお盆には友琳の墓参を兼ねて海門寺の盆踊りを是非見に来るようにという誘いの手紙が来た。

　彼は支店長の許しを得て石巻に帰った。生家の雨戸を開けると黴臭《かび》かった。なにもかも昔のままでここに住む人だけが死に絶えたように淋《さび》しかった。掃除をする積りだったが、急にいやになって、はたきや箒《ほうき》を投げ出して埃《ほこり》だらけの部屋に大の字なりになった。もし、その時、千代等の訪問を受けなかったならば、おそらく彼は眠ってしまったに違いない。ごめん下さいという女の声で玄関に出てみると、千代と千代の家に古くからいる女中のまつが立っていた。一見してお掃除の手伝いに来たという格好だった。

　千代はこの前会ったときとはまた変っていた。以前はほとんど口をきかなかったが、今度はゆっくりと静かにものを言った。その千代もまつが彼女の傍をはなれると急にだまった。明らかに恭輔を男性として意識していた。

　彼は自分は既に大人であると思っていた。そして、赤い襷《たすき》を掛け、手拭《てぬぐ》いで髪を覆《おお》って働く千代を見ると、千代もまた大人になったのだと思った。彼女が着物の裾《すそ》をからげて、廊下の雑巾《ぞうきん》がけをするところは、わざと見ないようにした。

　掃除が済むと、まつは用意して来た、お茶と菓子を出した。

〈いくらかきれいになったわね〉

と千代が言った。

〈千代さんのおかげで、ほんとうに家に帰ったような気分になれた〉

彼はもっともっと大げさに、千代が来てくれたことに対してお礼を言いたかったが、適当なことばが出なかった。

まつが、それではお嬢様、と言って、千代を誘って帰って行ったあとで、恭輔は、あのときああ言えばよかった、こう言えばよかったと、その後悔の中に一時間も坐《すわ》りこんでいた。

翌日、彼は多福院の墓地へ行ったついでに石原田家を訪ねて、きのうのお礼を言った。

〈海門寺の盆踊りを見に行ってくるがいい。もしよかったら千代も一緒につれて行ってやってくれ〉

鳴斎にそう言われたとき恭輔は頬がほてる思いがした。鳴斎は、きっとこの自分の心の底まで見てくれているのだろうと思った。胸の動悸《どうき》が鳴斎に聞かれはしないかと心配だった。

古来海門寺の盆踊りは石巻最大の行事であった。海門寺の広い境内は盆踊りの場として若い者たちに提供された。石巻ばかりではなく近村からも若い者たちが集まって来て踊った。踊りは昼夜の境目がなく続いた。年に一度公然と許された青年男女の交際の場として認められていた。海門寺の盆踊りで見染められた女もあり、ここで婿《むこ》を探し出した女もいた。若者ばかりでなく少年少女も踊りの輪に加わり、稀《まれ》には奇抜ないでたちで踊りに参加する老人もいた。

伝説によると盆踊りは、海門寺ができる前からあった。おそらく、古代の歌垣《うたがき》に類するものが盆踊りとなって残ったものと考えうる。平安朝の初期延長五年（九二七年）に完成した『延喜式《えんぎしき》』に記録されている神社名の中に、伊寺牧（石巻）の日和山《ひよりやま》の鹿島御児《かしまみこ》神社がある。その当時は日和山の鹿島御児神社境内で、盛夏のころ盛大な歌垣が行われていたらしい。歌垣は即ち盆踊りの原点と考えてさしつかえないであろう。その日和山の麓《ふもと》に海門寺があった。

海門寺の盆踊りは夜が明けるまで続けられたので、この地方では夜ふかしをする人のことを海門寺さんという。夜になっても、はしゃいでいてなかなか眠らない子のことも海門寺さんと呼んだ。

海門寺から歩いて数分のところに日和山城址《じようし》（石巻城址）がある。葛西《かさい》三郎清重が、この日和山に城をかまえたのは文治五年（一一八九年）のことである。眼下に石巻の河口を見おろす要害の地だった。天正十九年（一五九一年）に伊達藩に帰属するまでの四百年間は奥州の要《かなめ》として重きをなしていた。伊達藩の治世に移ってから城はなくなり、明治になって公園となった。海門寺は、この日和山城址へ登る道の途中にあった。

恭輔は踊りの輪の中に入ったが、千代は入らなかった。千代につき添って来たまつが千代の母に厳命されたからと言って、千代を踊りの中には入れなかった。太鼓の音に混って、次々と若い衆が盆踊りの歌を歌った。即興歌が多かった。ほとんどが恋歌で、かなり露骨な歌もあった。人々はその歌に声を上げて笑った。

踊りの輪は幾つもできた。その輪がついたり離れたりした。

恭輔は踊りの輪から出て汗を拭《ふ》いた。彼が着ている浴衣《ゆかた》には背まで汗が通っていた。

〈海の見えるところへ行きましょうか〉

と彼は千代を誘った。盆踊りはこのくらいにして日和山の頂上に登ってみようと誘ったのである。

日和山の城址に立つと、海からの風が涼しかった。港から北上川にかけて、たくさんの船が帆をおろしていた。石巻港は荻浜とは別に、漁港として着実に発展していた。

恭輔と千代が並んで海に向って立つと、まつは二人の傍を離れて、鹿島御児神社へ参拝に行った。

〈恭輔さんの浴衣、誰が仕立てたの〉

千代が、ふと思い出したように言った。

〈荻浜の仕立屋さんに頼んで縫って貰《もら》ったのです。どこかおかしいですか〉

〈いいえ、私が縫ってあげればよかったと思っているの〉

〈そうして貰いたかったな〉

〈もう私は大人よ〉

〈ぼくだって大人さ、ほかの誰よりも、千代さんが縫った着物を着てみたい〉

〈私はね恭輔さん、私は……〉

千代は突然、泣き出した。感動が胸に迫ってそれが涙になったようだった。海門寺から聞えて来る太鼓の音が彼の胸を打った。千代は泣くという異常な表現で、彼女の気持を恭輔にうったえたのだが、恭輔は狼狽《ろうばい》するだけで、彼女の気持を受け入れる方法を知らなかった。

〈ぼくは、千代さんを、おれは千代さんを……〉

愛しているという言葉が言えなかった。好きだとも言えなかった。結婚してくれとも言えなかった。恋していたのだなんて言える筈《はず》がなかった。彼はおれとぼくと千代さんの三語を交互につぶやきながら、泣いている千代の肩に手を掛けてもやれずに立ち尽していた。十八歳の恭輔にはそれ以上のことはできなかった。まつが近づいて来た。千代はまつに顔を見られないように袖《そで》で涙を拭いた。千代が髪にさしていた髪飾りが太陽の光を受けて輝いていた。

彼は荻浜に帰ってすぐ千代宛《あて》に手紙を書き、意中を伝えた。千代から折りかえして返事が来た。彼女もまた恭輔を深く愛していることが文字の中に躍動していた。

千代との手紙の交換はこれだけだった。彼は続けて三度千代宛に手紙を出したが千代からの返事は得られなかった。その年の秋、恭輔は石原田家を尋ねた。鳴斎は、〈家には家で、いろいろの事情があって、どうも思うようにはいかないものだ。きみも大人だからそのへんのことは察しがつくだろう。千代は十七だ、女の十七というと先のことを考えねばならない。男とはそこが違う〉

鳴斎は、なにかを暗示するようなことを言った。

〈一度でいいから千代さんに会わせていただけないでしょうか〉

彼は鳴斎の前に手をついて言った。

〈無駄だよ、千代は来年の春早々結婚することになった。この家の婿となる男が決ったのだ〉

恭輔には言うべきことばがなかった。千代とは言い交わした仲というほど深い交際はなかった。結婚に苦情を申し込める筋合でもなかった。ただ恭輔は一度だけでいいから千代に会って彼女の本心を訊いてみたかった。その結婚が嫌で嫌でたまらないというならば、彼女のために、男として取るべき道を考えねばならないとも思った。

正月になった。千代が結婚する相手は、石巻の素封家の三男で、仙台の学校を出たばかりだった。かねて千代との間には交際があったなどと、まことらしい噂《うわさ》が立った。

恭輔は正月の休みに生家へ帰ったついでに石原田家を訪れた。

恭輔の姿を見た家人は、ものも言わず彼の来訪を主人の鉄之助に告げた。

〈なにか用ですか〉

と鉄之助は玄関に仁王立ちになって恭輔に言った。まるで仇《かたき》を見るような眼だった。恭輔は鳴斎に会いたいと言ったが、鉄之助は鳴斎は暮から風邪を引いて寝こんでいて会わせるわけにはゆかないと答えた。

〈それでは千代さんにお目にかかりたいのですが〉

その言葉を鉄之助は恭輔の挑戦と受取ったのか、一段と声を張り上げて怒鳴った。

〈帰れ、汽船会社の給仕ふぜいが、度がすぎるにもほどがあるぞ〉

恭輔はその言葉を怒りの涙を溜《た》めて聞いた。数年前まで、石巻第一の名家安田家の三男坊であった自分が、汽船会社の給仕ふぜいと罵《のの》しられたのである。もし、両親が生きていたら、せめて祖父友琳が生きていたら、恭輔は千代の養子にふさわしい人物として迎えられたに違いない。鳴斎が、去年の夏、千代を盆踊りにつれて行ってくれと言った時点では、鳴斎は恭輔を石原田家へ迎えようと思っていたに違いない。だが、その後風向きが変ったのだ。石原田家は鉄之助の代になって傾き出した。鉄之助は家勢の挽回《ばんかい》を計らんがために、千代に政略的結婚を強いたのである。噂のとおりであったことが、くやしかった。

もう駄目だ、すべては終ったのだと思った。恭輔は一言も言わずに、玄関を出た。庭石伝いに門までは遠い道だった。

〈恭輔さん〉

という女の声と共にはだしで駈《か》け寄って来る千代を見たとき恭輔は、やはり、千代は嫌な結婚を強いられているのだ、彼女を助けてやらねばならないと思った。

千代はもう少しで恭輔の腕の中に飛びこもうとする寸前、つまずいてころんだ。彼女の延ばした手が、彼の靴にようやく触れるか触れないところで後から追いかけて来た家人の手に押えられた。恭輔が手を出す暇はなかった。泣き叫ぶ彼女は連れ去られ、恭輔ひとりがそこに残された。

恭輔はその足で、日和山に登った。寒い北風が吹いていた。海はいっせいに波立って、白く濁って見えた。彼はそこに長い時間立ったまま海を見詰めていた。

当時、三菱汽船は外国航路の見習船員を募集していた。希望者が多く、かなり高い競争率だったが、もし彼にその気持があるならば現在三菱汽船に勤めている関係で有利だから、受験してみないかとすすめられていた。

恭輔は荻浜に帰った翌日に志願書を出した。

試験はその年の三月に行われ、合格の通知を受けたのは四月だった。

恭輔は十九歳になっていた。

5

フランク安田は青い夜明けを遠く見ながら雪を掘った。ベアー号を離れてから南へ一三〇マイルは既に踏破したころだと思う。そうだとすれば、彼は陸地の上にいる筈《はず》だった。氷原と陸地との境界がはっきりしないままに、陸地深く踏みこんだとすればたいへんなことになる。

ハーレイ船長が地図を前にして言った。

〈フランク、よく頭の中にこの地図を入れて置くのだ。南に一三〇マイル歩けば、陸地に出る。そこから海岸伝いに北東に二〇マイル進めばポイントバローだ。海岸線を見失ったらポイントバローに行きつくことはできないぞ〉

しかし、ハーレイ船長は、その海岸線がどのようなものであるかは教えてはくれなかった。冬期間における氷原と陸地との境界線は不明確だった。海と陸との境に、断崖《だんがい》絶壁があるとか、海岸線からはっきりと分る程度の丘陵地帯があるならば文句はないのだが、アラスカ大陸を東西に走るブルックス山脈の北側は山脈から離れるにしたがって湖《こ》沼《しょう》地帯になり、その平野は北極海に向って一〇〇マイルも続いているのである。夏になると海岸線は現われるけれど、冬期は陸地と海との境ははっきりしない。

フランク安田は、雪面を二メートルほど掘りさげたところで、石のようなものに当った。大地ではないかという期待でスコップに力をこめた。ひとかけらの苔《こけ》が出て来た。既に彼が陸地に踏みこんでいることを示すものだった。彼は更に掘った。石のように固くて、掘るというよりも表面をけずり取るような仕事だった。苔の層は二〇センチほどで、その下が永久凍土層になっていた。

（海岸線ならば砂地の筈である。苔の層が二〇センチもあるとすれば、かなり陸地深く入りこんだことになる）

もしそうだとすれば、海岸線まで引き返さないといけない。戻ることだ。戻って果して海岸線が発見できるかどうかは分らないが、そうしなければならなかった。

彼は掘った穴から出ようとした。穴掘りをやったがために、ひどく咽喉《のど》が渇いた。腹も減っていた。しかし、燃料も食糧も使い果していた。水も一滴もなかった。マッチの軸が少々残っていた。

青い夜明けが終ろうとしていた。既に青さは去り、南に薄明の空を残して夜に入ろうとしていた。その僅《わず》かばかりの光の中にダイヤモンドダストが降っていた。それは雪でも氷でもなく地上数メートルの高さに発生した一種の氷霧であった。ほこりのように軽く、空中に浮き、太陽の光を受けるとダイヤモンドを粉にして撒布《さんぷ》したように輝くからダイヤモンドダストと名付けられたものだった。

フランク安田はその名を知らなかった。しかし、青い夜明けが来ると、待っていたように、それが現われて視界をせばめることをよく知っていた。手の届きそうな高さから音も無く降った。

(風がない。歩くのはいまだ)

と彼は思った。ダイヤモンドダストは静穏な空間を占領した。風が出ると消えるのが例になっていた。

彼は北に向った。薄明の空を背後にして進めば北に戻ることになる。完全に暗くなるにはまだしばらく間がある。そのあるかなしかの光の中で彼は海岸線を発見しようとした。彼は北に向って這《は》うように進んだ。なにかしらの地形の変化を発見しようとした。雪の吹《ふ》き溜《だま》りや、吹きさらしのために地形は凹凸していた。そのようなところに来ると或《ある》いはそこが、大陸と海との境界線ではないかと思った。

青い夜明けは終った。そこに夕焼けのようなオーロラが出た。

久しぶりに見るオーロラだった。ベアー号にいた時は晴れてさえいたら毎夜見えた。ベアー号を離れてから数日後には、あらゆる形容を越えたオーロラの大饗宴《だいきょうえん》を見た。そして、その後しばらく空は沈黙していた。何日目かにオーロラが南の空に見えたことは、彼には、なにかしらの天の啓示のように思えてならなかった。

海岸線の確証が欲しかった。明るさが欲しかった。望んでも直《す》ぐには得られないことだが、次の青い夜明けが訪れるまでの二十時間は長過ぎた。

(更にもう少し北に戻って海岸線を探すべきか、北東に進路を取るべきか、動かずに、次の青い夜明けを待って行動すべきか)

それを決定するためには、彼の体力の限界を考えねばならなかった。食糧は尽きていた。水もなかった。この状態で、生きられる時間は限られていた。次の青い夜明けまでおそらく生きていることはできよう。だがそのころになって嵐《あらし》がやって来たら、もうおしまいだと思った。嵐が止《や》むまでには冷たくなっているだろう。

静かな夜であった。この夜が彼に与えられた最後のチャンスのように考えられた。

彼は北東に向って歩き出した。南にオーロラを発見した時、北東の地平線に輝く大きな星をとらえた。そして、その星の移動速度を頭に入れながら、北東の方向を彼の頭で固定して離さなかった。

薄紅色の南の空のオーロラが消えると、たちまち頭上に輝きが起った。色彩のはげしい点滅と動揺が空いっぱいに拡《ひろ》がっていった。天の心のいらだちをそのまま表現したようなせわしげな点滅が繰りかえされていた。その夜のオーロラは緑を主体としたものであった。緑の絨毯《じゅうたん》は全体的に激しい明滅を繰り返しながら全天に拡がって行ったが、やがて、部分的な点滅現象は終り、それにかわってかなりの面積を持った平面的な明滅が始められた。点滅が明滅になり、時間的に余裕を持った、輝きと色彩の周期運動に変ってくると、緑の絨毯が翼に見えて来た。怪鳥の頭部に当るあたりに鮮明な赤い爆発が起った。赤は緑を二つに分断した。緑の両翼は空いっぱいに羽撃《はばた》いた。オーロラが出ているのに、星は依然として輝きを失ってはいなかった。星はオーロラよりも夜空における権威者であった。遥《はる》かに高いところから、オーロラの芸当を眺めているようであった。星とオーロラは別種のものだった。星の輝きはあまりにも落ち着き過ぎていた。

怪鳥の羽撃きがいそがしくなると、その体内で燃焼するエネルギーの熱度を示すかのように、緑色は次第にその輝きを増して、緑色から薄緑色《グリーニッシュホワイト》に変化した。緑色の中の白さが白銀色に強調され、怪鳥は消え、空が明るさでいっぱいになったときは、頑強に夜の支配権を譲ろうとしなかった星さえもその姿をかくして、白銀色に、塗りつぶされた空の下の雪原が青い夜明けを迎えたように浮き出した。

フランク安田は、オーロラの明るさは信用していなかった。高いところで、光彩の狂乱があってもそれは地上にまでは達しなかった。明るいと感じても実際には、地形地物を明らかにするほどの効果は期待できなかった。しかし、白銀色が突然膨張して星空を制圧したとき、彼ははっきりとその眼で氷原を見ることができた。彼は動くものを見た。確かに影が動いたような気がした。影が動いたのではなくオーロラが溜息をついたから、そのように見えたのだ。

彼はその影に近づいた。影は僅かながら、氷原から頭を持ち上げていた。そこは吹き溜りになっていたが、一般的な吹き溜りとどこかが違っていた。吹き溜りに頭があって、その頭が動いたのである。

彼は頭に近づいて見た。明らかに、それは、氷原にはあり得ない物体のようであった。足で、その頭を蹴《け》ったが、密着している氷は簡単には落ちなかった。荷物をおろして、スコップを出して掘ってみると、それは流木だった。流木が雪の中に埋もれていたのである。

(海岸線はここなのだ。ここを北東に向って進めばポイントバローに出られるのだ)

彼は心の中でつぶやいた。

おそらく、次の青い夜明けまでには、ポイントバローに行きつくことができるであろう。

オーロラは消えて、星空になった。せめて月があったらと思ったが、それは無理な注文だった。めぐり合せが悪かったのだ。

彼は最後の力をふりしぼって歩いた。北東の空に次々と巡って来ては去って行く、星の動きに時間的な補正を加えながら、その星の動きとの談合もできないように頭がぼんやりして来たときが、この身が終るときだと考えていた。

寒さが身にしみた。食べていないからだった。身体《からだ》中が痛んだ。手足の感覚がうすれて行きそうだった。

まだマッチの軸が若干残っていた。しかし、そのマッチがあっても燃料がなかった。

（さっきの流木を掘り出して、それに火をつけたら盛大な焚火《たきび》になったのに）

それも、彼の頭の中の想像だった。再び、あの流木を探し出すことはまず不可能だった。探し出したとしても、火をつけることはむずかしかった。充分に塩水を含んだ流木は、そう簡単に燃えはしないだろう。

彼は、北東の星ばかりではなく、見えるかぎりの方向に眼をくばった。もしかしたら、ポイントバローの灯が見えるかもしれないと思った。

彼は歩いた。歩くことが生きることで、止ったときは死だと思った。歩いている間に、ポイントバローを発見できなかったら死ぬしかないと考えていた。

彼は灯を求めた。もう見えてもいい筈だ。ポイントバローにはかなりの人間が住んでいる。窓から洩《も》れる灯はなければならないと思った。

彼の頭の中にともった灯は次第にその明るさを増した。やがて彼はその心の灯をとらえた。

「灯だ。おれはポイントバローに着いたぞ」

彼は叫んだ。口を開けたとき彼は寒さを飲みこんだ。気がつくと灯は消えていた。

（気をしっかりしなければならない。まぼろしの灯なんか追っていたらほんとうに死んでしまうぞ）

と自分自身を叱《しか》っても、しばらく経《た》つと、また、まぼろしの灯が見えて来るのである。頭の中が、ひどく軽くなって、瞼《まぶた》が重くなった。北東の空の星を追うつもりでいながらいつの間にか星を取り逃していた。

彼はしばしばつまずいて倒れた。歩きながら眠っていたのである。死が迫りつつあることが、はっきりしていても、死は恐怖として迫っては来なかった。彼の肉体は既に死との間に取り引きを結んでいるようだった。彼は、死んだら楽になれるぞと、歩こうとしているもう一人の彼にしきりに話しかけていた。

(とんでもない。死ぬなんていやなことだ。見ろ灯が一面に輝いている。今度こそ間違いなくポイントバローの灯だ。あの灯はいくら見詰めていても消えないではないか)

彼は自分に言って聞かせてやった。それどころか、その灯がこちらに向って動いて来るようにも見えた。

(救助隊が来たのだ)

彼はそんなことを勝手に考え、救助隊に向って、手を上げて叫んだとき、灯は消えて氷原の上に一人で立っていた。

だが、彼は降参しなかった。倒れては立上り、幻視に次いで現われた、人の叫び声や物音などの幻聴に襲われながら歩き続けた。

彼が知っている日本人やアメリカ人が次々と姿を現わしては勝手なことを言った。

（そっちじゃあない、あっちへ向って行け、そうしないとポイントバローへは行けないぞ）

などともっともらしく言う人もいた。

彼は、執拗《しつよう》に挑んで来るまぼろしと戦いながらも、生きることは歩くことだということだけは忘れていなかった。歩いてさえいたら必ずポイントバローに行きつくことができると確信していた。

暗闇《くらやみ》の中に、鞭《むち》の音がした。犬を叱る人の声がした。鞭に打たれて悲鳴を上げる犬の声が聞えた。

（ああまたまぼろしの音が聞える。今度は、まるでほんものそっくりだ）

彼はいよいよ駄目かと思った。なんとしても彼について離れないまぼろしから逃れるには死ぬしか他に道はないと思った。

突然、犬の鳴き声と共に犬橇《いぬぞり》が前に現われた。そして止った。

犬が彼に向っていっせいに吠《ほ》えた。橇に乗っている人が犬を叱った。

「イニュート……」

という声がした。聞いたことのあるようなないような言葉だった。エスキモー語かもしれないと思った。

（とうとうおれはエスキモーの犬橇のまぼろしばかりか、エスキモーの声まで聞いたの

だ）

彼は絶望した。もう歩いても駄目だと思った。頭が錯乱して正常な行為はできないのだと思った。

影が二人、彼の前に立った。フランクの顔を確かめようとしているようだった。

「イニュート、イニュート」

また前と同じことを言った。二度同じことを言われて、フランクはイニュートというのはエスキモーたちが彼等同士を呼び合うときに使う言葉で、エスキモー語の人間という意味であることを思い出した。つまり、彼等はフランクに向って、お前はエスキモーかと問いかけているのだと分った。エスキモーという言葉は本来エスキモー語ではなく、インディアン語で、生肉を食べる人間という意味であった。

「おれは日本人だ」

フランク安田は日本を離れて以来、しばらくの間使ったことのない日本語を使った。まぼろしのエスキモー人を追い払うには下手な英語より日本語の方がいいだろうと思った。彼は更におれは日本人だと叫びながら、彼の前に立ちふさがっているまぼろしのエスキモーを押しのけようとして、前に倒れた。犬が襲い掛って来て、倒れたフランクの腕に咬《か》みついた。

エスキモーがその犬を打ちのめした。

犬に咬まれた痛さでフランク安田は、そこにいる人間たちはまぼろしのエスキモーではなく、ほんもののエスキモーであることを知った。

助かったと思ったとき、彼はふらふらと立上り、すぐまた倒れた。今度こそ、自ら立上ることはできなかった。

6

二人のエスキモーはフランクの頬を打ったり、揺さぶったりした。二人はフランクには分らない言葉で話し合っていた。一人のエスキモーが、橇《そり》に積んである荷物の中から二つの肉のかたまりを持って来てフランクに与えた。

それは肉というよりも一塊の氷であった。生肉をそのまま凍らしたものだった。彼はそれを両手に持ってかじりついたが、彼の歯は石に嚙《か》みついたような痛みとともに撃退された。

フランクが見事に失敗するのを見てからエスキモーは、二つの氷肉のかたまりを両手に取上げて、ぶっつけ合った。氷は適当の大きさにくだけた。エスキモーはその氷のかけらの一つを取ってフランクの口の中に入れた。氷が溶けるとともに肉の味がした。なんの肉だか分らないけれど、肉であることには間違いなかった。彼はその肉の一片を飲みこんで、直《す》ぐ次の氷のかたまりを口に入れようとした。エスキモーは、彼の手を押えて、長いこと噛む真似《まね》をして見せた。

星明りだから、エスキモーの表情は分らなかったが、白い歯が動くのはどうやら見てとれた。

「よく噛んで食べなければいけない。いそいで食べてはならない」

と教えているようだった。

フランクは二度目に口に入れた肉塊をよく噛んだ。それは口の中で解けて、口中の温度と同じになり、更にその肉が唾液《だえき》の中に交って自然に、咽喉《のど》の奥へ流れこんで行くまで噛んだ。二人のエスキモーはそのフランクの食べ方を覗《のぞ》きこむように見ていたが一人が言った。

「大丈夫だ、この男は助かるぞ」

フランクには彼等がそう言っているように思われた。

フランクは橇に乗せられた。彼は橇の中ほどの荷物にもたれかかるように坐《すわ》らせられた。そこでも彼は、肉を噛み続けた。

（ゆっくり時間をかけて噛むのだ。そうすれば、おれは死なずに済む）

彼は自分に言い聞かせていた。胃のあたりに手応《てごた》えがあり、なんとなく身体《からだ》が温かくなったような気もした。エスキモーは彼を毛皮の上に坐らせ、更に背中と膝《ひざ》の上に毛皮を掛けてくれた。身体が温かくなったように感ずるのはそのせいであった。

鞭《むち》が乾いた音を立てながら橇は走っていた。十一頭の犬橇はかなりのスピードで走っていた。この分だと、ポイントバローには数時間後に着くだろうと思った。満腹してくると眠くなった。眠ってももう死ぬ心配はないと思った。水を飲みたかったが、耐えられないほど渇いてはいなかった。生肉に含まれている水分をそのまま飲みこんだからだと考えられた。彼は荷物にもたれかかったままで眠った。ひどく苦しかった。彼は眠ったままで死の世界へつれて行かれるのではないかと思った。橇の揺れが激しいと眼を覚ました。

かなり長い間走ったような気がした。けたたましい犬の鳴き声で眼を覚ますと、橇は止り、青い夜明けの中で犬たちが吠《ほ》えていた。荷くずれを直すために橇は停止したのである。青い夜明けが、いままでになく明るく感じられた。

フランクが眼を覚ましたのを見てエスキモーは平べったいパンのようなものを彼の前に置いて食べろと言った。フランクはそのエスキモーの顔を青い夜明けの中で見た。二人とも兄弟のようによく似ていた。そして、日本人だと言っても誰も疑わないほど、日本人とも相似していた。彼等はにこやかに笑っていた。親愛の情を示すためか、彼等は絶えず笑顔を浮べながら、フランクに話しかけた。

「ひどい眼に会ったな、だがもう大丈夫だ、お前は助かったのだ。しかし、お前はいったいどこから来たのだ。お前の名はなんというのだ、エスキモーなのに、なぜエスキモー語が話せないのだ」

彼等はそう言っているようだった。

「おれはエスキモーではない、日本人だ。ベアー号が氷に封じこめられたので、その救助を求めにポイントバローへ行く途中なんだ」

フランクは英語で答えた。ベアー号、ポイントバローの言葉が彼等に通じた。彼等は改めてフランクを見て、

「なぜイニュート（エスキモー）がベアー号に乗っているのか」

と訊《き》いた。そう訊いていることは分っているが、彼等に理解させてやることはできなかった。

それは、手に取った感じではパンのような感じだったが、パンとは違っていた。一口食べて見て、果実を特殊加工したものだと分った。甘さと適当な酸味があった。非常にうまかった。

それは、コケモモの実をつぶして乾《ほ》し固めたもので、内陸エスキモーが作ったものだった。貴重な食糧の一つとして、海岸エスキモーとの間の交易品に使われていた。フランクはもう一つ欲しかったが、彼等がその次に出してくれたものは、凍った肉の塊だった。

橇は青い夜明けの空の下を走り続けて、そして、オーロラが南の空に見えだしたころ、ポイントバローについた。

橇は捕鯨会社が経営する交易所の前で止った。エスキモーたちが戸を叩《たた》くと、交易所の所長のチャールス・ブロワーが現われた。チャールス・ブロワーはフランク安田の顔を知っていた。

「ベアー号になにか起ったのだな」

とブロワーは言った。

「ベアー号が氷に閉じこめられたのです。食糧があと二カ月しかありません。ベアー号に食糧を補給していただきたいのです」

フランクは、胸のポケットに入れていた、ハーレイ船長からブロワーに宛《あ》てた手紙を出した。

ブロワーはその手紙を一読したあとで、フランクの手を握って言った。

「フランク、君のような勇敢で正義感が強く、そして運に恵まれた人間を見たことはないぞ」

ハーレイ船長の手紙は長かった。おそらく、かなりくわしいことが書いてあったものと思われた。

「ゆっくり休むがよい。きみの疲労が恢復《かいふく》したころには、ベアー号へは救援食糧が届いているだろう」

ブロワーはこともなげに言った。

「ベアー号はポイントバローの北……」

「分っているよフランク、ポイントバローの北一三〇マイルのところに氷に封じこめられているとハーレイ船長の手紙に書いてある。だが、われわれがそこへ行くことはそれほど困難なことではない」

ブロワーはわれわれと言いながら、そこに、次々と集まって来るエスキモーたちの顔を見廻していた。

「十時間後にわれわれはベアー号に向って出発する。フランク、お前はどうする、一緒に行くか」

「勿論《もちろん》一緒に行きます。私はベアー号の船員です」

「では、それまでゆっくり休むがいい。出発の用意ができたら起してやろう」

ホールの中にはストーブが赤々と燃え、ストーブの上にはスープが音を立てていた。スープを飲み、パンと焼き肉を食べるとフランクはまぎれもなく自分は生き返ったのだと思った。ホールに続いて、個室があった。飾り気のない部屋だった。長い間、人が泊ったことはないらしく部屋の中は、冷え切っていた。だが、そこにはベッドがあり、厚い毛布が三枚もあった。

その白い毛布を見たとき、フランクはおれは死なずに済んだ。生きているのだと何度も自分に言いきかせた。現に生きているということで、彼は昂奮《こうふん》した。それが眠りをさまたげた。

「おれは運がよかったのだ」

彼はベッドの中でつぶやいた。彼はベアー号を後にして、真直ぐ南に向っているつもりで、途中から南南西にそれていたのだ。彼が踏んだアラスカ大陸は、ポイントバローから、五〇マイルも南西に離れていた。しかし、それがために、隣村からやって来たエスキモーの犬橇に拾われたのだ。

（偶然だった。ほとんどあり得ないような好運に恵まれたのだ）

彼はそう思った。

全身が痛かった。ベッドがやわらかいのでかえって寝苦しかった。彼は床におりて寝た。それでも安眠はできなかった。夢の中で吹雪が彼を追いかけ廻していた。オーロラが明滅した。星が頭上を廻った。彼は床の上を転げ廻りながら苦しい夢を見続けていた。やがて吹雪の音が遠くに去り、オーロラも頭から消え去った。彼は深い沼の中で眠った。

外が騒々しいので起き上って、ホールに出ると、チャールス・ブロワーが白人と話していた。

「フランク、奇蹟《きせき》を背負って来たんだってな。運がいい奴《やつ》だ。十中八、九は死ぬところをお前は生きることができたのだ」

振りかえってそう言った男は、ビル・ワーレスだった。ベアー号の不良船員たちとぐるになって食糧をごまかしたワーレスは平然とそこに坐っていた。

「おれは冤罪《えんざい》を着たままで死にたくはないからな」

フランクはワーレスに言い返してやった。

「生きて此処《ここ》まで来たからと言って、冤罪が消えるというものではないだろう。それとも、貴様の身にふりかかった冤罪を払い落してみせる勇気があるというのか」

ワーレスはそれだけ言うと、さっさと外へ出て行った。

「気にするな、フランク。悪党を向うに廻して戦うつもりならば、決して短気を起してはならない」

ブロワーは意味あり気なことを言った。ブロワーはハーレイ船長からの手紙でおおよその事件の内容を知っているようであった。フランクは、見上げるような体格のチャールス・ブロワーの青い大きな眼を見詰めながら、このアメリカ人は決して悪い男ではないと思った。

「ベアー号へ行くつもりならば用意することだね。隣の騒ぎが聞えるだろう」

ブロワーが言った。隣室にはエスキモーが多数集まっているような気配だった。

「エスキモーは出発する前に腹いっぱい食べる。腹時計のゼンマイをしっかり巻き上げるためだ。フランク、君もそうしたまえ」

ブロワーは隣室を指して言った。

ホールは壁を境にして二つに別れていた。隣のホールはエスキモーたちのためのホールで、こっち側が白人用のホールとして作られていた。

二十数名のエスキモーがホールの中央に投げ出された鯨の冷凍肉を食べていた。生肉を、なにもつけず、なにも添えずに小刀で切り取ってはうまそうに食べていた。

フランクが入って行くと、彼等はそれぞれ親愛の情を笑顔に現わしながら、話しかけた。どこから来たのだ。お前はエスキモーなのに何故《なぜ》エスキモー語を話さないのだ。まあまあ肉を食べろ、うんと食べろ、腹いっぱい食べろ。そのようなことを口々に言っているようであった。

フランクも生肉を口にした。初めてではない。彼は石のように固く凍った生肉を噛んで助かったのだ。そのときから生肉とは離れられない人になっていた。

彼等は肉を腹いっぱい食べると、外に出て犬橇の用意をはじめた。十台の犬橇に、食糧の箱を積みこみ、他の一台の橇には、二人のエスキモーの他に、フランクとブロワーが乗りこんだ。

ブロワーは、犬橇隊のリーダーのエスキモーに長いことかかって行先地を教えた。ブロワーはエスキモー語を知っていた。

やがて犬橇隊は一列になって、北に向って進発した。ブロワーとフランクが乗っている橇は二番目を走っていた。一つの橇に十頭の犬が繋《つな》がれていた。橇にしっかりとつかまっていないと振り落されそうな速さだった。星の夜を、目標もなく、磁石もなくして、突進していく犬橇の自信ありげな行動もさることながら、その先導橇の後をなんにも言わずについて行くブロワーの姿には理解しがたいものがあった。

フランク安田にはまた新しい不安が湧《わ》いた。こんなことで果してベアー号のところへ行きつくことができるだろうか。せっかく助かった命を今度こそ棄《す》てることになるのではなかろうか。フランクはとうとう我慢できずにブロワーに訊《たず》ねた。

「彼等はいったいどっちに向って突走っているのですか」

「北だよ、ポイントバローの北、一三〇マイルの地点に向って走っているのさ、およそ八時間後には到着の予定だ」

ブロワーは汽船か汽車の運転手のような答え方をした。フランクをからかっているのではなく、真面目《まじめ》な顔でそう言っているのである。

「分らない。北極星は頭上にあって目標にはならないし、他の星はすべて動いている……」

と言いかけて、彼は、自分自身がその星の動きに時間的な補正を加えて歩いたことを思い出した。磁石がないとすれば方向を決めるにはそうするしかなかった。しかし、時計を持っていないエスキモーが八時間という時間をどうして割りだすのだろうか。

「リーダーに北を教えるために、おれは、教会の庭に立って、バロー岬を望む方向と教えた。その方向が北になるからだ。そしてバロー岬から北一三〇マイルの地点についてはポイントバローからコルビーユ川の河口までの距離だと教えた。その間が丁度一三〇マイルあるからだ。彼等は経験によって走る距離を知り、方向は星の動きで決め、時間は腹時計で定める。彼等が腹いっぱい肉を食べて橇に乗った時から彼等の腹時計はカチカチと音を立てて動き出すのだ。犬橇の速度にはほとんど遅速がない。彼等は地図や、磁石や時計や速度計などを使用しないでも立派に航行《ナビゲーション》ができるのだ。むしろ、そのような器械を使う人たちよりも、彼等のほうが正確だ」

ブロワーが言った。そう説明されると、フランクにも分らないことはなかった。だが、もし吹雪になったらどうするのだろう。彼等の経験的天体観測も吹雪になったら不可能だ。それについてブロワーに訊くと、

「吹雪になったら、彼等は止《や》むまでじっと待つ。そして、吹雪が止んだとなったら、また腹いっぱい食べて走り出すのだ。もし、彼等に、必要なだけの食糧を与えたならば、太陽のない氷原を好きなところへ行くことができる」

フランクには分ったようでいて、よく分らなかった。エスキモーたちがこのアラスカに住むようになって、何千年になるのか何万年になるのか彼は知らなかったが、その気

も遠くなるような長い年月の間に彼等は、暗夜の航法を体験として習得し、彼等の血の中に伝えたのだと思った。それは渡り鳥が、天体の動きと、腹時計によって何千マイルも航行するのとよく似ていた。それ以外に考えようがなかった。

フランクはエスキモーたちに対して、畏敬《いけい》の念を持ち始めていた。既に彼は、エスキモーたちの独特の航法によって助けられていた。今度は更に詳しく実証して貰《もら》うことになるのだと思った。

先頭の犬橇に乗っている馭者《ぎよしや》のエスキモーがどのように犬を使うのか知りたかったが、見ることはできなかった。時々鞭をなまけ犬の尻《しり》に当てる音と、犬の悲鳴が聞えるだけだった。フランクが乗っている犬橇の馭者も、間断なく鞭を振っていた。鞭を宙で鳴らして犬を威嚇《いかく》することもあるし、実際に犬の尻を打つこともあった。打たれた犬は悲鳴を上げた。鞭を振るのも、鳴らすのも、掛け声を掛けるのも、牽《ひ》き犬の鳴き声もすべてその犬橇の行進速度に適したリズムになっていた。それらの音によって犬橇の速度は一定に保たれ一定の方向に走っていた。

橇は出発したときから真直《まつす》ぐに走っていた。途中で方向を変えたことは一度もなかった。馭者はよほど先導犬の操縦がうまいのだと思った。そのことについて、フランクがブロワーに訊くと、

「犬橇の馭者は、犬橇が走り出してから暫《しばら》くの間は、先導犬に行く先を覚えさせようと

する。先導犬はすぐそれを覚え、それからはほとんどよろめかずに真直ぐに走る。時々直してやるだけでよいのだ」

ブロワーはそう言った後で、

「犬と人のチームワークはエスキモーに関する限り芸術的でさえある」

とつけ加えた。もはや、フランクはなんの心配もなかった。嵐《あらし》にさえならない限り、犬橇は八時間後にはきっとベアー号に着くだろうと思った。食糧の心配がなくなれば、彼等はどのような態度でフランクを迎えるかが問題だった。ベアー号の乗組員たちが、人が違ったようにおとなしくなって、氷が溶けるのをひたすらに待つだろうか。

「ブロワーさん、もし私が、ポイントバローに、このまま止《とど》まって働きたいと言ったら、あなたは仕事を世話してくださいますか」

フランクの質問にブロワーはいささか面喰ったようだった。

「助手が欲しくて困っていたところだ。もし手伝ってくれるというならば喜んで引き受けよう。ただし、ハーレイ船長がオーケーを言わないかぎり、それは無理だ」

ブロワーはそう言ったあとで、ポイントバローに止まることが如何《いか》に勇気がいることかを語った。時には、極北の地にあこがれてやって来る若者がいても、一冬過ぎて、交易船がやってくれば、まず間違いなくそれに乗って帰って行くのが実情だった。

「まともな神経を持った人間は此処にはいられないのだ」

ブロワーは自分自身を含めて、この極北の地に来るすべての白人に対してそのような言葉を使った。

「ビル・ワーレスがいい例だ。彼はこの地に五年間もいる。その間に彼はありとあらゆる不善を合法的に行なって、金を稼いでいる。まともな神経の持主ではできないことだ。そしておれはどうだ。おれは捕鯨会社の社員として、一年間の約束で此処に来たのがきっかけでもう十年経《た》ってしまった。そしておれは半分エスキモーになってしまった。妻はエスキモーだ、そして彼女が生んだ子供もいる」

「後悔しているのですか、ブロワーさん」

「いや、おれはむしろこうなったことを喜んでいる。おれはこの地が好きだ。この地にはおれが必要なのだ」

ブロワーはそれ以上、彼自身に関することは話さなかった。ブロワーが黙ると、フランクは、今度は彼自身のことを話さねばならないような気がした。

「私がなぜここへやって来たかをお話しいたしましょう」

フランクは話し出した。

故郷を出て船に乗ったときから、彼は行く先はアメリカと決めていた。別に理由はなかったが、アメリカにはなにかが彼を待っているような気がしたからである。彼は十九歳の年に三菱《みつびし》汽船の船員になり、自ら希望してアメリカ航路の貨物船に乗った。彼はこの貨物船に二年間いただけで、船を降り、サンフランシスコ近郊の農場で働いた。彼はここで農奴のような待遇を受けた。英語がほとんど話せない彼は甘んじてその待遇に我慢しなければならなかった。しかし彼は、彼のような無鉄砲さでアメリカ社会に飛びこんだ日本人の何人かが、英語を知らないまま、うっかりサインしたがために、半生に近い年月を、その契約書どおりの重労働に従事しなければならなくなったような場合と比較すれば運がいいほうだった。

彼は農場をやめてサンフランシスコに出た。そこで得た第二番目の職業は、化粧品製造会社の工員だった。朝から晩まで、安っぽい香水の匂《にお》いを嗅《か》がされて働き続ける、単純作業には我慢ができなかった。

彼は米国沿岸警備船のキャビンボーイの募集広告を新聞で見て応募して採用された。一八九〇年（明治二十三年）二十二歳の時だった。

ベアー号に乗船してからは、英語というハンディキャップを急速に縮めてゆくことができた。勉強する時間が与えられたからであった。ハーレイ船長等の理解ある上司に恵まれたということもあって、三年の間に少なくとも、英語に対してはほとんどコンプレックスを持たないですむようになった。

「そして君はベアー号になくてはならない人になった。資格はキャビンボーイだが事務長の助手も務めるし、ベアー号の気象観測手としても立派に仕事を続けていた。ハーレイ船長の手紙にはそう書いてあった」

ブロワーが言った。

「なくてはならない人だったのか、重宝な使用人だったのか分りません。たしかにベアー号が黒い煙を上げて北極海を走っているときは、私の存在を気にする者は誰もいませんでした。しかし、ベアー号が氷に封じこめられ、しかも、食糧がないという現実に立たされたときは、ごく少数の士官たちを除いて、多くは、私の存在に不快の顔を見せ始めたのです」

「そのこともハーレイ船長の手紙には書いてあった。そのまま放って置けばリンチにもなりかねない状態だったと書いてある。アメリカ人が持つ、もっとも醜悪な特徴の一つはリンチの習慣である。なんの罪もない者がリンチ騒ぎに巻きこまれて殺された例は非常に多い。リンチほど無責任な行為はない。あれは人間のやることではない。あれは、アメリカという巨大な国の心の中に住みついている悪魔のやることだ」

「その悪魔が住んでいるベアー号へ私は帰らねばならないのです」

「君がどうしてもいやだと言ったら、また、いやだという理由を判然と証明できたら、ハーレイ船長は君が船をおりることに同意するだろう。ハーレイ船長はなにもかもよく分った人だ」

ブロワーは言葉を切ってマッチを擦り、その軸を時計の上にかざした。

「そろそろベアー号のいる地点にさしかかったぞ、見ろ、橇の速度が遅くなった。やがて橇は止る」

ブロワーが言ったように犬橇は間もなく止った。

各犬橇に乗っているエスキモーが、先導犬だけを曳《ひ》き綱から離して手元に引き寄せ、犬に語りかけているようだった。

「カドルーナ（エスキモー語で白人の意）」という言葉を犬の耳元で何度か繰り返した。

いるようだった。白人がこの付近にいる筈《はず》だ。探して来いと命令しているようだった。先導犬は次々と夜の中に消えた。解き放されない犬達はそれに抗議していっせいに騒ぎ出した。悲しげに咆哮《ほうこう》する犬もあった。

「まず小一時間はかかるかな」

とブロワーはフランクに言った。解き放たれた犬達がベアー号を嗅ぎ出すまでの時間だった。

二十分か三十分すると、解き放された先導犬は次々と帰って来た。尾を垂れて、しょんぼりとした姿だった。それらの犬達は面目なさそうに、主人のエスキモーの傍に寄って行って、鼻を鳴らした。役に立たなかった不明を詫《わ》びているようだった。エスキモーはその犬を叱《しか》りはしなかった。もう一度氷原の中に出て行けとは言わなかった。戻って来た犬は、そのまま橇につながれた。

三頭の先導犬はなかなか帰って来なかった。そして、ブロワーが、

「もう帰って来てもいいころだ」

と言っているところへ、三頭の先導犬が揃《そろ》って帰って来た。犬たちは尾を振り、主人たちの廻りを誇らしげに駆け廻った。他の犬たちがいっせいに吠《ほ》え出した。その三頭の先導犬が目的地を発見して帰ったことに対する敬意と礼讃《らいさん》の咆哮のようだった。

犬橇隊はその三頭の先導犬が牽く犬橇を先頭とする、三列縦隊に編成された。そして先導犬が誘導する方向に走り出した。

氷原の果てに一点の灯が見えた。近づくとそれはまぎれもないベアー号の灯であった。ベアー号は氷原の中に、氷山のように蹲《うずくま》っていた。

犬たちの吠える声で、ベアー号の船員は救援隊到着を知ったようだった。手提げ灯《ランターン》を手にした人の姿が次々と現われた。

犬橇隊はベアー号の傍で止められた。犬たちにまず餌《えさ》が与えられた。犬たちはしばらくは餌の奪い合いで大騒ぎをしたが、やがて静かになった。

「犬には行動中には餌をやらない。犬たちは目的地へつけばすぐ餌が貰えることを知っているから終着点に向って急ぐのだ」

ブロワーは橇をおりるとき、フランクに言った。

ランターンが近づいて来た。

「フランク安田はいるか」

ハーレイ船長の声だった。

「船長、ここです。私は食糧と共に戻って参りました」

フランクは力いっぱいの声で叫んだ。

ハーレイ船長は駈《か》けよって来て、フランクの肩を抱いて言った。

「ありがとう。君のおかげでベアー号は救われたぞ」

そして、ハーレイ船長はフランクの傍に立っている、ブロワーと固い握手を交わした。

「とにかく船に上ってゆっくり休んでくれたまえ」

船長がブロワーに言った。しかし、ブロワーは首を横に振って、

「星のきらめきが激しくなった。嵐が来ないうちに帰らねばならぬ。二十分後には出発する。われわれが持って来た食糧はベアー号の一カ月分に当る。二カ月後には、太陽がでる。そのころになったら、更に三カ月分の食糧を持ってやって来るつもりだ」

ブロワーはほとんど事務的に近い言葉を使った。

「二十分しか余裕はないのか、いいだろう。その二十分間に、できる限りの歓迎をしようではないか」

ハーレイ船長が言った。ベアー号のタラップは霧氷のためにその形を変えていた。霧氷に切りこんだ氷の階段を彼等は登った。

「フランクが帰った、フランクが帰ったぞ」

という声が船内で起った。いまや、フランクはベアー号を救った英雄としてベアー号に迎えられたのである。

フランクは、明るいランプの光の下で、多くの白人船員たちが差し出す手を握り、彼等の感謝の言葉を聞いた。嬉《うれ》しかった。とうとうおれはやったのだという満足感で彼の胸はいっぱいになった。

フランクはひととおりの挨拶《あいさつ》を受けた後で、彼の部屋に入った。無事に帰ったことを、彼自身の部屋にも告げたかった。

部屋は徹底的に荒されていた。壁に張って置いた、日本に関する写真や記事などはすべて剝《は》ぎ取られていた。彼の私物はひっくり返されていた。悪意に満ちたやり方だった。ベアー号のために、自ら志願して、ポイントバローへ救《たす》けを求めに出発する直前に、彼は自らの手で自分の部屋をきちんと整理して置いた。その後に部屋は荒されたのであった。

彼はしばらくそこに立っていた。ランターンの光で、彼の影が壁に映った。彼は自分の影を凝視しながら、ベアー号における自分の存在は壁に映った影ほどにも認識されていないのだと思った。

サルーンに入ると、ブロワーがフランクに手をさし出して言った。

「お別れだよ、フランク達者でな」

手をさし出してそう言うブロワーにフランクは言った。

「いいえ、ブロワーさん、私がお別れをしたいのはベアー号です」

ハーレイ船長が、それに対してなにか言おうとした。フランクはその船長に、どうぞ私の部屋を見て下さいと言った。

フランクの後を船長や事務長や士官たちが従《つ》いて行った。船長はフランクの部屋を一目見ただけで、なんとも言わなかった。士官たちは次々と部屋を覗きこんだが、やはり黙っていた。

フランクは、そこにちらばっている私物をまとめてトランクに入れると、

「船長、長い間御厄介になりました。ありがとうございます」

と言った。

「ポイントバローへ行くのか」

「私にはそこしか行くところはありません」

「フランク、君をそのような気持にさせた責任はこの船長にある。いいだろう。行くがいい。但《ただ》し正式に解雇の辞令が出るまでは、君はベアー号の船員である。私は君を気象観測手としてポイントバローに派遣しよう。ポイントバローで、行く末のことをゆっくり考えるがよい。もし、再びベアー号に帰りたいと思ったら、何時《いつ》でも迎え入れる用意がある。三月まで待って君の意志が変らないと分れば、君の辞職願を正式に承認してや

ろう」

ハーレイ船長は即刻、気象観測に必要な測器を持ってポイントバローへ行くことを改めてフランクに命じた。

士官たちは黙っていた。言いようがないという顔であった。中にはほっとしたような顔もあった。フランク安田はベアー号に英雄として迎えられたが、やがて、その反動が、なんらかの形で現われて彼を苦しめることを知っていた。フランク安田が白人でないということが終局的には彼の存在を否定することになる。船にいる限りにおいては、彼がいかに勉強したところで、キャビンボーイでしかあり得ない。栄進の道が閉ざされていることもまたよく知られていた。

ベアー号の船員たちが見守るなかで、フランクはベアー号をおりた。そこには、犬橇《いぬぞり》とエスキモーたちが出発の命令を待っていた。

「急げ、嵐になる前にポイントバローに帰るのだ」

ブロワーは大きな声で言った。犬橇は一列になって走り出した。先導犬は来た道を嗅《きゆう》覚《かく》をたよりに走った。馭者《ぎよしや》は、時々鞭《むち》を振るだけでことが足りた。荷物をおろして軽くなった橇は暗い氷原を矢のように走った。もし誤って橇から落ちたら、そのまま置いて行かれそうな速度だった。

「帰路は犬たちにまかせて置けばよい。たとえ吹雪になっても、犬達は自分の家を忘れるということはない。必ず行き着くことができる」

ブロワーはそう言って笑った。

ブロワーは星のまばたきのはげしいのを見て嵐が来ると予測したが、帰途青い夜明けとともに天候が変った。しかし、犬橇は走った。吹雪を突いて走り続けて、ポイントバローの出発点に到着したころになって本格的な嵐になった。

犬達にはそこで褒賞《ほうしょう》の餌が与えられ、ベアー号救援に行って来たエスキモーたちは、ホールに入って鯨の生肉を食べた。フランクにとっては想像を絶するような真夜中の航行だったが、彼等は、ちょっとそこまで荷物の配達に行って来たような気軽さで冗談を言い合いながら生肉を食べていた。

フランクは白人専用のホールでブロワーと共にまず熱いコーヒーを飲んだ。何人かのエスキモーの従業員が紹介されたが、彼にはどの名前もひどく覚えにくい名前に思われた。

食事が終った後でブロワーは、フランクを彼の事務室につれて行った。壁には世界地図が貼《は》ってあった。フランクはあまりにも小さ過ぎる日本の存在を再認識させられたような思いで見詰めていた。

「春までの君の身柄はベアー号のポイントバロー駐在員であり、気象観測手として引き受ける。しかし、気象観測だけでは、手が明きすぎるだろうから、こっちの仕事も手伝って貰《もら》いたい。そう言いたいところだが、此処《ここ》ではエスキモー語が分らないとなんにもできない。まずエスキモー語の勉強にかかって貰わねばならない」

ブロワーは厳粛な顔で言った。

「エスキモー語の勉強というと……」

適当な教科書でもあるかどうかを訊こうとすると、ブロワーはフランク安田の気持を察するように、壁の向うのエスキモーホールを指して、

「壁の向うのエスキモーホールへ行くがよい。そして本日から彼等とともに寝起きをすることだ」

ブロワーは本日と言いながら、机上のカレンダーの十二月二十九日の下にアンダーラインを引いた。

「十二月二十九日……今日は、一八九三年（明治二十六年）十二月二十九日ですね」

フランクは叫び声を上げた。

十日分の食糧を持ってベアー号を出たのは十二月十三日だった。それから十六日間も経過していたのである。その十六日間は彼の人生にとって最も意義がある期間であったが、その経過を詳細に話せと言われても、とうてい出来得ないほどに彼の記憶は前後したり、重なり合ったりしていた。一口に言うと、その十六日間は悪夢の中の彷徨《ほうこう》であった。

安田恭輔が三菱汽船の船員となって故郷の石巻を離れたのは明治十九年（一八八六年）であると石巻市史人物篇に明記されている。安田恭輔がフランク安田となり、米国沿岸警備船のキャビンボーイとして乗組んだのは、米国側の資料によると一八九〇年（明治二十三年）ころであり、下船したのは一八九三年のころのようである。一八九六年に下船したと書いてある本もある。下船した理由については多くは触れず、彼が自ら希望して気象観測員（weather observer）として、ポイントバローに居残ったと記録されている。

第二章　北　極　海

1

ポイントバローのエスキモーたちは、フランク安田をエスキモーだと思いこんでいた。彼がエスキモーではなく日本人だと説明すると、ジャパンという種族のエスキモーだと理解した。ジャパンという種族のエスキモーは、海を越えた遠いところに住んでいるので、言葉も通じないだろうと思っているようだった。身体《からだ》つきも皮膚の色もエスキモーとそっくりな彼だから、エスキモーだと思われるのは当然であった。もう一つ、彼がエスキモーたちに仲間だと思わせたのは、彼が最初から嫌な顔一つせず生肉を食べたからである。白人には絶対にできないことだった。

「フランクはイニュート（エスキモー）だ。エスキモー語を忘れたエスキモーだ」

とエスキモーたちは彼を評した。エスキモー語を知らないのではなく、忘れたのだと言うのも、エスキモーらしい考え方だった。フランクはエスキモーだと決めつけられても不満そうな顔は見せなかった。彼はむしろそのほうを喜んだ。エスキモーの遠い遠い先祖はアジアから来たのであり、民族学的には日本人とかなり近いものであることを、おぼろげながら感じ取っている彼は、エスキモーたちの柔和な笑顔に対して笑顔を以《もっ》て応じていた。

ブロワーはフランクにエスキモー語を知るためには、彼等の生活の中に入り込めと教えた。それは容易なことではなかった。捕鯨会社のエスキモー集会所に入りこむのは簡単であったが、彼等の家の中にまで足を踏み入れることはかなり勇気の要ることだった。

ポイントバローはロシヤ人によって開かれ、アメリカ人に引き継がれた歴史に見られるように捕鯨船の基地として早くから白人が入りこみ、白人の文化が或《あ》る程度浸透はしていたが、エスキモーの多くは彼等本来の生活様式の中に生きていた。

フランクは常に笑顔を忘れないエスキモーに対して、最初は警戒していた。その笑顔こそ曲者《くせもの》だと思った。笑顔の下になにかがひそみ、なにかが隠されているようで、それを見きわめないかぎりうっかり近づくことはできないと思っていた。だが間もなく、それは考え過ぎであることが分った。彼等は平和を愛好する種族であり、彼等の微笑は友好を表明する以外のなにものでもなく、古来から彼等の身についたものであることが分って来てから、彼は肩の力を抜いた。彼等はフランクが生肉を食べて以来異分子として彼は扱わなかった。彼等はしばしば彼を家《イグルー》に呼んだ。彼等のひとりが特にフランクを彼の家《イグルー》へ招待した。招待するといったふうなものではなく、たまたま近くを通ったから連れこむような場合が多かった。

イグルーは、柱のかわりに流木と鯨の背骨を組み合せ、壁と屋根にはツンドラの苔《こけ》が切り取って使われていた。半地下のほぼ四角な家で、入口から階段を二、三段降りたところに土間があり、その奥が雑然と仕切りをした部屋になっていた。ありとあらゆる臭《にお》いが混って異臭を発していた。

部屋の中央には大きな石皿があり、アザラシの脂《あぶら》が盛られ、苔をもんで作った灯芯《とうしん》から赤い焔《ほのお》が上っていた。それは灯であり、暖房用の火であり、ものを煮炊《にた》きするための火でもあるようだった。本来、生肉しか食べないエスキモーも、ロシヤ人やアメリカ人がもたらした、物を煮て食う習慣を僅《わず》かながら取り入れていた。

灯の周囲に家族たちが集まっていた。むっとするように暖かかった。子供たちは、フランクに対して、笑顔を見せ、すぐ話しかけて来たが、その家の主婦は無表情な顔で彼を見詰めていた。彼に対して警戒しているふうには見えなかったが、男たちのように簡単に笑顔を見せないことが、エスキモーの女のたしなみのように受取れた。

部屋の中には、海獣の骨が散乱し、その骨をしゃぶりながら、よちよち歩いている子供がいた。

部屋の片隅に便器があった。悪臭の一つはその便器から来るものであった。

窒息しそうだった。とても長くは居たたまれないところだった。逃げ出して外で新鮮な空気を吸いたいと思った。しかしフランクは我慢した。エスキモー語を覚えるためにはエスキモーの生活に飛びこまねばならないと思った。彼は招かれれば、誰の家にでも行った。

彼等の家《イグルー》の外には必ず何頭かの犬がいた。多くの犬を持っているほど裕福であった。フランクはその犬たちとのつき合いもしなければならなかった。犬を恐れたり、犬に遠慮したりすると、犬たちは、与《くみ》しやすいと見て、必ずとびかかって来た。そういう犬は徹底的にこらしめてやらないと、執拗《しつよう》に歯をむいて反抗の態度を示し、他の犬がそれにならって、いっせいに向って来ることがあった。犬に対しては常に人間の方が強いことを示す必要があった。

ポイントバローにはエスキモーたちのカレギが幾つかあった。カレギとは男たちの集会所である。日本の若衆宿や若者宿と似ていたが、ここに集まる者は若者ばかりではなく、同族または、同じ狩猟グループの男子の集会所だった。よそものはカレギに入ることは許されず、女子供は近づくことさえできなかったが、宗教的な目的に使用されたり、公式に客を迎えるときには公用施設として使用された。

フランクがそのカレギに招かれたのは全く異例のことであった。彼はよそ者であったがあまりにもよそ者過ぎていたことと、彼の容貌《ようぼう》がエスキモーによく似ていたがために、遠いとこから来た同族としての扱いを受けたようであった。

カレギは一般民家より遥《はる》かに大きな家であった。半地下室で中に通路があった。流木や鯨の骨を組み合せ、屋根には苔が置いてあるところは他のイグルーと同一構造だった。十二月と一月の二カ月は太陽がなかった。この期間はカレギがもっとも賑《にぎ》わうときだった。若者たちは、カレギの中で踊り歌い、或いはエスキモーの信仰の対象であるシーラ（神）に祈りを捧《ささ》げた。

集団で犬橇《いぬぞり》を駈《か》って、暗夜を数十マイルも走り、北極狐《ぎつね》（白狐・銀狐）捕りの罠《わな》をしかけに行くことがあった。隣村のカレギを訪問して親交を結ぶこともあった。このような集団行動の中で若者たちは先輩たちの指導のもとに一人前の男としての常識を身につけていった。

フランクはカレギの生活にすぐ馴《な》れた。そこにはきびしい掟《おきて》や戒律はなく、ただ自覚だけがあった。エスキモーの若者たちはカレギに入ると、他人に言われずとも、守るべきことは守った。してはならないことはしなかった。

ある若いエスキモーが、犬橇の馭者台《ぎょしゃだい》に坐《すわ》って暗夜の中を走ったが、予定通りに目的地につかなかったことがあった。彼はその遅れた責任を自ら取ろうとした。

「おい、みんなで、おれを蹴《け》とばしてくれよ、おれは犬を甘やかし過ぎたようだ」

しかし、友人たちは彼を蹴とばしはしなかった。すると、彼は自らの頭を氷塊にぶちつけた。友人が止めないと大怪我《おおけが》をするところだった。

一月の半ばころ、フランクはチャールス・ブロワーの交易所を訪ねた。

「だいぶエスキモー臭くなったな」

ブロワーは久しぶりに訪ねて来たフランクに言った。

「自らすすんでカレギに飛びこんだエスキモー以外の人間はいままで一人もいなかった。それをフランクはやった。つまり君は彼等がいうように、本来エスキモーなのかもしれない」

とブロワーはつけ加えた。

「冬のうちにおおよその言葉は覚えて置くがいい、二月になって日が出るようになると、急にいそがしくなる」

ブロワーは太陽を待ちこがれるように南の方を見た。

「二月になると太陽が出るのですか」

フランクは二月になれば太陽が出ると聞いても、実際の姿を見ないと安心できなかった。太陽は地下に沈んだまま再び登らないのではないかというような杞憂《きゆう》にとらわれることがしばしばあった。

「そうだよ、二月になった途端に太陽が出る。すると、なにもかも生き返ったように活発になる。君が精いっぱい働けるようになる。私は君を待っている」

「多分あなたのところで働かせていただくことになるでしょう」

「多分だと、なぜ多分なのだフランク、なぜ必ず此処《ここ》で働くと言わないのだ」

「あなたはエスキモー語を徹底的に覚えろと言いました。エスキモー語のようなむずかしい言葉はひと月やふた月では覚えられません。そうです。一年か二年、彼等と共に生活しないかぎり、彼等の言葉を完全にこなすことはできないでしょう」

「それはそうだ」

ブロワーは言葉につまった。それはそうだが、なにもそれほどまでエスキモーの中に入りこまなくてもいいだろうと言いたいところを我慢しているようだった。

「では、また来ます。このつぎは、もっとエスキモー臭くなっているでしょう」

フランクはそう言ってブロワーのところを去った。

二月に近づくと青い夜明けの時間が長くなった。薄明は数時間続いた。どうやら人の顔を見分けることのできる明るさだった。ポイントバローはもともとは鯨猟を主とする海岸エスキモーの部落だったが、ロシヤ人に次いでアメリカ人が来るようになってから、北極海に面する代表的な寄港地として発展した。村は白人の住む区域とエスキモー部落に分れており、白人区には、教会、交易所、倉庫、夏だけ役人がやって来る駐在所などがあった。

白人区の建物は、船で運んで来た材木で組上げた丸太小屋形式のもので、この地が捕鯨船の基地として賑わったころの名残りの空屋も三軒ほどあった。

この村に住んでいる白人は、教会内に寝泊りしている神父と、交易所の付属住宅に住んでいるチャールス・ブロワーと彼の使用人のフレッド・キップソン、そして第二の交易所の中に住んでいるビル・ワーレスとその相棒のジム・ハートンの五人だった。エスキモー部落と白人区とは僅かばかり離れていて、しかも、イグルーは幾つかの集団に分れ、広い範囲にばらまかれていた。およそ五百人あまりが住んでいた。

フランクは薄明の空の下をカレギに向って歩いた。今のところカレギが彼の住家であり、カレギの住人が彼の家族であった。

雪道がついていた。人の往来はそう多くはないが、時々犬橇が通ったり、人が歩いていた。ビル・ワーレスに出会ったのはエスキモー部落の入口だった。

「しばらくじゃあないかフランク、カレギに入ってエスキモー語の勉強をしているそうだな、けっこうなことだ」

とワーレスは言った。そして彼はお茶をいっぱい御馳走《ごちそう》するから、おれの交易所に来ないかとフランクの腕を抱えこんで誘った。別に急ぐ仕事があるわけでもなかろうとワーレスに言われると、いやだとも言えなかった。

ワーレスは彼の交易所の一室にフランクを連れこむと、すぐウイスキーをすすめた。フランクが酒は飲まないと答えると、ワーレスはひどく不機嫌な顔になって、

「おれのすすめる酒は飲めないというのか」

と喧嘩《けんか》腰《ごし》に出た。そうではない。ほんとうに酒は飲めないのだ、一杯飲んだら、おそらくひっくりかえってしまうだろうと説明すると、

「酒に溺《おぼ》れて、アラスカの果てまで流れて来た男もあるというのに」

ワーレスは部屋の隅で、テーブルの上にうつ伏せになって眠っている酔払いのジム・ハートンの方を顎《あご》でしゃくって言った。

ハートンは身動きもしなかった。

「ところでフランク、エスキモー語なんか覚えていったいどうしようというのだ。ここはアメリカだ。彼等に言うべきことがあったら英語で話せばいい。おれはそのつもりでやっていて一度だって損をしたことはない」

「エスキモー語を覚えることは損得の問題じゃあない」

「すると、女か、エスキモーの女をものにするためにエスキモー語を習いたいというならばやめたほうがいい。エスキモーの女が欲しければほかにいくらでも手段がある」

ワーレスは不潔な笑いを浮べながら、その唇にウイスキーのグラスを当てた。

「ところでフランク、おれのところで働く気はないか。おれはしっかりした男を一人欲しいと思っていたところだ。ジムのような酔払いを相棒にしての商売はさっぱり能率が上らないからな」

自分の名が出たので、ジム・ハートンは顔を上げた。

「なんだと酔払いだと、ろくな酒も飲ませてくれない癖になにを言うのだ」

そしてジムはフランクに向って、

「こんなところで働くくらいなら、野垂れ死にしたほうがましだぜフランク、どっちみちろくなことはねえからな」

そう言うと、ふらふらと立上って外へ出て行った。

「どうにもしようがない酔払いだ」

と、ハートンの後ろ姿にあびせかけるように言ったワーレスは、ハートンの出た後のドアーを締め直してから、改めて言った。

「ポイントバローに逃げて来たからと言って、なにもかも都合よく行くとは限らないぞフランク、きさまがベアー号から追出された理由を話せとは言わないが、一度かけられた疑惑はそう簡単に消えるものではない」

ひどく嵩《かさ》にかかった言い方だった。

「疑惑ってなんです。私は疑惑なんか掛けられた覚えはない。ただ、ベアー号に積みこまれた食糧が行方不明になった事件については、ぼく自身が大きな疑惑を持っていることは事実です」

フランクはやり返した。こんな奴《やつ》に勝手なことを言わせては置けないと思った。

「その疑惑を解いて見たいと思うならばやって見るさ。ただしだ、熊《くま》や狼《おおかみ》に間違えられて撃たれないように用心することだな」

脅迫だなとフランクは思った。

「まあ坐れ、コーヒーでも入れてやろう。フランクはワーレスの顔を凝視した。単なるお話だよフランク、別に気にすることなんかない。今言ったのは例えばの話だ。ところでさっきの話だが、どうだおれのところで働く気はないか、給料はブロワーのところの倍出すことにしよう」

「それはいい話だ。しかし、私には今のところその気はない。すべては太陽が出てからだ。太陽が出て、その気になったらまたやって来るかもしれない」

フランクはワーレスの交易所を出たところで外の冷たい空気を一息深く呼吸した。

2

フランクはカレギの若者たちが落ち着きを失《な》くして来た原因がまもなく出るであろう太陽に対する期待であろうと思った。青い夜明けは白い夜明けになり、その白い夜明けが何日か続くと、明らかに南の果ての大地の陰に一冬隠れていた太陽の光芒《こうぼう》らしいものが南の空の雲を赤く染めるようになった。太陽はすぐそこまで来ていたが、顔を出さなかった。

カレギの男たちは太陽が大地から姿を現わす日を待っていた。太陽が姿を地上に現わし、その年の初めての光を投げかけて来た瞬間、その光に向って願いごとをすればかなえられると信じていた。ほとんどの男性は、自分にすばらしい獲物が与えられ、許婚《いいなずけ》の女との結婚式が一日も早からんことを光に向って祈ろうとしていた。カレギに来ないでイグルーにいる娘たちも、その年の太陽の初めての光に向って許婚の男が狩猟の名人になり、夫として迎え入れる日の早からんことを祈ろうとしていた。エスキモーは生れるとすぐ親たちの間で、許婚関係にされ、長じてから結婚する場合が多かった。

「フランクお前には好きな女はいるのか」

とぶしつけに訊《たず》ねる若者に、

「すばらしい女が日本でおれを待っている」

と答えた。その時彼は千代の姿を思い浮べた。千代は既に人妻となり、幾人かの子供の母になっているだろうと思いながらも、別れた時のままで何時《いつ》も変らない千代の姿に彼は思いを投げかけていた。

「日本は遠い海の向うだろう。そんな遠くの女のことは忘れて、近くの女に思いを掛けたほうがいい、美しい娘たちはいっぱいいるぞ」

若者たちは、あの女はどうか、この女はどうかとエスキモーの娘たちの名を挙げた。フランクが笑って答えないと、彼等はいよいよむきになって、思いを掛けるべき身近な女を推薦しようとした。

「明日の朝は太陽が出る、今年の初日の出を見ることができる」

カレギの若者たちが口々に騒ぎ出した。

その夜は、明日の朝が晴れであって欲しいがための祈りと、太陽歓迎のダンスが一晩中続けられた。

数人の楽士が団扇《うちわ》太鼓に似た打楽器を膝《ひざ》の上に置き、片手で打ち上げるように叩《たた》くと、数人がびっくりするほど高い調子の声で唱《うた》い出し、それに合わせて、そこにいるほとんどの人が立上って足を踏みならし、手を振り、身をよじって踊った。

足場を大きく移動しない単純な踊りだった。手ぶり、身ぶりは、大方揃《そろ》っていたが、はずれても気にしないようだった。

踊りに陶酔しているようであったが、表情には大きな変化はなく、僅《わず》かながら紅潮している顔の色に、彼等の昂奮《こうふん》が窺《うかが》い取れた。ダンスの中には笑いもないし怒りもなかった。他人と会ったときはあれほど笑顔を見せる彼等も踊りに熱中すると笑いを忘れたようであった。その表情のない表情が彼等の真の顔であり、踊り疲れて列から外れても尚《なお》且《か》つ手だけを動かしている姿が真の祈りのように思われた。

フランクも踊った。熱っぽい空気の中にはなかなか入りこめなかった。太陽が戻って来るという喜びは、エスキモーと同じぐらい大きなものであったが、それを踊りに表わすことはできなかった。そこはエスキモーだけに通ずる場であった。

「太陽が出るから外へ出ろ」

と誰かが怒鳴った。踊りは中止されて若者たちはカレギの外に出た。

白い夜明けが始まっていた。エスキモーは毛皮の服の上に厚い毛皮外套《アヌラック》を着ているし、アザラシの皮を幾重にも縫い合せた長靴を穿《は》いているので容赦なく斬《き》りこんで来る寒さにもそれほどこたえないようだった。

若者たちは口々になにか叫んでいた。祈りの声のようでもあるし、好きな女の子の名を唱えているようでもあった。

彼等は南の地平線に向って整列し、来たるべきものを心をこめて待っていた。

南の地平線が明るくなった。地平線上に浮んでいるあるかなしかの雲に太陽の光が当って、ほのかなバラ色に輝いた。そのバラ色が鮮やかになり、そして一瞬輝いたと見えた瞬間、緑色の閃光《せんこう》が雪原を走った。

フランクは緑の閃光を浴びた瞬間、眩暈《めまい》がした。雪原が緑と溶け合ってぐるぐる廻った。身体《からだ》が緑の閃光に乗ってふわりと宙に浮いたような気がした。溢《あふ》れるばかりの喜びと共に広い海を游泳《ゆうえい》しているような心地でもあった。それらの異常な感懐の中で緑色の閃光は終った。一秒か二秒の間のことだった。太陽は南の地平線の下に姿を隠した。

フランクは自分でも気がつかないなにかの言葉をしきりにつぶやいていた。

その日が太陽が訪れた最初の日であった。翌日は緑の閃光（green flash）は見られないかわり、太陽が姿を現わした。人々は声を上げて太陽を迎え、犬どもは太陽に向って歓迎の遠吠《とおぼ》えをした。

一度、太陽が姿を現わすと、天地は一変した。日照時間は一日に七分ずつ延びて行った。太陽が南の地平線に姿を現わしてから十日目には日照時間は七十分になっていた。南に出現した太陽は次第に位置を変えて、南南東に現われて南を通って南南西に沈み、更には南東から出て南西に沈むようになった。太陽高度も高くなり日照時間は増えて行った。春分（三月二十一日ころ）になると太陽は東から出て南の空を通って西に沈んだ。日照時間は十二時間になった。

三月になってすぐチャールス・ブロワーは犬橇《いぬぞり》隊を組織してベアー号に第二回目の食糧の補給に行った。

ハーレイ船長はフランクの姿が見えないのでその理由をブロワーに訊《き》いた。

「彼はもはや一人前の狩猟家になっている。いかなることがあってもベアー号に帰ることはないでしょう」

ブロワーはそう言うと、フランクに依頼された正式の辞職願と、その日までフランクが観測した気象資料をハーレイ船長に渡した。

「やはり、船には帰らないのか」

ハーレイ船長はフランクの下船を許可した。辞職願を承認すると書いた一片の紙に添えて、その日までの給料と若干の退職金を支出した。

フランクは二月の初めに太陽を見た日から多忙な毎日を送った。男たちはカレギから出て、ウミアク（大型の皮張舟）の補修や猟具の整備を始めた。若いエスキモーたちは暇さえあれば銛《もり》の練習をやった。実際の銛と寸分違いのない練習用の銛を一定の距離から的に向って投げた。練習用の銛は幾本かあって、数人の若者がそれを持って同時に的に向って投げることもあった。

フランクもこの練習の仲間に加わった。前年、鯨猟の組頭をやった男が投げ方を教えた。

フランクは初めっから他の若者たちを抜いていた。フランクが投げた銛は勢いがよかった。他の若者たちが投げる銛よりも、二〇センチも深く苔《こけ》を固めて作った的の中に食いこんだ。フランクの銛がほとんど狂いなく的に適中するようになったのを見て、鯨猟の組頭は底に丸太がくくりつけてある練習用のウミアクの上から、銛を投げさせた。ウミアクは数人掛りでゆっくりと揺さぶった。波に揺られている舟から鯨に向って銛を投げる練習だった。

フランクはこれにも馴《な》れた。他の若者たちの誰よりも早くフランクはこの技術を習得した。

「フランク、お前は前に銛を投げた経験があるだろう。そうでなければ、最初からこんなにうまく行く筈《はず》がない」

フランクが銛投げに抜群の腕を見せていると聞いて、カレギの親方のカビックが見に来て言った。

ポイントバローのエスキモーは狩猟を主体として生きている海岸エスキモーであった。鯨猟にはウミアクが必要である。アザラシの皮を張り合せて作ったこの大型皮張舟を多く所有する者はウミアリックと呼ばれていた。即ち親方の意味である。その親方とカレギを中心として一つの狩猟集団が形成されていた。だが、ロシヤの捕鯨船が現われ、その次にアメリカの捕鯨基地になるに及んで、この集団と白人捕鯨会社との間に雇用関係が結ばれるようになって、エスキモーの集団組織は急速に崩壊し始めた。そして、終《つい》にはエスキモーの個人個人が、白人に雇われて鯨猟をしなければならないようになった。アメリカ政府が原住民保護の政策を打ち出したのはいささか、遅きに失した感があった。

更に新型捕鯨船を駆使しての白人たちの濫獲《らんかく》、密猟船の出現、悪徳毛皮商人の来航等によって海岸エスキモーたちは危機にさらされていた。

曾《かつ》てポイントバローには十五人の親方と十五のカレギがあったが、フランク安田が行ったときには五人の親方と五つのカレギしか残っていなかった。カビック親方もその一人であった。

「よいイニュート（エスキモー）が来てくれたものだ。おそらくシーラの神が派遣してくれたのに違いない」

カビックはフランクの逞《たくま》しい身体つきを見て言った。

フランクは銛の経験があるだろうと訊かれて最初は否《いな》と答えた。しかし、そんな筈はない、お前は嘘《うそ》を言っているのではないかと言われると、つい面倒臭くなって、そうだ日本で習ったことがあると答えた。答えながら彼は、幼いころ、武芸好きの祖父の友琳《ゆうりん》にすすめられて剣道の道場通いをしたことを思い出した。一家が離散して、三菱《みつびし》汽船の給仕となり、荻浜《おぎのはま》の出張所に居たころも、出張所員の中に剣道の好きな人がいたので教えて貰《もら》ったことがあった。その剣道の経験が銛投げに役立っているかどうかは分らないが、袋竹刀《ふくろしない》を正眼にかまえた祖父友琳が、

〈恭輔《きょうすけ》、眼だ、相手の眼を見ろ、眼、眼〉

と言った言葉が思い出された。銛を投げるときの的が相手の眼であった。銛を投げるこつは竹刀を大上段に振り上げて打ち込むときの呼吸だ。フランクはそのように結びつけて考えていた。

3

三月になると、アザラシの猟が始まった。海中にいるアザラシは氷に呼吸穴を明けて置いて、時々空気を吸いに来る。三月になるとその呼吸穴も大きくなり、穴から頭を出して悠々と空気を呼吸する。その瞬間を狙《ねら》って、頭に銛《もり》を打ちこんで仕止める方法がある。これは忍耐を要することであり、危険が伴う仕事でもある。穴に落ちこんだらまず命はないと思わねばならなかった。

フランクはこのアザラシ猟を習得するために、エスキモーと共にアザラシの皮をかぶって氷上に出た。穴が見つかっても、氷上に人がいる気配を感ずると、アザラシはなかなか頭を出さなかった。穴は一つではなく、あちこちにあった。どの穴から頭を出すかは全く分らなかった。彼等は数回、氷上におもむいたが獲物はなかった。

「お祈りが足りないのだ」

と相手のエスキモーは言った。お祈りを充分にして出直さないとアザラシは取れないとフランクに言った。

フランクはその翌日ひとりで氷上に出た。

「お前がもし、アザラシを獲《と》ったら、太陽は再び南の地の果てに沈んでしまうだろう」

とエスキモーたちは口々に言って笑った。フランクは氷上に坐《すわ》ってほとんど眠らずに見張っていた。アザラシがどのようにして呼吸するかを観測していたのである。

氷の下には何頭かのアザラシが居るようだった。一頭のアザラシが空気を吸うと、続いて次のアザラシが空気を吸いに来る習性があった。次のアザラシが頭を出すまでには数えて五つか六つの間があった。彼等は空気穴も次々と変えた。しかしそれにも順序があった。フランクは丸々二日間に、アザラシの習性を見て取ると、早速氷穴の近くに雪塊を積み上げて彼の隠れ場所を作った。そして更に丸一日待った。アザラシは氷上に危険なしと見て、再び空気を吸いに現われた。

第一のアザラシが頭を出したときには、彼は雪の塊の陰でじっとしていた。第一のアザラシが水に沈む音が聞えると同時に彼は立上って銛をかまえた。第二のアザラシは彼が六つ目を数えたとき頭を出した。アザラシの耳に彼は銛を打ちこんだ。第二のアザラシが氷の下に姿を隠すと同時に、銛の柄は手元に戻った。銛の先だけが獲物の身体《からだ》の中にそのまま残るような仕掛けになっていた。銛の先は逆鉤《さかかぎ》になっていて、抜けることはなかった。彼等が鉄を知らない以前は銛は石で出来ていたが、白人と交易するようになって、鉄製の銛が用いられるようになった。

銛の先には、アザラシの皮を裂いてより合せて作った綱がついていた。フランクの身体にその綱の末端が結びつけられていた。

彼は氷の下であばれまわるアザラシと根気の要る綱引きをした。一時は穴の中に引き摺《ず》りこまれそうになった。やがてアザラシは動かなくなり、空気穴まで引き寄せられた。そのアザラシの身体を引き揚げるのが一苦労であった。下手をすると獲物を失《な》くしてしまうおそれもあったし、穴の中に彼自身落ちこむ心配もあった。

フランクは苦心の末アザラシを氷の上に引き揚げた。日が沈むころ、彼はそのアザラシを曳《ひ》いてカレギに帰った。エスキモーたちは歓声を上げて彼を迎えた。その場でアザラシは料理された。彼等は血のしたたる肉を食べ内臓を口に入れた。フランクもまた彼等に倣《なら》った。

「フランク、そのうち、娘を貰《もら》ってくれという男が必ず出て来るぞ」

その話を聞いたチャールス・ブロワーがフランクに言った。フランクがたった三カ月のうちにエスキモーの狩猟家の仲間入りをしたことに対する賞讃《しょうさん》のことばだった。

ブロワーはフランクの生き方を黙って見詰めていた。フランクを今直《す》ぐ協力者として迎えるよりも、フランクの望むままにいましばらく自由にさせて置いたほうがよいような気がした。自らエスキモーの生活の中に飛びこんで行った白人はいままで一人もいなかった。フランクが日本人だからそれができるというならば、どこまでやれるかやらせてみたかった。

四月になると太陽の出ている時間の方が遥《はる》かに長くなった。太陽は東北東から出て南を廻って西北西に沈むようになった。

フランクは二月の初めに南の地平線に姿を現わして以来の太陽の動きを興味を持って見詰めていた。最初太陽は南の空の一点に現われた。日が経《た》つにつれて、東から出て南の空を通って西に沈むようになった。それまでは当り前のことだった。しかし、四月以降の太陽の動きは奇態としか言いようがなかった。東北東から出て南の空を廻って西北西の空に沈むようになり、五月になると、北北東から現われて南の空を大きく廻って北北西に沈んだ。

ほとんど北に近い方向から出た太陽は低い空を大きくゆっくりと南の空に向って進む。太陽が南の空に達したときは、その日のうちで太陽高度がもっとも高い時である。と言っても仰ぎ見るほどのことはない。太陽の高度は低い。そして太陽はほとんど北に近い北北西に沈むのである。太陽が沈んでも外は明るい。そして明るいうちに、再び太陽は北北東の空に現われるのである。

北から出て北に沈む太陽。一日中頭の廻りを廻り続ける太陽。フランクは、この奇妙な動作をする太陽に畏怖《いふ》した。北極の夏の太陽は沈まない。一日中明るいことはベアー号に乗っている間に知っていた。だが、太陽がどのように運行するかを確かめたことはない。寝る時間が来れば寝ていたからであった。

五月はエスキモーたちに取ってその年のうちでもっとも重要な月であった。鯨を捕獲する季節だった。その年の氷の溶け具合で、鯨の回遊する時期は一定してはいないが、大体五月になると、ポイントバローの沖の流氷の間に鯨の群れが姿を現わした。稀《まれ》には秋にもう一度やって来ることもあったが、たいていの場合、鯨が現われるのは五月前後だった。

五月になっても海岸から北極海にかけての沿岸には氷が張りつめていた。その氷の上を犬橇《いぬぞり》で走り抜けて、海に出る。そこからウミアクに乗って鯨猟に出るのである。

ポイントバローのエスキモーたちはそれぞれその準備にいそがしかった。ウミアクの手入れ、銛の準備、綱の整備、そして鯨猟に参加する組長と組員の決定があった。

鯨猟出発を前にしてカレギでは、祈禱師《きとうし》（トーンラリック）によって神に祈りが捧《ささ》げられ、神の託宣を受けることになっていた。祈禱師は古老であった。多くの人の手によって団扇《うちわ》太鼓が連打され、祈りの声が繰り返される中で、祈禱師は恍惚《こうこつ》状態に入り、やがて、断片的な言葉を吐いた。人の名前があったり、海や氷や鯨などのことをしきりに口にした。祈禱師の口から出た人名の中にフランクがあった。

親方は鯨猟の組頭と組員を決める権限があった。組頭は猟のリーダーである。すべては組頭の指導によらねばならなかった。組員の中には数名の銛手《もりしゆ》が選ばれることになっていた。親方は祈禱師のしゃべった人名の中から銛手を選んだ。銛手の中に新参者のフランクが加えられたのは祈禱師のおかげであった。もしそうでなければ、いくらフランクが銛投が上手でも親方は指名をさけたであろう。祈禱師が、恍惚状態のままでフランクの名を叫んだことは、フランクを銛手にせよという神の意志であった。親方の決定に文句をいう者はなかった。

親方のカビックは組頭と銛手六名を指名し、更に、組員を指名した。指名が終ったあとで組頭に指名された男に向って言った。

「お前は今宵私の妻と寝るがよい。充分に妻のにおいを身体につけて行って、たくさんの鯨を獲って来てくれ」

「親方のおっしゃるとおりにいたします。私は親方の奥さんのにおいを身体中につけて出漁し北極海の鯨をたくさん取って帰ります」

組頭はカレギの中に集まっている仲間たちの前でそのように誓った。

親方と組頭との言葉のやり取りは形式的なものであった。毎年、同じ言葉が交わされていた。そして組頭はその夜は親方の妻と寝ることになっていた。親方の妻がその夜の行事にふさわしくないほど年取っている場合は、次代の親方となるべき男の妻、つまり、親方の息子の妻が、組頭の相手になることになっていた。

古来からの習慣だった。鯨は人間の女性を好む動物であるという迷信から発生したものである。女好きの鯨に最も接近しなければならない任務にある組頭は親方の妻と一夜を共にし、彼女の体臭と共にウミアクに乗組んで鯨をおびき寄せようというたくらみだった。

フランクはその信ずべからざるようなことがなんの疑惑も嫌悪感《けんおかん》も持たず行われていることに驚いた。かねてから、エスキモーは妻を交換する風習があると聞いていた。長い旅に出る時には自分の妻を友人に貸し与える。しかし、他日その友人が旅に出かけるときは、今度はその友人の妻を預かるのである。妻と同時にその家族ぐるみ依託されることになる。これはきわめて危険率が高い旅に出掛ける狩猟民族が後に残される家族の保全について考え出した、一種の自衛上の習慣と見做《みな》されていた。彼等は狩猟に出ると一カ月や二カ月はおろか長いときは一年も帰らないことがあった。後顧の憂《うれ》いを無くするための考えでもあった。またエスキモーの間に一般化されていた風習の一つに、客のために自分の妻を提供することが平然と為《な》されていた。そのために、イグルーの中には不完全ながら隔離された一室が用意されていた。

選ばれた銛手たちはそれぞれ女のにおいを身にしみこませるため、しかるべき女のところへでかけて行った。フランクには次々と誘いがあった。お前は選ばれた銛手であるから、おれの妻を貸してやる。一緒に寝るがいいと、平気な顔で言う者がいた。

フランクはそれをことわるのに苦労した。

「おれの国では他人の妻とは絶対に寝ないことになっている。もしそのようなことをすれば天罰を受けるのだ」

フランクは片言のエスキモー語でそれを説明するのに一汗掻《か》いた。

ウミアクは三艘《そう》あって、既に整備を終っていた。ウミアクは長さ一〇メートル、幅二メートルほどのアザラシの皮を張って作った舟で、主として鯨猟に使われた。一艘に十人ほどの人が乗組むことができた。

犬橇隊が氷上を北に向って走り出した。数時間ほど走ったところで、氷の亀裂《きれつ》に行き当った。海が顔を出していた。海面上には流氷が一面に浮いていた。

組頭の指揮によって、三艘のウミアクは海上におろされ、それぞれ銛手と漕《こ》ぎ手が乗り込んだ。非常用のために、カヤックが、ウミアクの後尾に繋《つな》がれた。

ウミアクは流氷の割れ目の間を縫うようにして沖へ出て行った。

鯨探しが始まった。どこに鯨がいるやら分らないから、絶えず見張っていなければならなかった。暗くなることがないから見張りには都合がよかった。彼等は交替で睡眠を取った。

三日目に嵐《あらし》が来た。

彼等は犬橇が待っている基地まで帰る余裕がないので、流氷に逃げ上った。舟はすべて氷上に引き上げられた。嵐は二日続いた。その後には冷たい風が残った。その波立つ海に彼等は汐《しお》を吹き上げる鯨の群れを発見した。北極海に定住する鯨はセミクジラ科のホッキョククジラに属する種類で、頭部が大きいところに特色がある。背は青みがかった黒色で、腹はやや色が薄く白色の模様がある。身長は一五メートルに及ぶ。ヒゲクジラ目に属している鯨だけにヒゲはなかなか見事である。長いのになると四メートルから五メートルにも達する。北極海の冷たい海水の中に住んでいる関係上、三〇センチから五〇センチほどの脂肪層に覆《おお》われていた。

三艘のウミアクはすぐに鯨を追うようなことはしなかった。彼等はむしろ鯨をさけて、一旦《いったん》は海上に出てから、三手に分れて鯨の群れに近づいて行った。鯨を氷原の方へ方へと追い込むためだった。

氷と海とは複雑な形で接し合っていた。氷が湾のような形に溶けたところや、入江のようになったところがあった。ウミアクは鯨群を遠巻きにしながら、次第に入江に追い込んで行った。

鯨の巨体は海にもぐったり出たりしていた。単純な動作のようでいて、その間合も様々で、浮き上る方向はなかなか見当がつかなかった。鯨に警戒心を与えないように、ウミアクは静かに近づき、鯨との接近を待った。

近くに現われた鯨がもぐった。組頭が大きく手を振り、指で方向を示した。三艘のウミアクは全速力で組頭が示す方向に接近した。

フランクの眼の前の海が持ち上ったように見えた。海ではなく島が浮上して来たような感じだった。ウミアクはあおりを喰って転覆しそうに傾いた。鯨の皮膚が滑らかに光っているのが見えた。

フランクは揺れ動くウミアクの上に銛を持って立上った。揺れるので的がきまらなかった。無理に的を決めようとすると、海に投げ出されそうだった。青黒い鯨の皮膚に日が当ると、その反射で鏡を見るようにまぶしかった。目が眩《くら》んで、思わず前傾した。そのままにしていたら、銛を持ったまま海に飛びこみそうな姿勢だった。

彼は銛を力いっぱい光るものに向って投げた。銛を投げた反動で、彼の身体はウミアクの中に倒れこんだ。銛につけてあった綱が限りなく延びて行った。間もなく大きなシヨックが来た。そのときには、彼は姿勢を低くしてかまえ直していた。ウミアクは鯨に木の葉のように引張り廻された。何時《いつ》引っくり返されるか予断はできなかった。長い長い、命が縮まるような時間だった。苦しまぎれに、海中を暴れ廻った鯨はやがて浮上した。かなり弱っていた。そして第二、第三の銛を受けて再び海中に沈んだ。

海が赤く染まり、鯨の暴れ方は次第におさまっていった。その時になってフランクは、彼の乗っているウミアクにたまった海水をせっせとかい出している仲間のいることに気がついた。鯨が暴れるたびに浴びせかけられた海水が舟の中にたまったのである。鯨に一番銛を打ちこんだという実感はなかった。なにか恐ろしいことをしでかした後のような気がした。綱をゆるめたり引張ったりする呼吸は分らないままに、彼はただ懸命に綱を握っていた。組頭の叫ぶ声が聞えた。

「フランク、綱をゆるめろ、そんなことをしていると最後の一発でウミアクを引っくり返されるぞ」

フランクは綱をゆるめた。海の底で爆発でも起ったように、海水が盛り上り、気泡と血が限りなく浮上して来た。そして急に静かになった。

やや白味がかった腹を見せて鯨の巨体が浮上した。鯨との戦いは終ったと思ったとたんフランクは眼の前が暗くなったような気がした。彼はウミアクの中に坐りこんだまま荒い息をついた。

4

五月中旬になると、太陽はもう沈むことがなくなった。太陽は頭上を廻り続けた。一日の区切りは太陽が北の地平線に接近することである。太陽は地平線上の低いところを北へ北へと高度を落して行って、やがて地平線下に姿を隠すかと見るまに再び上昇を始めるのである。

真夜中の太陽は高度が低いから光は弱い。しかし陽が出ているのだから、万物はいっせいに夏に向って走ろうとする。ポイントバローの天候はこの時期においても安定してはいなかった。一方では雪や氷が溶け、ツンドラの植物が芽を出して花を咲かせようとしているのに、ひとたび曇ると、雪が降り、氷雨《ひさめ》が降った。風は寒く、人々は相変らず冬と同じような格好をしていた。

だがもう冬ではなかった。日当りの良い台地は乾き始めていた。

ポイントバロー最大の鯨祭り《ナルカタツク》が催された。鯨組の親方が相談して、その日が決められた。

インディアンの部落は酋長《しゆうちよう》を中心として結束している。何ごとも酋長の意向によって決るが、エスキモーの部落においては酋長というものがない。強いてそれにかわるべきものを探すと、狩猟の目的別に結成されている組の親方がそれに当る。ポイントバローのように古来鯨猟によって生きて来た村は鯨組の親方たちが指導者であり、この人たちの合意によってすべて円満にことは運ばれていた。

エスキモーは本来平和を好む種族であった。組と組との対立や、他村との抗争、ましてや同じエスキモー部族間の戦争などはなかった。苛酷《かこく》な自然のもとに生きている彼等にとっては、戦いの相手は自然であった。人間同士の争いが皆無ではなかったが、争うよりも仲よくしたほうが大自然に立向うには有利であることを彼等は体験的に知っていた。

鯨祭りは村のはずれの広場で行われた。村中のものが参加した。本来、酒を飲まないエスキモーたちにとってお祭りの楽しみは鯨の肉を腹いっぱい食べて歌い且《か》つ踊ることであった。鯨組ごとに海獣の皮で作った面をかぶって踊りの見せ合いをしたり、面を交換して踊ったり、面を手にかざして踊ったりした。

子供たちによる鯨祭り恒例の跳躍遊びが始まった。彼等はアザラシの皮を縫い合せた八畳敷きぐらいの一枚皮の隅々を手に手に持って待っている。その皮の上に少年が這《は》い上ると、彼等は、掛け声もろとも、いっせいに皮を手前に引張る。皮はぴんと張り、その反動で少年は空中高く抛《ほう》り上げられる。少年は空中で両手をひろげて格好をつけて見せる。着陸と同時に少年は再び空高く抛り上げられるのである。少女もこの遊びに参加する。初めは子供たちの遊びだったのが次第に少年たちに取ってかわって行き、やがては、青年が登場するようになる。青年は抛り上げられて、その頂点にいたった瞬間、右手を額にかざして海の方を見る。この遊びはもともとは遊びではなく鯨を発見するための手段だった。その名残りが形として存続したのであろう。

フランクはこの遊びを興味深く眺めていた。青年は次々と交替してアザラシの皮の跳躍台に立った。娘たちも見事な跳躍を見せた。

フランクは何番目かに跳躍台に立った娘を見たとき、思わず眼を見張った。そこに千代がいた。千代が外套《アヌラック》を着、狼《おおかみ》の皮を縫いつけた頭巾《ずきん》をかぶり、ややはにかみながら立っていた。千代は上手に三度飛んだ。三度とも身体《からだ》を崩すことはなかった。直立した姿勢で、そのまま空中の人となり、御愛嬌《ごあいきょう》に両手をひろげて見せた。アザラシの皮の手袋が日に当って光った。彼女が履いている、アザラシの皮で作った長靴の底が見えるほど彼女は高く飛んだ。三度飛んで彼女は跳躍台から降りた。フランクは、家族たちの方へ帰って行く彼女の後ろ姿を見送っていた。

「どうしたフランク、ネビロが気に入ったのか」

チャールス・ブロワーが傍に立っていた。

「ネビロっていうんですね」

「そうだ、彼女の父は鯨組の親方のアマオーカだ。五艘《そう》のウミアクを所有している、此《こ》処《こ》では一番勢力のある親方だ。かなり大きなカレギも持っている。ネビロはアマオーカの長女だ。もし紹介して欲しいならば紹介してもよい。だがフランク、へんな気は起さないほうがいい。うっかり結婚なんかしてみろ、このおれのように一生この地を離れられなくなるかもしれないからな」

ブロワーは笑いながらもフランクの心の動きをじっと見ているようだった。

「どうするかねフランク、アマオーカに紹介するかしないか」

「紹介して下さい」

フランクははっきり言った。ネビロの顔をもう一度よく見て、千代とは別人であることをはっきりさせたかった。広場には各所に敷皮が拡《ひろ》げられ、その中央に鯨の生肉の塊が置いてあった。食べたい人は、自分のナイフで欲しいだけ切り取って食べればよかった。そのほかに、アザラシの脂肪の中にコケモモの実を入れて醱酵《はっこう》させた一種の飲み物が出されていた。鯨組ごとに集まり、更に同族、家族が近くに寄り合って談笑していた。

「カビック親方のカレギにいるフランク安田だよ」

とブロワーはフランクをアマオーカに紹介した。

「ああ話は聞いた。一番銛《もり》を鯨にぶちこんだってな。カビックの鯨組は四頭の鯨を取ったそうだが、どの鯨にも、フランクが一番銛を飛ばしたそうではないか。たいした男だ。私の組では今年は二頭しか獲《と》らなかった。カビックのところだって、四頭も獲ったのは始めてだろうさ」

　そしてまた、たいした男だとフランクを讃《ほ》めた。讃めたたえながら、アマオーカは笑顔を忘れなかった。フランクをその座に迎えようとする用意はできていた。

「最初の鯨に一番銛を打ちこんだのは私だ。しかし、あとの三頭に一番銛を打ちこんだのは私ではない」

　とフランクは言いわけをした。

「そんなことはどうでもいい。とにかく、一番銛を打ちこんだ男はいつだって鯨祭りの英雄なのだ」

　そしてアマオーカは、フランクが、鯨猟の銛手に選ばれたにもかかわらず、女の身体に触れずにウミアクに乗組んだという話を持ち出した。その話がその座でもてはやされた。男も女も面白そうに笑った。

　フランクはネビロを真正面から見た。千代に比較するとやや色は黒かった。それ以外はよく似ていた。笑う口許《くちもと》のあたりは千代とそっくりだった。

「なぜそんなに私の顔を見るの」

とネビロはフランクに訊《き》いた。

「美しいからだ」

「なぜ美しいと思ったの」

「なぜって……それはさっきあなたが飛んだのを見たからさ」

「どこのエスキモーなのあなたは」

「日本というところからやって来たエスキモーだ」

ネビロとフランクは顔を見合せて笑った。

「教会であなたの姿を見掛けたことがあるわ、でもたった一度だけ。あなたはその時以来教会に来たことはない。なぜなの」

「それは、いそがしかったからだ」

フランクは逃げた。教会に彼女が来ていたのは知らなかった。気がついていたら、毎週日曜日には必ず出掛けた筈《はず》だ。フランクはそう思っていた。

鯨祭りは太陽が沈むことのないままに何時間でも続いた。動けないほど食べ、踊りたいだけ踊り、やがてすべての人が疲れ果てたころに祭りは終った。

5

鯨祭りが終ってからのフランクは連日射撃の練習ばかりやっていた。猟銃はブロワーから買った。中古だがいい銃だった。

七月になるとツンドラに小さな花が咲いた。黄色い花や紫の花が多かった。褐色のツンドラ地帯が急に緑色に変った。ツンドラ地帯の湖沼《こしょう》の雪や氷はすべて溶けた。

海岸の流氷も溶けて、海の波が直接ポイントバローの浜におし寄せた。しかし沖にはまだ流氷があった。エスキモーたちは、それぞれ組を編成して狩猟の旅に出掛けた。ツンドラ地帯を踏越えて、遠くブルックス山脈の北斜面地帯《ノーススロープ》へカリブー（アメリカ馴鹿《トナカイ》）を獲《と》りに行く者もあった。

危険な流氷上でアザラシやセイウチや白熊《しろくま》を追う組もいた。内陸エスキモーとの交易のための旅行に出発する者もあった。やがて長い冬が来るまで、男たちは働けるだけ働かねばならなかった。フランクは海の猟に参加した。ひととおりの海獣狩りの技術を身につけて置きたかった。

氷上はまぶしかった。雪眼鏡を掛けないと、眼をやられてしまうから、エスキモーたちが使用している、日除《ひよ》け板を使った。それは骨で作った長方形の板で、細長い隙間《すきま》が明けられ、板の両端に緒がついていた。それを耳にかけると、両眼が細い隙間のあたりにゆくようになっていた。

彼はその隙間から海を眺め、海に浮上する無数の流氷を見た。ウミアクは流氷群の間をアザラシを求めながら移動した。アザラシは集団で行動していた。彼等が流氷上で日向《ひなた》ぼっこをしているところを発見したときから仕事は始まる。

彼等は風下から、きわめてゆっくりと接近して行った。アザラシがこっちを見ている時は動かなかった。アザラシは動くものだけに警戒する習性があった。射程距離に入ったからと言って、直《す》ぐには撃ってはならなかった。エスキモーは根気よく待った。やがてアザラシが居眠りを始めるのを見て更に船を近づける。アザラシは時々頭を上げる。ゆっくり動かねばならない。緊張した場面になる。ウミアクに乗っている射手はいっせいに呼吸を止める。射手のうちでもっとも射撃の上手な男が、氷上のアザラシの耳穴を狙《ねら》って発射する。弾丸《たま》が正確にアザラシの耳穴に命中すれば、アザラシはそのまま即死する。他のアザラシは音に驚いて周囲を見廻すが、舟は見えても、舟の中に伏せている人間は見えないし、その付近に動くものはなにもないので安心して、また居眠りを始める。第二弾が第二のアザラシを倒す。このようにして、上手な射手ならば五頭ぐらいのアザラシを一気に射止めることができる。しかし、もし弾丸が耳穴から一センチでも外れたら、アザラシは暴れる。苦しがって氷上をのた打ち廻る。時によると海に飛びこむ。

このような場合は他のアザラシも一斉に逃げてしまうのである。

フランクに射撃のチャンスが与えられる場合は一番射手が失敗した場合である。このときには、氷上を逃げ廻るアザラシを可及的速やかに射止めねばならなかった。氷上で倒れるように急所を撃たねばならなかった。北極の夏は薄曇りの日が多かった。にわか雨やにわか雪が時々降った。

八月の始めごろになると夜が再びやって来た。そして九月の秋分（九月二十三、二十四日頃）に近くなると太陽は東から南を廻って西に沈むようになり、夜の時間と昼の時間に差がなくなる。十月に入ると夜の時間は更に長くなり、太陽は南東から出て、南西に沈むようになる。太陽の行動範囲が南の空に追いやられたとき、気温は急降下し、再び冬が訪れるのである。

フランクは十月始めに、ポイントバローに帰着した。これまでの間に、彼等が獲ったアザラシは仲間の手によってポイントバローに輸送されていた。そのアザラシは女たちによって解体され、肉は自然の貯蔵庫に運びこまれ、脂肪は脂肪袋につめこまれ、皮はなめし作業にかけられていた。アザラシの胃袋は乾《ほ》し上げて、容器や雨具になり、毛皮は服になり、靴になった。彼等の自然冷蔵庫はイグルーの近くの地下に設けられていた。地下は永久凍土層であった。

アザラシの毛皮は交易用品として価値が高かった。ポイントバローには毛皮商人たちが男たちの帰りを待っていた。臨時交易市場が開かれ、人々はここに集まって、毛皮を金にかえたり物と交換したりした。毛皮商人たちは、それらを持って交易船が氷に封じ込められないうちにポイントバローを去って行った。

ポイントバローに常駐している、チャールス・ブロワーや、ビル・ワーレスなどは、彼等がエスキモーハンターを雇って得た毛皮や冬の間に買い集めて置いた北極狐《ぎつね》の皮や良質の白熊の皮などを交易船に託してシアトルやロスアンジェルスやニューヨークの毛皮商に送った。

太陽は更に南に偏して行った。そして十一月の或《あ》る日、太陽は南の地平線に姿を隠してから再び現われようとはしなかった。

フランク安田は、一年の間に、エスキモー語をほとんど覚えた。エスキモーとの生活にも馴《な》れた。彼等の食べるものはなんでも食べた。ただ彼にはどうしてもなじめないものがあった。チャールス・ブロワーの交易所へ行った後とか教会からの帰りとかにイグルーに立寄ると異臭が鼻についた。馴れたつもりでいても、ごくしばらくの間、異臭のない人間の建物にいた後には、その臭《にお》いに嫌悪《けんお》を感じ、カレギに戻るのには勇気を要した。

（やはりおれには、完全なエスキモーの生活はできないのだ）

そんなとき彼はエスキモーとの訣別《けつべつ》を考えた。しかし、それ以上に彼を強く引止めるものは、エスキモーの善良さと素朴さだった。もう少し居てみたいと思う心の中に、千代に似たネビロの姿が浮び上った。

その後ネビロの父アマオーカのイグルーを一度訪ねたことがあった。他のイグルーとは違ってこのイグルーだけは、便器との同居生活をさけていた。便所は区分してあったし、子供と大人との部屋が別になっていた。アマオーカはキリスト信者ではなかったが、進歩的なエスキモーだった。教会が指導している住居の改造には積極的な姿勢を示していた。フランクもこの家だけには耐えがたい異臭を感じなかった。

フランクにとってエスキモー社会におけるもう一つだけ我慢できないことがあった。客として泊った場合、その家の妻を提供されることであった。その夏、北極海の沿岸を狩りをして歩いていたとき、嵐《あらし》を避けるために、沿岸エスキモーの部落を訪れたことがあった。彼等は客人として迎えられ、それぞれ適当な家へ割当てられて泊った。フランクが指定された別室に入って寝ようとしていると、その家の妻女が来て、彼の前で着物を脱ぎ始めた。悪びれた様子もなく、恥ずかしそうな様子も示さなかった。彼女はほとんど無表情のままさっさと着物を脱ぎに掛ったのである。

フランクは驚いて声を上げて主人を呼んだ。その家の主人はむしろ怪訝《けげん》そうな顔で、なぜおれの妻を拒絶するのかと反問した。拒絶することはおれの顔をつぶしたことになり、おれに対して敵意を示すことになるのだとも言った。

フランクはその男を納得させるのに長い時間かかった。男がようやく納得したときには、彼の妻は、その傍で大きな鼾《いびき》を掻《か》いて眠りこんでいた。

〈おれは日本というところから来たエスキモーである。日本では妻以外の女とは寝ないし、妻も、夫以外の男と寝ることはない〉

という話を物珍しげに聞いていたその男は部屋を出るとき、もう一度フランクに訊《き》いた。

〈では、日本というところに住んでいるエスキモーは、どうやって従弟《いとこ》を作るのだ〉

彼が言うところの従弟というのは親族関係でいうところの従弟ではない。他人の妻と一度でも交渉を持てば、その妻の夫とは、従弟関係が成立したものとして将来交際して行くというエスキモーの習慣に言及したのである。彼等は少数の種族であった。相互に強固な連帯関係を持つために、血縁上の親類と同じ程度の親類を諸方に持つことが必要だと考えていた。いざという場合に互いに助け合うための布石だった。

〈どうやって従弟を作るのかね〉

彼は黙っているフランクにもう一度同じことを訊いた。

〈心だ。心と心の結びつきだ〉

だが、彼にはフランクの言うことが分らないようだった。

6

カレギにおける冬の生活が始まった。

長い冬を過すためには単調であり過ぎても苛酷《かこく》であり過ぎてもいけなかった。カレギの若者たちは有り余る精力を発散するためにあらゆる工夫を試みた。

冬の行事の一つに的遊びがあった。これは遊びでありながら、実はかなり徹底した射撃の訓練であった。

銃を持っている者は好んでこの遊びに参加した。彼等に取っては射手として認められることが一人前の男として待遇を受ける時であり、結婚の資格を得たことになる。

若者の多くは婚約者がいた。子供が生れると親達が相談して許婚《いいなずけ》関係にする。そうすることによって、両家は親類となった。その子が生れぬ前から許婚関係が成立する場合さえあった。この場合、生れた子が同性であった場合は兄弟又は姉妹となった。エスキモー社会における養子制度はかなり古くから行われていた。子供がないから貰《もら》い受けるのではなく、両家が親密な親類となるために、子供を貰ったりやったりした。貰った子供は自分の生んだ子供たちと共に育てた。その子には、実父母と養父母がいることになる。許婚関係も、養子制度も、共に同族関係の密着であり同族意識の増強のためであった。北極圏エスキモーの一部には女児殺しの習慣があった。女の児《こ》が生れても、許婚の相手が見つからないと殺してしまうのである。この習慣は飢餓が襲って来た時にのみ行われていた。口べらしのためであった。女の児が殺されて、男の子が殺されなかったのは、男は将来、ハンターとして役に立つからだった。

エスキモーにとっては狩猟が生命だった。狩猟の上手な男と結婚した女は生涯楽な暮しが出来、狩猟の下手な男と結婚した女は生涯肩身のせまい思いをしながら生きねばならなかった。

若者たちの多くはものごころが着いたときには既に婚約者がいた。好きだとか嫌いだとかの感情は無視され、親の決めた相手と結婚しなければならなかった。彼等はそれを別に不満ともなんとも思ってはいなかった。若者たちは、せっせと狩猟に精を出した。一人前のハンターとして認められないかぎり結婚は無制限に延期され、場合によると解約されることもあった。

的遊びは満月の夜に行われた。青い夜明けの薄明の中で行われることもあった。

北極の月は日本で見る月と同じように満ち欠けがあった。北極の太陽は季節によって想像もしなかったような動き方をするけれど、月は太陽が姿を隠しても、姿を隠すようなことはなく、満ち欠けを繰返していた。ただ北極の月は日本の月のように夜空に高く輝くことはなかった。ポイントバローの月は、常に控え目で、低い空に輝いていた。

満月の夜の氷原は人の顔の判別ができる程度に明るかった。

アザラシの皮を張った的は雪塊を積み上げた上に立てられた。銃を手にした若者たちは的に向って一人ずつ氷原上を這《は》って行き、合図の声が掛ると突然立上って的を撃った。明るいと言っても月夜である。昼間のように狙《ねら》うわけにはゆかなかった。丁寧に狙ったところで当るというものでもなかった。当る当らないは、腕で決った。

的遊びは、射撃の名人が指導に当った。名人は射手に対して種々の命令を与えた。氷原を這わせて行って、突然立上って撃たせたり、銃を持って歩いて行き、突然伏せて撃たせたりした。走っている姿勢から、膝《ひざ》撃ちの姿勢に転ずるやいなや、引金を引くこともあった。

的が静止している場合は相手を白熊《しろくま》と見做《みな》しての訓練であった。一発撃つごとに、弾丸《たま》が的を射抜いているかどうかが確かめられた。

アザラシの縫いぐるみを犬橇《いぬぞり》に牽《ひ》かせて氷原上を走らせ、それを撃つ方法もあった。この的遊びは、カリブーや狼《おおかみ》などを撃つための訓練であった。

フランクはこの遊びにたちまち熟達した。動から静に入る瞬間、身体《からだ》の動きを止めることも会得《えとく》した。銃もやはり剣道と通ずるものがあった。姿勢が決らないと打ちこめないと同様に、姿勢が決らないと引金を引くことはできない。竹刀《しない》を振りおろすその瞬間が引金を引く瞬間だった。問題は、いかにすばやく姿勢を決めるかということだった。姿勢が決りさえすれば、必ず弾丸は的を貫いた。

「フランクはもう的遊びをする要はない」

と射撃の名人が言った。そして彼は、フランクのために取って置きの的遊びを用意した。それは走る犬橇に乗って、走る犬橇に牽かせた的を撃つことであった。二つの犬橇が平行して走る場合は比較的容易だったが、前方を直角に横切る的を撃つのはむずかしかったし、これはかなり危険だった。間違えば、犬を撃ったり、馭者《ぎょしゃ》を撃つことにもなりかねないのである。

フランクがこの最もむずかしい的遊びをやりこなせるようになったとき、射撃の名人が言った。

「あとは、実物を狙うだけのことさ」

フランクは弾丸を惜しげもなく使った。射撃の達人になれるのなら、財布が空っぽになってもかまわないと思った。彼はそれまで蓄えた金で弾丸を買った。

エスキモーの社会に銃が持ち込まれてから、彼等の狩猟方法に変化が来た。従来、組を編成して狩猟に出た場合、獲物の毛皮を売って得た金は、その組員に公平に分配された。彼等は分配された金で弾丸を買い、次の狩猟には、なるべく上手な射手と組んで出掛けて行った。腕に自信がある者は単独で猟に出た。その場合の獲物はすべて彼一人のものであった。銃という武器の出現によって、個人的狩猟傾向が強くなり、ついには組から離れて個人狩猟家になり、やがては白人商社と雇傭《こよう》関係を結んでしまうエスキモーハンターも出現した。

ポイントバローのエスキモー社会にはカレギの弱体化と共にその傾向が目立つようになった。

フランクはカビックのカレギからは離れなかった。彼は再び太陽が北極海に帰って来たら、カビック組の銛手《もりしゅ》として鯨猟にでかけるつもりでいた。

フランクに取っては二年目の太陽との出会いの日が近づいていた。彼は、教会でネビロに会ったとき、昨年の初日の出の話をした。

「あの時、人々はそれぞれ太陽に向ってなにか祈っていたが、私には、なにを祈っていいか分りませんでした。だが今年は、祈るべきことはちゃんと決っています」

するとネビロはいかにも晴れ晴れとした顔で、

「たぶんあなたは、あなたの許婚のために祈るのでしょう」

と言った。

「私には許婚はいません。私が祈ることは一日もはやく立派なエスキモーになることです」

「もうあなたは立派なエスキモーでしょう。これ以上立派なエスキモーになるってことはどういうことでしょうか」

「なにごとにおいても白人と互角な立場で話ができるエスキモーになるっていうことかもしれません」

ネビロはフランクの答え方に深い関心を示したが、そのことについて深くは追求しなかった。

フランクはネビロに訊《き》いた。

「あなたは初日の出に向ってなにを祈るのですか、やはり許婚のことですか」

「婚約者は私がまだ小さいときに死んでしまいました。だから私は、初日の出に向って、祈るべき男はおりません」

ネビロは声を上げて笑った。婚約者がいないことをいささかも恥じている様子がなかった。

「でも祈るべき男が出て来たら祈るでしょう」

「勿論《もちろん》ですわ。愛する男が現われたら、初日の出だけではなく、毎日、私と彼のために祈るでしょう。そして、生涯私にとってたった一人の男であるべきその男のために祈ることになるでしょう」

そう言うネビロの言葉の中には、毅然《きぜん》としたものがあった。ネビロは毎週、教会で行われる英語の勉強会にも進んで出席していた。積極的に新しい知識を吸収しようという彼女の心構えが、彼女の言葉のはしに窺《うかが》われた。生涯、私にとってたった一人の男であるべきその男のために祈るというような表現は他のエスキモーの女達は絶対に口にできないことであった。

エスキモーの女性は夫に従順であった。なにもかも夫の言うとおりにしろと教えられていた。夫に要求されると、夫以外の男と寝ることもあったが、彼女自身の意志によって夫以外の男と交渉を持つことは絶対に許されなかった。

ネビロが生涯私にとってたった一人の男と言った言葉の裏には、エスキモー社会の性的習慣に対しての激しい批判が含まれているように窺い取れた。教会がポイントバローにできてからは、宣教師の教化目標の一つに、エスキモー社会における妻交換の習慣を改めることが強調されていた。教会に来るエスキモーの若者たちの中にはその教えに同化する者がかなりいた。ネビロもその一人であった。

フランクは、千代とよく似たネビロが、千代とは別な性格の持主に思えてならなかった。千代は自分を抑えて親の言うとおりになった。ネビロは親の言うことを簡単には聞きそうにも思えないような、新しい時代を担《にな》うエスキモー娘に思われた。

フランクは彼女に低い声でおずおずと訊いた。

「エスキモーの結婚は親が決めることになっているそうですね、当人同士の意志によって結婚することはぜんぜんないのですか」

「それは古いエスキモーの思想ですわ、私は自分の夫となるべき男は私自身で選びます」

思ったとおりであった。ネビロは祈禱師《トーンラリック》の祈りと呪詛《じゆそ》と因襲の中に生れ、また死んで行くタイプのエスキモーの女ではなかった。

その年の初日の出は薄曇りであった。緑の閃光《せんこう》は見えなかった。しかし、初日の出に向ってすべての人はなにかを祈った。次の日が日曜日であった。

「きのうはなにを祈ったの」

とネビロがフランクに訊いた。

「あなたが何時《いつ》も健康で美しくあるようにと祈りました」

フランクは率直に答えた。

「私はあなたが、私の父のところへ来て、一番銛手として鯨猟に参加するようにと祈ったわ」

ネビロはやや声を落して言った。フランクはネビロのその言葉をどう解釈したらよいのか迷った。少なくとも愛の言葉には聞えなかったが、彼女の近くに彼が行くことを期待しているのは確実だった。

太陽が姿を見せると、人々は外に出ていそがしそうに働いた。鯨猟の準備が各カレギを中心に始まった。

このころカビック親方のカレギでは不幸な事件が起きた。去年の五月、組頭として出猟した銛手が、アザラシの呼吸穴に落ちこんで死んだ。二月の終りのころであった。夜ひとりで氷原にアザラシ獲《と》りに出かけてこの難にあったのである。不幸はそれだけではなく、このような場合、当然、組頭を継ぐであろうと目されていた男が三月の終りころ急病死したのである。

四月の半ばころになって、海の氷の状態を偵察に行っていた男が帰って来て、今年は例年より早く氷が溶け出したことを告げた。カビック親方は例年の通り、鯨猟を前にして、祈禱師《トーンラリック》を呼んで神《シーラ》に祈りを捧《ささ》げ、神の託宣を聞くことにした。揃《そろ》って打ち鳴らす団扇《うちわ》太鼓と祈りの声の中で、祈禱師ははげしく身を慄《ふる》わせながらしゃべり出した。

数え切れないような鯨の大群が海岸に寄って来るのが見える。鯨は潮を吹きながら、エスキモーの女たちの噂話《うわさばなし》をしている。そんなとりとめもないようなことを言ったあとで、ウミアクが見える、ウミアクが鯨の群れに近づいて行くのが見えると叫んだ。

「ウミアクに乗っている組頭はフランクだ。フランクが大きな銛を持ってウミアクの先頭に立っている」

祈禱師は眼をつぶっていた。その眼に海が見え、海に期待すべき将来が見えるようだった。祈禱師は叫び続けて、やがて精も根も尽き果てたようにそこに倒れた。

人々はシーラの神が祈禱師に乗り移って予言をしたのだと確信して疑わなかった。

カビックもまた何等躊躇《ちゅうちょ》することなく、その場でフランクに組頭を命じ、フランクと共に出猟すべきメンバーの名を次々と挙げた。

他所者《よそもの》のフランクが二年目に鯨猟の組頭に選ばれたことは異例どころか、とうてい考えられないことだった。しかしシーラの神はそうせよと告げたのだ。人々はそれに従った。不平を唱える者はなかった。

フランクは面喰った顔でいた。去年の鯨猟に初めて参加して、一番銛を鯨に打ちこんだのは全くの偶然であった。鯨の真のおそろしさを知らないからできたのだ。鯨猟が如何《いか》に危険なものか分っていたらおそらくあんな無茶はやらなかったであろう。その偶然の手柄がポイントバローのエスキモーたちの間では評判になった。フランクは鯨猟の経験者と見做された。祈禱師の頭の中に入ったその誤解がシーラの神の託宣として表面に出たのだ。フランクはそのように考えていた。

(断わるべきだ。組頭なんかできるわけがない)

そう思っているところへ、カビックは更に面倒な問題を持ち出したのである。

「フランクは組頭に決った。従ってお前は、明日の朝の出発を前にして、今夜はおれの家へ来て泊るがいい。おれの妻は年取っているから、妻のかわりに、息子の嫁がお前をもてなしてくれるだろう」

「親方の好意は有難く頂戴《ちょうだい》いたします。だが、今夜は、このカレギに泊ります」

フランクははっきりと答えた。

「おれの家《イグルー》に来るのが嫌なのか、それとも息子の嫁が嫌いなのか」

カビックは嚙《か》みつきそうな顔で言った。

「日本という国に住むエスキモーは他人の家に泊めて貰うことがあっても、他人の妻と寝ることはないのです」

「だが、お前は日本にはいない。ポイントバローにいる。此処《ここ》には此処のしきたりがある。そのしきたりを守らねば、鯨は獲れないのだ」

「では、私は組頭をやめさせていただきましょう。他に適任者はたくさんいます。その人たちにまかせたらいいでしょう」

「このカレギを出るというのだな。出て何処《どこ》へ行くのだ」

「分りません」

分りませんと答えながらフランクはネビロの父アマオーカのカレギを頭に思い浮べていた。

カビックはしばらくの間フランクの顔を見詰めたまま突立っていた。組頭に選ばれて、それをことわった者もなかったし、出猟を前にしての一夜を親方の家の客として過すという習慣にさからった男もいなかった。北極圏の海岸エスキモーは鯨猟で生きていた。

彼等の文化は鯨猟を中心として発展して来たのだ。その鯨猟の組頭に選ばれることはエスキモーの男性としては、最高の名誉であり、出猟を前にして、親方の妻、または、親方の息子の妻と一夜を共にすることは親方と親類関係を結ぶことであった。それをフランクは忌避したのである。カビックはあきれかえってものが言えないという顔でいた。

だがカビックは怒ったり怒鳴ったりはしなかった。他人に対しては怒りの表情をほとんど見せない、感情を押し殺した、エスキモー特有の、むしろ悲しげな顔で、

「そうか、おれのカレギを出るのか」

と言った。

7

フランクは私物をまとめてアマオーカのカレギに行った。ネビロのことがずっと頭の中にあった。ネビロが初日の出に向って、フランクがアマオーカの鯨組に入るように祈ったせいかどうかは分らないけれど、結果的にはそのようになって行くのが不思議だった。

アマオーカはフランクを彼のカレギに入れた。フランクは既に他所者《よそもの》としては扱われてはいなかった。同じ村の若者がカレギからカレギを渡り歩いたとて誰も文句を言わな

かった。

アマオーカはフランクがなぜカビックのカレギから出て来たかその理由を聞いた後でひどく楽しそうに笑った。

「フランク、もしお前が、おれのカレギでやはり、鯨猟の組頭に選ばれ、カビックと同じように、おれの息子の嫁と寝ろと言われたら、どうする」

「勿論《もちろん》、おことわりします。他のカレギへ行きます」

そうか、それならば、フランクに組頭をやって貰《もら》うわけには行かないなと、アマオーカは本気とも冗談ともつかないことを言った。

フランクはアマオーカの鯨猟に、銛手《もりしゅ》の一人として加えられた。

氷の溶ける音が海鳴りのように聞えた。五月になった。

「勇敢であることが必ずしも最善であるとは限らないのよ。自分の生命《いのち》を粗末にするような勇敢は、ほんとうの勇敢かどうかあやしいものよ」

ネビロは、セイウチ（海象）の牙《きば》で作った十字架をフランクの首に掛けながら言った。

出猟の日の朝であった。

彼等は氷原を犬橇《いぬぞり》に乗って走り、氷原の終るところに犬橇を止め、氷の割れ目から、ウミアクを海におろした。流氷が浮ぶ海で鯨群探しが始まった。五日、六日と経《た》ったが鯨の群れは見えなかった。十日目になったが、鯨の影も形も見えなかった。

「去年はけっこう居たのに今年はどこへ行ってしまったのだろう」

と彼等は話し合った。もしかしたらという不安が彼等の頭に浮び上った。エスキモーの鯨猟の歴史の中には、ある期間鯨が全く獲《と》れなかったという言い伝えがあった。原因はその年と前年の気象に密接な関係があった。北極海の氷の溶け方や、海水温度などが鯨の回遊にデリケートに関係して、年によっては鯨群がポイントバロー付近の海上に全く姿を見せないこともあった。彼等はウミアクしか持っていなかった。その小さな皮張舟では荒波を冒して遠くまで鯨を探しに行くことはできなかった。沿岸に鯨が近寄らねばあきらめねばならなかった。そして、このような年が三年も続くと、海岸エスキモーの間には多数の餓死者が出たと伝えられていた。

出猟してから半月あまり経ったころ、彼等は数頭の鯨の群れを発見した。

彼等は大廻りをして、鯨群を氷の入江に追い込みに掛った。ようやく包囲態勢を取ったとき、白塗りの大きな汽船が現われた。

船は鯨群に向って全速力で襲いかかり、次々と銛を鯨にぶちこんだ。銛を打ち込む大砲の音を聞いてウミアクに乗っていたエスキモーたちは首をすくめた。白塗りの捕鯨船の船腹に海狼《シーウルフ》号の名をはっきりと読み取ることができた。

海狼号が去った後には血の海が残った。鯨はすべて海から消えていた。

「白人たちはなんてひどいことをやるのだろう。あんなふうにやられたら、鯨は間も無く全滅するだろうよ」

エスキモーたちは話し合っていた。既に捕鯨船による捕鯨は、北極海においては禁止されていた。許されているのはエスキモーのウミアクによる捕鯨だけだった。しかし海狼号のような密猟船は依然として北極海に出没していた。去年の春、封じこめられた氷から脱出したベアー号は、船体に受けた損傷を修理するためにドックに入った。そして、今年、ベアー号が再び三本マストの英姿を北極海に現わしたときには、海狼号は三隻《せき》に増えていた。

海狼号にベアー号の情報を売りつけている者があるらしいという噂《うわさ》が出るくらい、密猟船の一味は緊密な連絡のもとに悪事を重ねていた。三隻がぐるになっての行動に、警備船はふり廻され続けていた。

アマオーカの鯨組は一カ月間海を彷徨《ほうこう》したが、ついに一頭の鯨も撃ち取ることはできなかった。

アマオーカの鯨組ばかりではなく、カビックの組も同じような目に会った。

鯨が急に獲れなくなったということは、鯨の濫獲《らんかく》時代から急遽《きゆうきよ》保護政策に転じたアメリカの良心も、ひとたび衰退のきざしを見せ始めた鯨族の復活をうながすことができず、依然として減少傾向をたどりつつあるという実証であった。密猟船がこの傾向に拍車をかけたことも無視できなかった。大小取りまぜて、二十隻近くの密猟船が依然として北極海に出没していた。沿岸警備船ベアー号一隻ではどうにもならなかった。

ポイントバローのエスキモーはその年の真夜中の太陽を迎えたが、鯨祭り《ナルカタック》は取り止《や》めになった。鯨が獲れないということになると次に来るものは飢餓であった。食糧は節約しなければならなかった。

鯨組の親方は寄り合って協議した。

「多分、汐《しお》の流れの関係で、鯨は沿岸に寄って来なかったのだろう。こういう年には、秋になってやって来るものだ」

どちらかというと楽天的にものを考えたがるエスキモーは、泣きごとは言わなかった。彼等は九月までの猟期をアザラシ猟とそして、カリブー猟に精を出そうと申し合せた。

フランクはアザラシ猟に出た。

この年はアザラシも不猟だった。予定の半数も獲れなかった。白熊《しろくま》も獲れなかった。ポイントバローのエスキモーによって、撃ち取られる白熊の数は、例年三十頭以下ということはなかったのに、この年は僅《わず》かに十三頭だった。

鯨群は九月にも姿を見せず、かわりに冬がやって来た。フランクが乗っているウミアクは、北極海に氷が張りつめる寸前になって手ぶらで帰って来た。他の鯨組も同様だった。

十月になって、鯨組の親方が寄り合った。当然のことながら祈禱師《きとうし》が呼ばれて、シーラの神の言葉を聞くことになった。

三人の祈禱師のうち二人は、

「鯨は白人の大砲によって追い払われた」

と神の言葉を告げたが、最後の祈禱師は、

「他所者がシーラの神の言葉にそむいたので、シーラの神は怒り、鯨の神にその他所者がこの地を去るまでは近寄るなと命じた」

と繰り返ししゃべり続けた。最後には他所者とは言わず、はっきりとフランクの名を指した。

エスキモーの社会には刑罰らしきものは存在しなかった。強いて言えば、巫者《ふしゃ》（祈禱師）や巫女《みこ》によって行われるシャマニズム的信仰によって、制裁理論が導かれた。

エスキモー社会に於《お》いては、従来、刑は自ら執行する風習があった。多くの人が、あの人は死んだほうがいいのだと考えるようになると、その人は、その空気を察知して自殺した。その例は非常に多かった。

フランクの場合は、不猟の原因が明らかにされたが、制裁方法は明示されなかった。この場合、フランクはポイントバローを自ら去るべきであった。そのように神の言葉を解釈すべきであった。誰もフランクにそう言う者はいなかったが、フランクにはよく分っていた。

フランクは荷物をまとめて、アマオーカ親方のカレギを訪ねた。吹雪の朝だった。吹雪の音を火焔《かえん》が燃えさかる音のように聞きながら、

「お別れに来ました。いろいろありがとうございました」

とフランクはアマオーカに言った。

「そうか、カレギを出るのか、出て何処《どこ》へ行くのだ」

フランクは同じ言葉をカビック親方の口からも聞いた。それは彼等のさよならの挨拶《あいさつ》であり、彼の身を心配するというよりも、単なる儀礼的な言葉だと解された。

「分りませんが、ブロワーさんのところで働かせて貰うことになるかもしれません」

「するとポイントバローに止《とど》まるということかね」

アマオーカは重ねて訊《き》いた。言葉の裏にはポイントバローに居て欲しくないという気持がはっきりと現われていた。フランクがいるかぎり、鯨も獲れないし、アザラシも獲れないという神のお告げを半ばは信じているふうだった。

「勿論、フランクはポイントバローに止まるわ。フランクがポイントバローを離れるようなことになれば、それこそ迷信がフランクを追放したことになるのよ。お父さま、まさかフランクに出て行けと言うつもりではないでしょうね」

ネビロが父の前に出て言った。石皿で燃えるアザラシの脂《あぶら》がネビロの顔をはっきりと映し出していた。ネビロの黒い大きな潤《うる》んだ眼には怒りのようなものが一途《いちず》に燃えてい

た。女の存在が、極端に過小評価され、女の発言が封じられているエスキモーの社会で、ネビロが、父に向って敢然と反論する態度は異常であった。

「女の出るところではない」

引込んでいなさいとアマオーカは彼女を叱《しか》った。しかし、彼女は父に屈しなかった。彼女は、かなりはや口で、鯨や海獣が獲れなくなった原因は白人たちの濫獲にその原因があることを力説した。教会で聞いて来た知識だったが、正確だった。筋道がちゃんと立っていたし、数量や年号も間違ってはいなかった。

「現実を直視しないで、迷信を信用することはエスキモーの自殺行為だということがお父さまには分らないのですか」

とネビロは父のアマオーカに言った。

「女は黙っていろと言った筈《はず》だ。これ以上なんのかんのと言ったら、お前にも、ここから出て行って貰うことになるぞ」

お前にもということは、フランクがこの地を出ることを前提とした言葉だった。フランクはこれ以上、ネビロとアマオーカが争うことを好ましく思わなかった。

「ネビロ、これは私自身の問題です、私にまかせて下さい」

だが、ネビロは、それまで見せたこともないほど、思いつめた眼でフランクを見詰めて言った。

「いいえ、あなた自身の問題ではなくして、エスキモー全体の問題です。あなたが、エスキモーではなく、白人だったら別です。しかしフランクは白人ではなくてエスキモーでしょう。だから、これは重大なことだと思うのです」

そのときフランクは、フランク安田でも、安田恭輔《きようすけ》でもない、エスキモーのフランクの姿を自分の中にちらっと見たような気がした。一般のエスキモーたちは初めて見るフランクを、日本という遠い土地からやって来た同族のエスキモーだと見ていた。そう信じていた。フランクはそれに対して否定はしなかった。だが、教会で英語を習い、本が読めるようになっているネビロが、フランクをエスキモーだと断言したことは、いささか飛躍しすぎるように思われた。ネビロは教会にある地球儀で、日本という国の存在を知っている。そして、エスキモーとは違う種族であることも理解している筈であった。

(ではなぜネビロが、このおれをエスキモーとして扱おうとするのであろうか)

8

フランクはアマオーカの家を出た足で、チャールス・ブロワーを訪ねた。

ブロワーはフランクの話を聞き終ると、パイプに煙草《たばこ》をつめかえ、それに火をつけてからゆっくり話し出した。

「おれは君をほしい。二年と経《た》たないうちにエスキモー語をほとんど完全に理解し、北極のハンターとしての技術を身につけた君の才能は驚異に価《あたい》する。君がおれのところで働いてくれたら、どんなに助かるか分らない。しかし、今直《す》ぐは具合が悪い。君は鯨神の逆鱗《げきりん》に触れた男なのだ。その男をおれがかくまったとしたら、エスキモーたちはおれをどう見るだろうか。そのへんのところを考えて貰《もら》いたい。君はしばらくの間、ポイントバローから離れたほうがよいと思う。此処《ここ》から東に二七〇マイルのところにフラックスマンアイランドがある。そこに三年ほど前に交易所を建てたが、適当な人がいないので、そのままになっている。もし、そこでよかったら、行ってくれないか。つまり君はフラックスマン島支店長ということになる。その付近のエスキモーたちから毛皮を買い取り、此処へ送って来るのが君の仕事になる。その交易所は釘《くぎ》づけにしてあるが、ちゃんとした小屋で人が住めるようになっている」

「一人で？」

とフランクは反問した。色よい答えは期待していなかったが、せめてフラックスマン島までは、三台ぐらいの犬橇《いぬぞり》は出して貰いたいと思った。

「そうだ。君が一人で行って貰いたい。向うへつけばエスキモー部落もあることだし、なんとかやって行けるだろう」

そしてブロワーは、北極海で鯨猟がだめになりはじめてきてからは、捕鯨会社はポイントバローの交易所には興味を示さなくなり、来年あたりからはこの交易所も、ブロワー自身の個人経営となるだろうと言った。会社としてはフランクのために充分に面倒を見てやるだけの余裕がないことを説明した。

「すると、私は、あなたから給与はいただけないし、食糧や燃料も補給して貰えないということでしょうか」

「そういうことになる。君にはフラックスマン島の建物だけは貸して上げられる。そのかわり、毛皮の取り引きは、私とやって貰いたい。もっとも、交易船がやって来たとき、君が直接交易船と取り引きをしたいというならば、それをさまたげるつもりはない。このへんのところはお互いに話し合ってやろうではないか。この北極で力になり得る最後のものは、人を信ずるということ以外にはない。分るかねフランク」

ブロワーはフランクの答えを待った。

「なにもかも、始めっからということになると、少々まとまった交易品がほしいのですが、そうでないと毛皮を買いこむことはできないでしょう」

「もっともな話だ。しかし、君のハンターの腕は信用しても、おれは君がどの程度の商人としての才能を持っているかは知らない。だから多くの資本を貸すことはできない。だがそれでは、君は困る。こうしよう。橇三台の交易品と、一冬分の燃料と食糧を貸してやろう。それがおれが君にしてやれる最大限の奉仕だ」

ブロワーとフランクとの交渉はそれで終った。ブロワーは大きな声で人を呼んで、フランクの為《ため》に犬橇を三台用意するように言った。

「急がないと、アラスカの太陽は一度沈むと来年までは出て来ないからな」

ブロワーは、なるべく早く、現地へ行くようにフランクにすすめた。

フランクがフラックスマン島へ行くという話はポイントバローのすべての人の耳に入った。

ビル・ワーレスが、フランクを引張り出して言った。

「なにも、フラックスマン島なんてところまで行かなくてもいいだろう。おれのところに来い、悪いようにはしない。君ほどの腕前のハンターなら、前金を出したっていいくらいのものだ」

ワーレスは誘ったが、フランクは首を横に振り続けた。

「そうか、そっちがそういう了見ならこっちにはこっちの考えがあるというものだ。北極海には海の狼《おおかみ》という海獣が住んでいることを忘れるなよ」

ビル・ワーレスの棄《す》てぜりふだった。海狼号の一味とビル・ワーレスとの間につながりがあるという噂《うわさ》があった。ワーレスがその噂を持ち出して、いやがらせを言ったようにも、実際に、海狼号の一味と通謀して、他日、フラックスマン島の交易所を荒しに行くぞという脅しのようにも取れた。フランクに取ってはまことに不愉快な袂別《べいべつ》のことば十月の半ばは過ぎていた。太陽は南の空に片寄り、高度もずっと低くなった。南東に出た太陽は南の地平線上を遠慮勝ちに運行して南西の空に沈んだ。

交易所の前の雪の広場に勢揃《せいぞろ》いした、三台の犬橇の曳《ひ》き犬たちが盛んに吠《ほ》え立て、中には嚙《か》み合いを始めるものがいた。鞭《むち》が飛び、棒がふりおろされた。犬たちは、前途の長旅に昂奮《こうふん》していた。それが村中の犬たちに伝えられ、咆哮《ほうこう》は尚《なお》も続き、解き放されている犬は、交易所の前の犬橇の周囲に集まって、同類の出発を嫉妬《しっと》するかのごとく、激しく吠えついた。広場はフランクを見送りに来た人たちで溢《あふ》れていた。

出発の準備は完了した。

フランクはブロワーに別れの挨拶《あいさつ》をした。

「なあに、そう長いことはないさ、二、三年したらきっと帰って来て貰うことになるだろうよ」

ブロワーはフランクになぐさめ顔で言った。

二台の犬橇には既に馭者《ぎょしゃ》が乗っていた。三台目の馭者台にフランクが坐《すわ》れば、いよいよ出発だった。

フランクは広場に集まっている人々に軽く頭を下げて廻った。知っている顔も知らない顔もあった。笑顔で送ろうとしている顔よりも無表情の顔の方が多かった。あきらかに、彼の出発を悲しみの心をこめて見送っているものもいた。ネビロがまだ姿を見せないので、フランクは内心いら立っていた。だが彼は絶望してはいなかった。ネビロはなんらかの形で、彼にさよならを言いに来るに違いないと確信していた。

寒い朝だった。人々の吐く息の白さが広場の空気を更に冷たくしていた。人々の頭上に、ダイヤモンドダストが、降るというよりも浮いていると言ったほうがふさわしいほどの速度で、光の粉をばらまいていた。視界は光るカーテンによってより一層拡《ひろ》げられ、地平線上に昇ったばかりの太陽がいつになく赤く見えた。

犬がいっせいに太陽に向って吠えた。人々は太陽の光を広場に迎え入れようとするかのように道を明けた。犬橇が一台、その方向から近づいてくるのが見えた。犬は太陽に向って吠えたのではなく、その犬橇の到着を知らせたのである。

突然、太陽が地平線に向って垂直に延びた。地平線上から光柱が現われて、太陽を支えたようにも見えた。瞬間的に行われた、光の転移であって、太陽と光柱が同一な光源の延長なのか、別個な光の表現なのか確かめる暇はなかった。

光柱は、太陽の光を奪取したかのように、輝きながらその太さを増して行き、太陽と光柱が一つの光体となったときに、動きを止めた。

輝きに満ち溢れた光柱はアラスカの大空を支えて、ゆっくりと呼吸《いき》をついていた。

それは微細な氷霧の結晶が太陽の光線を受けて演出するアラスカ特有の芸術であり、学術的には太陽柱と呼ばれる現象だった。

フランクは、他に比較すべきものがないほどに美しく、たくましいものとして太陽柱を見た。彼の出発に当っての天の祝福として受取るにしてはもったいないほど雄大で且《か》つ華麗だと思った。

犬橇はその太陽柱を背に負って、近づいて来た。犬橇にはネビロが乗っていた。ネビロの着ているアヌラックの毛の一筋一筋が太陽柱の中に溶けこんで光った。

ネビロは太陽から出て来た女神のようにまぶしく見えた。馭者台には彼女の兄のタリックが鞭を振っていた。彼女の出現は、彼の期待を裏切らなかったが、なぜ犬橇を仕立てて来たのか疑問だった。おそらく、兄妹はフランクを途中まで見送ってくれるつもりだろうと思った。

犬橇が止ると、タリックがフランクの前に来て言った。

「フランク、妹を一緒に連れて行ってくれないか」

フランクは自分の耳を疑った。聞き違えたのかと思った。タリックは再び同じことを言った。

「何処《どこ》へ連れて行くのだね」

「君が行くところさ、これから君が生涯をかけて行き着くところへ連れて行ってくれないか」

つまり、それはネビロを嫁に貰ってくれということだった。彼には意外だった。思いも寄らぬことだった。その申し出を、このような場合に持ち出したのは唐突だった。一方的過ぎると思った。

ネビロは橇から降りて、兄のうしろに俯向《うつむ》いたまま立っていた。彼女は、きわ立って上等な狼の毛皮で飾った晴着用の毛皮の外套《アヌラック》を着ていた。エスキモーの女たちは、一般的に普段用と、着替用の二種類のアヌラックを持っていた。裕福なエスキモーの妻や娘はこの他に晴着用のアヌラックを持っていた。娘が晴着を着るときは、結婚するときか、お祭りの時だった。つややかに光る狼の長い毛に包まれたネビロの顔はやや紅潮していた。

「フランク、返事を聞かせてくれよ」

タリックが言った。

「ネビロはどう考えているのだ。それはネビロの本心なのか」

フランクは訊《き》いた。エスキモー社会には本人の意志による結婚はほとんど無かった。ネビロの場合は婚約者が死んだのだから、相手を選択する自由はいくらか認められてはいたものの、終局的には親と親との話し合いによる結婚という彼等の長い間のしきたりが、そう簡単に破られることはあり得ないことだった。フランクは、ネビロの口から、なにがあったのか直接に聞きたかった。

「ネビロはフランクのことで父と争い続けた。そして父を怒らせてしまったのだ。ネビロはフランクこそ、われわれエスキモーの指導者となるべき人だと父の前で言った。彼以外には、ポイントバローのエスキモーを代表して、白人と対等に話ができるエスキモーはいない。その彼をなぜ、ここから追出そうとするのか、もしどうしても、彼を追出すならば、私もフランクと共に追出してくれと言ってしまったのだ」

タリックはネビロのために代弁した。ネビロは相変らず俯向いたまま微動だにしなかった。タリックとフランクの前で、やがて下されるであろう裁きを神妙に待っているようだった。

「私はネビロを幸福にできるかどうか分らない。だいいち、フラックスマン島で、生活できるかどうかの保証もないのだ」

フランクは言った。

「そんなことはどうでもいい。おれは君に、妹を連れて行くか、否《いな》かを訊いているのだ。君が嫌だと言えば、妹は自殺するだろう。ネビロはキリスト教徒だから、一般的には自殺は認めない。しかし、彼女自身の問題になれば、彼女はエスキモーの女として死を選ぶだろう」

タリックはそう言いながら、ネビロの顔を見た。ネビロは兄の言葉に応ずるように顔を上げてフランクを見た。双眸《そうぼう》の奥の彼女の心がフランクに決断を迫っていた。美しくそして怖い眼だとフランクは思った。千代ならば、この場で泣くだろう。千代に似ているけれど、千代とは別な女だと思った。同行を拒絶したら、彼女はほんとうに自殺するだろうと思った。

「死ぬときは一緒だ。それでいいかねネビロ」

フランクは低いがしっかりした声で言った。ネビロはその言葉に迎えられたようにフランクの方に向って二、三歩近寄ったところで立止って彼の手を待った。フランクが支えた。ネビロがフランクの腕の中に顔を沈めた。

泣き声がフランクの胸の中で起った。ネビロはやはり千代だったとフランクは恭輔《きょうすけ》になって考えていた。

「新婚旅行の旅ということになったら、なにか贈り物をしなければならないな」

それまで黙って見ていたブロワーが言った。そして、犬橇をしばらく待たせて置いて、なにやかやと二人の新居の役に立ちそうな物を大きな箱に詰めこんで持って来た。

「ほんとうは、ダブルベッドでも贈りたかったのだがね」

ここには、それがないのだとブロワーは両手を拡げて見せた。

犬がまた一斉に吠え立てた。出発を催促する咆哮のようであった。

「フラックスマン島までは、おれがネビロを送って行く」

タリックは自ら馭者台に立った。その犬橇《いぬぞり》には、ネビロの嫁入り道具と、食糧が積んであった。

四台の犬橇が動き出すと、東の方向の人垣が開いた。四台の犬橇は一列縦隊となって走り出した。人々の間にざわめきがあったが、送別の声は起らなかった。犬橇は白い雪原を地平線に向って突走った。

犬たちは適当に餓《う》えていた。その日の終着点に達しないと餌《えさ》が与えられないことを知っている犬は懸命に走った。犬達は日中六時間と、朝と夜のそれぞれ二時間ずつの薄明時を走った。一日十時間突走って餌を与えられた。五日後にフランクの犬橇隊はフラックスマン島に到着した。島と言っても周囲三マイルほどの小さい島で、陸地との間は二マイルしか離れてはいなかった。島と海とは氷でつながっていた。

フラックスマン島には百人ほどのエスキモーが住んでいた。彼等は、犬橇隊が近づきつつあるのを知ると村中総出でフランク等の一行を迎えた。

彼等は笑顔と饒舌《じようぜつ》の挨拶を交わした。フランクはブロワーに教えられたとおり、男にはナイフ、女には布切れ、そして子供たちには男女の差なしに、硝子玉《ガラス》を二個ずつ与えた。近づきのしるしであった。彼等は相好《そうごう》を崩して喜んだ。

夜が来ると、ポイントバローから来た四人の男と一人の女のうち、三人の男はそれぞれエスキモーのイグルーに客として迎えられて行った。あとには、フランクとネビロが残った。交易所はまことにお粗末な丸木小屋であった。夏の間に船で運んで来た建築資材で組上げたものらしく、あちらこちらに隙間《すきま》があった。それでも一応は交易所らしく、倉庫と住居は区別して作ってあった。倉庫の方には雪が吹きこんでいたが、住居の方は、内側に板壁が張ってあったので、雪は吹きこんではいなかった。炉があったが、そこで焚《た》くべき薪《まき》はなかった。

ネビロは甲斐甲斐《かいがい》しく働いた。床には彼女が犬橇につけて持って来た毛皮を敷いた。石皿にはアザラシの脂《あぶら》が盛られ、苔《こけ》で作った灯芯《とうしん》に火が点ぜられた。寒いけれども、どうやら人が住めそうだった。だが、真冬を越すには、居室を更に狭くし、熱を外部に逃がさないように改造しなければならなかった。フランクはまずそのことを真先に考えた。半地下室のイグルーこそ、真冬の生活には適しているのだが、それを作っている余裕はなさそうだった。しかし、その心配は建物の隅々まで見廻っているうちに、食糧貯蔵庫を発見することによって解消した。食糧貯蔵庫は地下室にあった。そこを一部改造すれば冬の住家になった。冬になったら、そこに逃げこみ、時間を掛けて、居住区に手を加えたら、次の冬には地下室にもぐらないでも、暮せるようになるだろうと考えられた。

夜がやって来た。ネビロはアザラシの皮を縫い合せて作った大きな寝袋を、床の上に延べた。二人が入れるだけの容積があった。それが二人のための新婚の床であった。

灯は消さなかった。灯を消そうとはどちらも言わなかった。隙間風で揺れ動く石皿の灯を見詰めながら二人は長いこと黙っていた。フランクは恭輔になった。恭輔が大人を意識するようになってからは、金屏風《きんびようぶ》を張りめぐらした奥座敷で白絹の重ね布団《ぶとん》に入って、彼を待っている千代の白い項《うなじ》を夢想した。そのような結婚式でありたかった。

「フランク、悔いているの」

ネビロが言った。

「喜んでいるのだ。幸福だと思っているのだ」

フランクに戻った彼はネビロの手を取って言った。

「それならなぜそんなに悲しそうな顔をしているの」

「日本という国のエスキモーは悲しいときには嬉《うれ》しそうな顔をして、嬉しい時に悲しそうな顔をすることがある。いまはたいへん嬉しいのだ」

「フランク、寒くないの」

「寒い、非常に寒い」

「では入ればいいのに」

「日本という国のエスキモーの結婚式ではお嫁さんが先に床に入って待つことになっている」

そうかどうか彼は知らなかった。それは彼の頭の中で考えていた方式であった。千代との幻想だった。

「では私が先に入るの」

ネビロはその時、全身に羞恥《しゅうち》を見せた。彼女は、慄《ふる》えながら、寝袋に入った。しばらくの間、寝袋が波を打っていた。そして波が静まったときに、彼女の姿は寝袋の中に没し、彼女のかわりに、それまで彼女が身につけていたもののすべてが、枕元《まくらもと》に押し出されていた。彼女の黒髪だけが、寝袋の外で彼を待っていた。

フランクは寝袋の中で着物を脱ぐべきか、脱いでから入るべきかに迷ったが、結局、彼は外で脱いだ。そして、寒さに追い立てられたように、あわただしく、そしてこの上もなく不器用に寝床の中に入った。熱い滑らかな彼女の身体《からだ》が海老《えび》のように縮まったままで彼を待っていた。

9

二人の生活が始まった。

二人はそれぞれが先生であり生徒であった。フランクはスープの作り方や肉の焼き方などをネビロに教えた。彼はキャビンボーイをしているころコックの手伝いをしたことがあり、料理は得意だった。もともと器用だから、充分な材料さえ与えられれば、ちゃんとしたものを作った。だが、二人の新婚生活には、旨《うま》い料理を味わうだけの余裕はなかった。記念すべき日だとか、獲物があった日などに料理の腕をネビロの前で披露するのが関の山で、多くの場合はあり合せのものを食べていた。

ネビロは生肉を食べないと病気になるという強い信念を持っていた。エスキモーはほとんど野菜を食べなかったが、壊血病になるものはなかった。かつて、何度か極地を訪れた北極探検隊員が、歯ぐきから血を出して苦しんでいるのに、同行したエスキモーは平常と変りがなかった。両者の食生活の相違は、生肉を食べるか、食べないかの差であった。ネビロがフランクの嗜好《しこう》を理解していながら、それに盲従しなかった点は此処《ここ》にあった。フランクもそのことを充分わきまえていた。ベアー号にいたときより、エスキモーのカレギに入ってからの方が、自分でもはっきりと分るように、健康になったのは、生肉を食べる生活に切り替えたからだと思っていた。

ネビロがフランクに対して教える立場になるのは、フラックスマン島の住民たちと交渉するときであった。ネビロは、ポイントバローのエスキモーとフラックスマン島のエスキモーの習慣の差をたくみに読み取って、どのようにすればよいかをフランクに教えた。

二人の新婚生活は充実したものであり、愛情と希望に満ちていた。

「新しいエスキモーの社会を作るには、まずエスキモーの女性が目覚めなければならないわ」

ネビロは、エスキモー社会の因習の虜《とりこ》になっている女性が、男性に比較していかに低い地位に置かれているかについて鋭い批判をフランクの前で試みた。妻交換や妻貸しの風習打破については、二人は完全に意見を同じくした。

「私は、あなたのすべてを見習わねばならないわ、なにもかもあなたと同じようにはできないけれど、少なくともあなたにとって、邪魔にはならない存在としてどこへでも同行できるようになりたいものだわ」

一途《いちず》にそう思いこんでいるネビロは健気《けなげ》であった。

フランクはフラックスマン島に新居をかまえて落ち着くと、この地の住民とともに狐《きつね》捕りにでかけた。

カリブーは山を越えて南に移動してしまっていたし、北極海は氷結して、アザラシ猟の時期は過ぎていた。北極熊《ぐま》（白熊）も、雌は子を生むために陸地の奥に影をひそめてしまい、雄の北極熊もまた氷上遠く影を消してしまった。

冬の狩猟は北極狐を罠《わな》で捕えることだった。

北極狐は夏と冬とで姿をかえる。冬は白銀色になるので、この皮は高価に売買された。ツンドラ地帯にネズミや地栗鼠《じりす》の類を餌《えさ》にして生きている北極狐を罠で捕えるには、まず、足跡を探すことから始まる。足跡が多いところに、罠を仕掛けて置くのである。能率よく行うには、絶えず出て歩かねばならなかった。薄明の時間を利用するにしても、数時間しか仕事はできなかった。

太陽のない季節は交易に都合がよかった。フランクとネビロは犬橇《いぬぞり》に乗って、付近のエスキモー部落に交易品を持って行って毛皮と交換した。

エスキモーはフランクをエスキモーだと信じていた。ただ、フランクの話すエスキモー語はそれほど巧みではないので、遠いところから来たエスキモーだろうと見ているようだった。妻のネビロがポイントバローの鯨組の親方アマオーカの娘であるということは、いかなる場合においても、相手を信用させるのに好都合であった。

交易の旅に出ると何日も家へ帰れないことがあった。二人は、エスキモーの家に夫婦連れの客として泊めて貰《もら》った。エスキモーにしてみると、それはたいへん珍しいことに見えるようだった。初めのうちは、不思議そうな顔をしたり、その理由を訊《き》いたりしたが、やがて、こうするのが二人の生き方だと分って来ると、もうなんとも言わなくなった。

交易は順調だった。太陽が現われて、再び猟の季節が始まる前までに、橇一台分の毛皮を集めることができた。

三月になって、間もなく、二人は犬橇二台にそれぞれ分乗してポイントバローのブロワーのところへ毛皮を納めに行った。

「これは大したものだ」

とブロワーは二人の持って来た毛皮を拡《ひろ》げて、毛皮の一枚一枚を確かめながら、それぞれに適当な値段をつけた。

「夏まで待てば、交易船がやってくる。そのころ、もう一度やってくるがいい。私に売らずに直接交易船と取引きすれば、この値段より二割ないし三割は高く売れる筈《はず》だ」

とブロワーは言った。

フランクはその好意を感謝した。ブロワーから得た金は、交易品と、生活必需品に換えた。この地では金銭の必要はなかった。

ネビロとフランクはアマオーカの家を訪ねた。半年の間に特に変ったことはなかったが、なんとなく家族全体に元気がなかった。ネビロが里帰りしたというのに、明るい笑い声は起らなかった。

「フランクをわれわれのカレギから追出したことは、大きな損失だとこのごろ言う人が多くなって来た」

とネビロの兄のタリックが言った。アマオーカは、今年の夏の鯨猟のことを心配していた。全般的に、ポイントバローの空気は沈滞したように見受けられた。前年鯨が取れなかった影響が深刻に現われていた。フラックスマン島がよかったら、そっちへ移住したいという者が幾人かいた。フラックスマン島には鯨組のような大きなカレギはなかった。アザラシ猟とカリブー猟でささやかに生きている村だったから、鯨に対する依存度が低く、打撃はそれほど深刻ではなかった。

フランクとネビロはあまり悠々としてはおられなかった。交易所を一軒持ったとなると、それ相応に多忙であった。彼等は交易品を山と積んだ犬橇三台を率いてフラックスマン島に帰った。

フランクは交易所の経営者であり同時にハンターであった。狩猟期に入ると多忙だった。アザラシ猟のようにウミアクに乗って海上を彷徨《ほうこう》する長旅にはネビロを連れては行けなかった。ネビロはひとりで交易所を守った。

この年も猟の成績は悪かった。いたるところで白人の乗り込んだ密猟船に出会った。彼等は見境もなく海獣を殺した。エスキモーのように子連れの海獣は殺さないというルールは守らなかった。

フラックスマン島のエスキモーたちは海の猟を早々にあきらめて、内陸遠くカリブーを獲《と》りに出掛けて行った。河口で魚獲に転ずる者もあった。

ネビロはフランクが獲って来た獣類の毛皮の処理に多忙だった。従来、エスキモーが皮をなめす方法は、唾液《だえき》を加えながら噛《か》むことだった。海岸エスキモーの一部では尿の中に皮をつけてなめす方法もあった。

ネビロはポイントバローの進歩的なエスキモーが既に採用している明礬《みようばん》を使ってなめす方法を知っていた。この方法を用いると能率がよく、仕上りもよかった。

フラックスマン島に来てから一年半が経過した。フランクとネビロは三月になるのを待って、二度目の里帰りをすることにした。銀狐（北極狐）の皮が前年の二倍になっていた。交易所としての成績はまあまあだった。

彼等は犬橇四台をこの日のために用意した。

フランクは鞭《むち》を鳴らしながら、曳《ひ》き犬に声を連続的に掛けた。終着点が近くなると、エスキモーが必ずやる手を真似《まね》たのである。曳き犬はそれに応ずるように吠《ほ》え立てた。反響は返っては来なかった。

彼は二度目の鞭を振り上げたまま、悪い予感に身体《からだ》が凍って行くのを感じた。此処まで来て、犬が吠えれば、村の犬たちはいっせいに歓迎の声を上げ、その声に追い立てられるように、子供たちが橇の前に姿を見せるのが普通であった。

「ネビロ、なにかよくないことが……」

起ったのではないかと言おうとしたが、言葉を殺して、もう一度、鞭を振り、犬を叱《しっ》咤《た》した。犬は前よりも力強く吠えた。すると村の方で数匹の犬がそれに答えて吠えるのが聞えたが、なにか義務的な咆哮《ほうこう》に聞えてならなかった。

「去年の夏も鯨が獲れなかったのではないでしょうか」

ネビロは、はっきりと言った。彼女は悲しげな眼を海の方から村の方へやると、首を垂れた。

その予想は不幸にも当っていた。

ブロワーは沈痛な顔でフランクに言った。

「今年の夏の交易船にもし政府からの救援食糧が積んでなかったらポイントバローでは多くの餓死者が出るであろう」

二年続いて鯨が不猟だったことは、政府当局に通報され、政府もその原因がなんであるかよく知っているから、おそらく今年は、救援食糧が多量に送られて来るだろうという楽観的な考え方は危険であるとブロワーは説いた。

「この交易所も今年から捕鯨会社の手を離れて、個人会社になったが、この状態では、商売になるほどの毛皮も集まらないだろう」

彼は心細いことを言った。心細いことを言うのはブロワーだけではなく、ネビロの父のアマオーカも兄のタリックも泣きごとを言った。カビック親方さえも、フランクの姿を見掛けると、照れかくしの笑いを浮べながら近づいて来て、

「帰って来てくれたのかフランク、今年の鯨猟にはぜひ組頭をやって貰いたいものだ」

と言った。フランクには理解できないような変りようだったが、なぜそうなったかは、すぐ分った。

二年続いて鯨が獲れなかったので、神の言葉を聞いたところが、三人の祈禱師《きとうし》はほとんど同じことを口にした。

「鯨は白人の大砲によって追い払われた。白人の大砲を海の中に沈めることのできるエスキモーはフランクしかいない」

三人の祈禱師は放心状態のままで、同じような意味の言葉を述べたのである。身勝手だとフランクは思った。都合次第で追出したり迎え入れようとしたりするエスキモー社会のシャマニズム的原始性にあきれたものの、たった一年半の間で、黒を白に変えて、にやにやしている、彼等に対して、むきになって腹を立てる気にもなれなかった。

アマオーカとカビックが連れ立って来て、どちらの鯨組に入ってもいいから、今年の鯨猟には銛《もり》を持ってくれないかと頼まれると、嫌とも言えなかった。彼はネビロに相談した。

「そんなに頼まれてはねえ」

彼女はフランクのあまり乗気になれない気持を察しながらも、鯨猟に出て欲しいような口ぶりだった。

フランクはアマオーカの鯨組の組頭となって出猟した。彼は北極海沿岸を東へ東へとウミアク隊を進めた。去年の夏フラックスマン島のエスキモーたちとアザラシ猟に出掛けたとき、カナダ領の沖で二度ほど鯨を見掛けたことを頭に入れていた。去年と今年と氷の溶け方が同じだから、鯨に出会《でくわ》す可能性も多いと考えたのである。

鯨の群れはカナダ領との国境近くのバーター島沖で彼等の前に姿を見せた。フランク等の一行は三頭を獲ったところで、それ以上慾《よく》ばらずに帰途についた。北極海に住む鯨は比重が軽いので、死んでも沈むことはなかった。獲った鯨は海上を曳いてポイントバローに帰った。

この年も鯨は不猟だった。出猟した五組の鯨組のうち、三頭を仕留めたのは、フランクの組だけで、他の四組のうち、二組がそれぞれ一頭を獲り、あとの二組は鯨の姿を見ることもなく引き返した。

六月に行われる鯨祭りはこの年も見送りとなった。飢餓到来の兆候がはっきりして来ると、住民は落ち着かなくなった。そのころになって交易船が政府から送られた救援食糧を積んでやって来たが、それは期待に反して充分な量ではなかった。交易船に乗って来た役人は、小麦粉を主とする救援食糧を降ろすと、すぐブロワーの交易所にやって来て、その救援食糧の配分方法についてブロワーの意見を求めた。

「救援食糧の配分は今回が初めてではないのに、改めて何故《なぜ》私の意見を訊こうとなさるのですか」

「それは、あなたが、エスキモーのことを最もよく知っていると聞いて来たからさ」

役人は笑顔一つ見せずに言った。

「エスキモーは、有れば有るだけ食べてしまう習性があります。救援食糧は一度に全部与えずに、必要に応じて、少しずつ与えたほうがいいでしょう」

ブロワーは概念的な答え方をした。

「それをあなたにやって貰いたいものですね。なぜならば、私は一夏この村の駐在所にいて、秋には帰る。食糧の問題が実際に起って来る冬にはこの地には居ないからです」

役人は、当初からそのような結論を持って来たようだった。それにしても、なにひとつやろうとせず、初めっから他人まかせにしようとする役人の頼りなさがブロワーには腹立たしく感じられた。

「ではいいですね、私はいそがしいので……」

役人はそう言って出て行った。

ブロワーは、役人の置いて行った、食糧のリストをチェックした。二、三疑問点があったので、役人の駐在所へ行ってみると、彼は、駐在所の壁に背をもたせかけて日向《ひなた》ぼっこをしていた。ブロワーは役人に声を掛けることを思い止《とど》まった。役人をたよりにするほうが甘い考えなのだと思うといくらか気が晴れた。

救援食糧が来たからといって、安心できない状態にあることを、エスキモーはよく知っていた。彼等にとって、小麦粉を主体とする食糧はあまり有難いものではなかった。彼等の食糧は生肉だった。餓《う》えとは、生肉を何日も何日も口にしないでいることだった。

その年の冬こそ、餓えに泣かねばならないことを直観したエスキモーは、眼の色を変えて海に出て行って、アザラシを探した。沿岸エスキモーは、カリブー狩りは苦手だった。湖沼《こしょう》の多いツンドラ地帯で、時によると腰まで水につかり、息もつけぬほどの蚊の大群に襲われながら、カリブーを追い求めるのは彼等の性分に合わなかった。彼等は陸に比較してはるかに危険な海であっても、その場で獲物を得なければならないように運命づけられていた。彼等が海の幸《さち》に見放されたときは死であり、現実にその死がやって来るまで、決して海から離れられなかったという彼等の歴史がそれを証明していた。

フランクがアマオーカに乞《こ》われて、夏のアザラシ猟にも参加しなければならなくなったのは、ポイントバローを襲って来た危機感を彼自身がはっきりと感じたからであった。彼は岳父のアマオーカのためというよりも、ネビロのために、その仕事を引き受けた。

フランク等の一行は沈まぬ太陽の海でアザラシを探しながら、東へ東へと移動して行った。プルドー湾の沖で、アザラシの群れを発見して、数頭を撃ち取った。ウミアク隊のうち二隻《せき》はその獲物を持ってポイントバローに帰ったが、フランクは更に東に移動しようとした。フォッギー島まで来たとき、白塗りの二隻の密猟船に出会った。密猟船は、ウミアクを認めると快速で近寄って来て、停船の合図に鉄砲を放った。

フランクは言われるとおりにした。争ったところで勝てるわけがなかった。海賊等は近づいて来て、ウミアクの中を覗《のぞ》きこみ、獲物が無いのを見ると、いまいましそうに舌を鳴らしながら、鉤《かぎ》のついた棒を突き出して、フランク等の銃の背負い革を引掛けて釣り上げた。

密猟船のデッキには髯面《ひげづら》のごろつき共が銃をかまえているので抵抗のしようがなかった。

密猟船が去ってから、フランクはフラックスマン島の交易所のことが心配になった。或《ある》いは海賊共に荒されたのではないかと思うとじっとしてはいられなかった。フォッギー島とフラックスマン島とは、そう離れてはいなかった。

フラックスマン島は静まり返っていた。舟が近づいたのに、犬の鳴き声も聞えなかった。フラックスマン島交易所は灰になっていた。地下室だけが残されていたが、中にはなにものもなかった。奪うべき物はすべて奪い去ったあとで放火したらしかった。

フラックスマン島の住民は放心したような顔でフランクを迎えた。彼等の口々に言うところを綜合《そうごう》すると、海賊共が島を襲ったのはつい二日前だった。まず交易所を破壊し、奪い、そして焼いてから、村に入って来て掠奪《りやくだつ》暴行の限りを尽して引き揚げて行った。いたるところに犬の死体が横たわっていた。彼等の暴行を止めようとした勇敢な男が二人射殺された。

フランクは、もしここにネビロが残っていたらと考えると慄然《りつぜん》とした。彼は焼け跡から灯火用の石皿を拾ってウミアクに乗りこんだ。二年前に、ポイントバローを離れるに当って、ビル・ワーレスが、海にだって狼《おおかみ》がいるぞと言ったのが単なるおどしではなかったことを認めざるを得なかった。

海賊に銃を奪われた猟師たちはポイントバローに引き上げて、このことを、夏の間だけ、出張して来ている役人に訴えたが、彼は日向ぼっこをしながら、居睡《いねむ》りをしていて、親身になって聞いてはくれなかった。

「フラックスマン島の交易所は海賊に襲われて灰になった」

とフランクがブロワーに報告すると、ブロワーは、絶望的な眼をフランクに向けて言った。

「政府がこっちを向いてくれるまで、われわれは力を合わせて生きて行くことを考えねばならない」

ブロワーは、そのころ、よくわれわれという言葉を使った。彼は白人であったが、彼の妻も子もエスキモーであった。そして彼の交易所はエスキモーと交易することで成り立っているのだから、エスキモーの盛衰は、彼自身の浮沈につながった。彼がしばしば口にするところのわれわれの中には、すべての海岸エスキモーが含まれていた。

「なあ、フランク、此処《ここ》で働いてくれ、フラックスマン島の交易所が焼かれてしまった今となっては、この地をしっかりと固めるしか方法はない。鯨は来年も不猟だろう。他の海獣も、政府がきびしく密猟を取締らないかぎり、期待はできない。だが、苦しいのは、ここ数年の間だと思う。アメリカ政府は北極海沿岸のエスキモーが全滅するのを黙って見ているようなことはしないだろう。そうさせないためには、われわれが此処で頑張ることが必要なんだ」

ブロワーはフランク夫婦のために、倉庫の一部を改造して提供した。

10

フランクは多忙になった。冬を迎えて、ポイントバローに住む五百人のエスキモーの食糧問題に取り組まねばならなくなったからである。政府から依託された救援食糧の分配の仕事と、冬が来るまでにこの村で各組ごとに確保している生肉を共同管理方式に持って行くことだったが、後者の方はすこぶるむずかしかった。元来エスキモーは連帯意識の強い種族であるから、食糧危機が来ると食べ物を分ち合って急場を持ちこたえていた。ポイントバローの五百人はすべて親類関係にあり、同族意識はすこぶる強かったが、彼等の乏しい物を分ち与えるという伝統的な美徳の中に、政府からの救援物資が入りこんだことによって、彼等の間に成立していた連帯の条件にひびが入った。政府からの救援物資を総《すべ》ての人に公平に与えることも、その年の生肉保存量に応じて配給量に手心を加えるというやり方も彼等には最良の策には思えなかった。

冬になるにしたがって、食糧をめぐってのトラブルが頻発した。

食糧不足に輪をかける一つの原因は、彼等の食い溜《だ》めの習慣だった。腹いっぱい食べると、二日ぐらいはなにも食べずに行動できるような身体《からだ》にしたのは、彼等の狩猟民族としての必要上、そのようになったのである。彼等は食糧をちびちびと食い延ばすということをしなかった。配給されたものは、二、三日中に食べ尽してしまうような家が多かった。フランクは食糧問題の矢面《やおもて》に立たされた。彼は熱心に説得を続け、結局は彼の意見に従わざるを得ないことを彼等に納得させた。

食糧不足につけこんで、ビル・ワーレスが悪辣《あくらつ》な商売をやった。彼は、食べ物を餌《えさ》に、エスキモーたちが持っている毛皮類をただのような値段で巻き上げていた。

フランクは犬橇《いぬぞり》に救援食糧を乗せて近くの部落を巡り歩いた。冬の嵐《あらし》が身にこたえた。吹雪の轟音《ごうおん》でつんぼになりそうだった。

翌年も海獣は不猟だった。フランクの鯨組は一頭の鯨を仕留めたに過ぎなかった。六月にやって来た交易船について、ベアー号がポイントバローを訪れた。ハーレイ船長は別包みにした一束の新聞をフランクに渡しながら言った。

「君のことが書いてある。読んでみるがいい」

その新聞には、去年の夏、政府から派遣されてやって来た役人が、北極通信として新聞に連載した記事が載っていた。

ポイントバロー付近のことがいろいろと書いてあった。白人による長期間の濫獲《らんかく》と白人密猟船の跳梁《ちょうりょう》によって、北極海の海獣が絶滅に瀕《ひん》しており、そのことが、沿岸エスキモーを餓死寸前に追いつめているということがかなり詳しく述べられていた。

密猟船が海賊化し、沿岸のエスキモー部落を襲って掠奪《りゃくだつ》暴行の限りを尽していることも述べていた。フラックスマン島の惨状が事実以上にセンセーショナルな筆で書かれていた。女という女が犯され、多くの子供が殺されたと書かれていた。フラックスマン島に交易所を開いている、フランク安田とその妻ネビロは銃を取って最後まで海賊と戦い、衆寡《しゅうか》敵せず、交易所を焼かれたが、夫婦は暴風雨にまぎれ、ウミアクに乗って窮地を脱し、ポイントバローに危急を報じたが、ポイントバローには一人の役人がいるだけで、手の打ちようがなかった、と書いてあった。大筋は合っていたが誇張が多い文章だった。

「あの役人が？」

フランクは思わず声を出した。駐在所の板壁を背に、椅子《いす》にもたれかかって、日向《ひなた》ぼっこをしながら居睡《いねむ》りばかりしていたあの役人が、どこでこれだけの材料をしこんだか不思議だったし、全く頼り甲斐《がい》のない、あの不愛想な、人と口をきけば損をするようなそぶりをしていた役人が、これほど、極地の原住民に愛情をそそいでいたということも驚嘆すべきことだった。

「この新聞を読んだアメリカの婦人たちが政府の無能ぶりをやかましく攻め立てた。それが政府の重い腰を上げさせた。今年から密猟船の取締りが一層きびしくなるだろうし、エスキモーの救助策も積極的になるだろう」

とハーレイ船長は話した後で、ベアー号の他に小型の快速監視船が三隻《せき》、北極海水域に回航されることになったと付言した。密猟船が北極海から消えても、ひとたび減衰傾向を見せ始めた海の動物たちが、往年の姿になるには年月を要するはずだった。

それについてハーレイ船長は、

「北極海沿岸のエスキモーたちが、海獣獲《と》りで生きて行けるようになるのは、おそらく十年後になるだろう」

と言った。

この年は、いくらか猫背になってせわしげに歩き廻る役人が駐在所に現われた。救援食糧は前年より多くなったが、尚《なお》充分ではなかった。

翌年の一八九九年はフランクにとっても、ネビロにとっても記念すべき年であった。ネビロが身ごもったのである。新しく生れて来る子のためには倉庫を改造した家は寒冷に過ぎた。ちゃんとした家が欲しいが、用材のない極地で家を建てることはむずかしかった。フランクはブロワーに相談した。

「不用になった倉庫をこわして、その材料を上手に使えば一軒できるだろう。足りない分はまだ使わずに取ってある用材を使えばいい」

フランクはネビロのために家を建てた。二間の家だったが、寒さに耐え得る家だった。

ネビロの出産の日が迫った。ネビロの母は、エスキモーの女らしく、すべて、ネビロ自身で始末しなさいと言った。

エスキモーの女は産気づくと、木切れを二本火皿にくべて、その時をじっと待ち続ける。いよいよとなると、先が焼けた木切れを持って産屋《うぶや》に入り、出産し、臍《へそ》の緒は自分自身の手で二本の木切れを使って焼切り、その赤子を抱いて帰って、水で洗ってやるのである。

ネビロの母は、自分はそうやってお前を生んだから、お前もそうしなければならない、そうしないとお前も神のとがめを受けるだろうし、生れた子も神のとがめを受けるのだと言った。

ネビロはそれをことわった。それは野蛮な風習であり、産婦にも生れて来る子にも決していいことではないと言って、ブロワーのところで働いているエスキモーの女に助産婦となることを依頼した。彼女はブロワーの妻が出産するとき、たまたまこの地に来ていた医師の助手として出産に立ち会って以来、助産婦としての技術を身につけ、既に十数回の経験を持っていた。エスキモーの若い女性たちは、出産については従来の習慣にかなり批判的であり、多くは、はっきりと近代的な出産方法を取りたいと望んだ。出産に当ってのすべてを産婦自身でやることは、二重の危険があった。産む途中で死んだ女も、産んでから、死んだ女の例も多かったし、生れてすぐ水につけられて死んだ子もあった。

ネビロの出産は軽かった。丸々と肥《ふと》った女児の泣き声が新居の板壁に反響した。海の猟から帰って来たフランクは、その子にキョウコと命名した。姉の京のように美しくてやさしい女にしたいという気持であった。

フランクは三十一歳で父となった。ネビロは十六歳でフランクと結婚し、二十歳で母となったのである。

フランクはキョウコを抱きながら父としての責任を感じた。

「フランク、おめでとう。これで君も、生涯この地から離れられなくなったな。だがほんとうのエスキモーになるには、この先があるぞ。おれには今二人のエスキモーの妻と三人の子供があるが、最近また一人エスキモーの妻を貰《もら》うことになるかもしれない」

ブロワーは一夫多妻のエスキモーの習慣を匂《にお》わせながら、そうすることが、ほんとうのエスキモーになることのように言った。フランクには我慢できないことだった。フランクの怒りをこめた抗議の眼を見ると、ブロワーは、あわてて、両手でフランクを押しとどめるようにして言った。

「フランク、君は少々誤解しているようだ。おれは君に一夫多妻の習慣を真似《まね》しろと言っているのではない。できることなら、一夫一婦でありたい。おれも最初はそう思っていたが、そうできなくなったのだ。二番目の妻との結婚は彼女との結婚ではなくて、彼女の一族との結婚のようなものだ。彼女と結婚してやらないと、彼女の一族がどうにもならないような立場になったとき、彼女を第二夫人にしろとすすめたのは一番目の妻だった。そして、今度第三の妻になる女は、彼女をビル・ワーレスの魔手から救うためだ。そうしてくれと頼んで来たのが、第一と第二の二人の妻なのだ」

ビル・ワーレスの商売はエスキモーの無智《むち》に支えられていた。彼はエスキモーに銃を先渡しで売り、約束どおりの期日までに毛皮を持って来ない場合は、その男の娘を代償に要求して、彼の妻にして置き、密猟仲間や、ごろつき船員に、慰安婦として提供した。エスキモー社会の性風習を悪用していたのである。

「その娘を救うために第三の妻を貰うことに決めたのですか」

「二人の妻に泣いてたのまれると、嫌とは言えないのだ。それにその娘は十四歳なんだ。かわいそうじゃあないか。その娘を引き受けたとすると、その娘の一族の親類になることになり、結局は彼等の面倒を見てやらねばならない。そのことも充分考えた上でのことなのだ」

「結婚しないでも、彼女を救う方法があるでしょう」

「見掛け上はあるさ。だが、そうやってもほんとうに救うことはできない。ほんとうのエスキモーになるには、彼等のすべてが納得できる方法を選ばねばならない。見掛けだけよいことはできないのだ。千年、二千年、いやもっと前から続けられていた風習を、五年や十年で変えろと言っても無理なんだ。なフランク、そのうち君もおれのようになるだろう。そうならないとほんとうのエスキモーにはなれないぞ」
「いいえ、多分そうはならないでしょう。私はネビロ以外の女を妻にすることはないでしょう。この信念はネビロと二人で守ります。守り通すことが、新しいエスキモー社会の出現だと考えています」
フランクははっきり言った。ブロワーがどう言おうと、ネビロのためにも、キョウコのためにも、これだけは守らねばならないと思った。

チャールス・ブロワー氏は一八八四年に最初の白人永住者としてポイントバローに定着して以来、五十七年間、この地にあって交易所を経営し、エスキモーの指導に当っていた。彼は生涯に五人のエスキモー婦人を妻とし、十四人の子供を儲《もう》けた。彼は、なかなか几帳面《きちようめん》な人らしく一九四一年に死ぬまで日記を書き続けた。現在ポイントバローでブロワーホテルを経営しているトーマス・ブロワー氏（チャールス・ブロワー氏の長男）が所有するチャールス・ブロワー氏の日記によると、一八九九年九月、フランクは家を建てたと書いてある。誰にでも読めるような、正確な、やや小さ目な文字であった。

エスキモー語は部族によってかなり違っているようだ。氷の家も苔《こけ》の屋根の家も流木の家もすべてひっくるめてイグルーと呼んでいる部族もあるし、氷を四角に切ってドーム状に積み上げた家をイグルー（Iglu）又はイグローー（Igloo）と呼び、屋根に苔をおいた半永久的な家をイブリューリーク（Ivruliiq）と区別して呼んでいる部族もある。

第三章　ブルックス山脈

1

フランクはエスキモーを飢餓から救う道を陸に求めようとした。海獣を当てにしていては、いよいよ追いつめられて行くのは明らかだった。が、その転換が容易でないことは数字の上ではっきりしていた。一家族五人がカリブーだけ食べて生きて行くには一年に最低十五頭を必要とする。ポイントバローの百家族をカリブーだけで養うためには千五百頭獲《と》らねばならない。とても無理なことである。その三分の一の五百頭を得たとして、あとの食糧は政府の援助に頼らねばならなかった。

ところが小麦粉と豆とタマネギという救援食糧の取り合せをエスキモーは好まなかった。彼等はそれらの食糧には顔をしかめた。タマネギに至っては、いかなることがあっても手を出そうとはしなかった。

フランクは彼等の食生活の改善をも含めて、食糧計画を考えてやらねばならなかった。

ネビロもフランクの片腕となって、救援食糧を使っての料理の方法をエスキモー女性相手に説いて廻った。しかし、多くのエスキモー女性はネビロの、器用に動く手許《てもと》を見ているだけで、自ら手を出してやってみようとする気はなさそうだった。

「ただ見ていちゃあだめよ、なんとかして食べることを考えないと、ほんとうに死んでしまうわよ」

ネビロは叫んだ。それでどうやら、彼女等はネビロがこしらえたパンを食べた。

フランクは寝ている最中に突然胸苦しくなってはね起き、ネビロを驚かすことがあった。ひどく重い荷物を背負わされて動けなくなったような夢ばかり見ていた。たいへん大きな不幸が足音を忍ばせて迫りつつあるような感じだった。

「エスキモーに小麦粉や豆ばかりやっていると、彼等は病気になってしまいます。なんとかして、カリブーの捕獲量を上げないと、たいへんなことになります」

フランクはブロワーに説いた。

「君の言うとおりだ。しかしフランク、これはカリブーだけで解決する問題ではない」

ブロワーはずっと先のことを考えているようだった。

「だからと言って放っては置けないでしょう、エスキモーが亡《ほろ》びるときはブロワー商会が店を閉じるときですよ」

フランクは強い調子で言った。

「いや、死ぬときだよ。おれたちはエスキモーなんだ。この地以外には行くべきところがない。飽くまでもそのつもりでやらねばならない」

「ブロワーさんにはなにか当てがあるのですか……」

「君だよ、彼等を飢餓から積極的に脱出させることのできるリーダーは君しか居ない。そして、彼等も、君を頼りにしている。日本という国からやって来たエスキモーは、必ず我々を救ってくれると彼等の多くは思い始めているのだ。君には迷惑だろう。エスキモーのために一生を投げ出したくはないだろう。しかし、いまからでは遅い。いかなることがあっても、君はエスキモーから逃れることはできないのだ」

　ブロワーは熱っぽい口調で言った。

　フランクには、エスキモーの指導者になる考えは毛頭なかった。ただ、現状をなんとかして打破したいと考えていた。海岸エスキモーの本質を変えるには内陸に眼を向けねばならなかった。そこに生きる余地があるとすれば、そこへ行かねばならないだろうし、そのような真剣さがなければ、政府にも見放されてしまうだろうと思っていた。

　フランクはカリブー狩りを主体とした狩猟に転向しようなどと村中を説いて廻るようなことはせず、自ら率先して、若い協力者と共にカリブー狩りに出掛けて行った。フラックスマン島にいたころのカリブー狩りの経験が役に立った。海に食を求めても無駄だということがはっきりすればエスキモーは、やがて、カリブー狩りにこぞって転向し、フランク等と共に、平原に出掛けるだろうと考えていた。

カリブーは馴鹿《トナカイ》の一種であって、集団で移動する習性がある。冬はブルックス山脈の南側に棲《す》み、雪が溶けるころになると、ブルックス山脈を越えて広大な北斜面地帯《ノーススロープ》にやって来る。その数は数万と称されていた。

カリブー猟は雪の溶け出す五月の終りころから始められた。

犬橇《いぬぞり》は南に向って一〇〇マイルほども走ったところで、ゆるやかながら、はっきりと分る程度の登り斜面にぶっつかり、そこから急に速度を落した。曳《ひ》き犬たちが喘《あえ》ぎ出し、吐き出す白い息が、雪原を這《は》うようになると、馭者台《ぎよしやだい》にいたエスキモーは雪の上に飛び降りて、それから歩かねばならない鬱憤《うつぷん》を犬たちに当り散らすかのように鞭《むち》を振り廻す。尻《しり》を打たれた犬が悲鳴を上げると、他の犬は、次に自分の尻に飛んで来る鞭から逃れるように懸命に走った。

走っても走っても雪原は続く。だがその雪原は冬の雪原ではなく、間もなく春を迎える雪原だからやわらかい。橇は雪にもぐり、それだけ犬は鞭に打たれねばならなかった。それまでは見渡すかぎりの雪原だったのが、地形の起伏が明瞭《めいりよう》になり、丘と丘の間に一条の輝く線となって走る川を見掛けるようになると、犬橇の速度は更に落ちた。しかしエスキモーは犬を休ませないし、彼等も休もうとしない。沈まぬ太陽を横目で見ながら、一途《いちず》に南に向って走り続けていた。一五〇マイルも走ると、丘陵地帯から山地の様相を帯びて来る。ブルックス山脈に近づいて来たのだ。

犬橇がそれ以上進むのは無理だと分ると、エスキモーは、犬橇に積んである荷物をおろして、毛皮の袋に入れ、それぞれの犬の背に負わせる。エスキモーも自ら荷物を背負って雪の中を更に進んで行く。日が沈まないから、雪は連続的に溶け続け、やがて、日当りのいい丘の上に、鳥でも止ったような黒い斑点《はんてん》ができると、見る見るうちに、黒の面積は拡《ひろ》がって、島になり、やがて丘全体が陽光を帯びて輝き出すのである。エスキモーは犬の背につけた荷物をおろし、まだ雪が残っているツンドラの上に、カリブーの皮を縫い合せて作ったテントを張り、そして、見張りだけを残し、出発以来、初めての眠りにつくのである。しかし、彼等の休息もそう長くは期待できない。雪が溶けたときにはツンドラの苔《こけ》はもう芽を出している。新芽を食べにカリブーの群れがいつやって来るか分らない。

カリブー狩りには彼等の習性を利用した猟法があった。

カリブーがブルックス山脈中の峠を越え、沢に沿って下って来て、いよいよ北斜面地帯《ノーススロープ》に分散する直前を狙《ねら》わないと一度に多くの獲物を得ることができない。

フランクは見張りの役を勤めていた。ブロワーから買った望遠鏡を眼に当てて、彼は見えるかぎりの、地の果てを探す。ブルックス連峰のいただきに輝く白銀の雪を望遠鏡の底にとらえたとき彼は、その山を越えた向うのアラスカの内陸がどのようなところか、見てみたいと思った。

望遠鏡で見る視界が白銀の頂から再び地表面に戻ったとき、彼はうごめく黒い点の集合を発見した。点は丘の斜面を静かに移動していた。雪が溶けたところに出ると、点はかくれ、雪面を横断するときはまた存在を明らかにした。

フランクは男たちを起して、犬をしっかり繋《つな》ぎ止めるように命じた。

男たちは二手に分れて、残雪の沢を挾《はさ》んで尾根を登って行った。そのあたりは、湿性ツンドラと乾燥ツンドラとの境界に当っていた。雪が溶けたばかりのツンドラは充分に水分を持っていて、すっぽりと靴を飲みこんだ。厚い布団《ふとん》でも踏むような反発を靴底に感じた。

彼は望遠鏡でカリブーの動きを監視しながら絶えず、仲間に合図を送りつづけ、やがて、カリブーが、けわしく聳《そび》え立つ、二つの山の狭間《はざま》から、抜け出るのを認めると、いよいよ最後の詰めにかかった。

カリブーの出口に両側から忍びよった二手の狩人《かりゅうど》たちは、そこで、次のカリブーの集団がやって来るのを辛抱強く待った。

カリブーが現われても、フランクは直《す》ぐには撃たせなかった。カリブーの先頭集団が、彼等の前を通り過ぎるのを待って、彼はまず一頭を撃ち倒した。それを合図に銃はいっせいに火を噴き、つぎつぎとカリブーは倒れた。カリブーの集団に動揺が起ったが、先頭集団が突進しているのを見て後続カリブーは、飽くまでもその後を追従しようとして、弾丸《たま》の餌食《えじき》になった。

嵐《あらし》のような一ときが終った。二十三頭のカリブーが雪を血に染めて倒れていた。

エスキモーは倒れた一頭のカリブーの腹を裂き、その場で血をすすり、胃の内容物を旨《うま》そうに食べた。フランクもそれを食べた。ツンドラの新芽は、カリブーの胃の中で半ば消化されていた。酸味を帯びた異様な味だった。カリブーの肉はまだ温かかった。肉を食べる彼等の顔はハンターとしての愉悦と誇りに溢《あふ》れ、このひとときのために費やされた労苦のすべてが、血のしたたる肉と入れ替って、霧散して行くように見えた。ひとおり食べたあとで、

「いい角をしているな」

とエスキモーの一人が、カリブーの角を指して言った。フランクはそれに応《こた》えるように、ビロードのようなやわらかい毛が生えているカリブーの角に手を触れた。角はまだ生温かくて、やわらかだった。彼はいそいでその手を離した。

獲ったカリブーはその場で解体された。皮は剝《は》ぎ取られ、内臓は捨てられ、首と四肢は切断された。そこには肉の塊だけが残った。ツンドラの苔の緑の間には眼の覚めるような濃い黄色のツンドラローズの五輪花が群生していたが、依然として温度は低く五度

以上になることはなかった。雲が太陽を隠せばたちまち、零度以下になり、そして、一日に一度は必ずやって来る、驟雪《しゅうせつ》の際には、零下五、六度になった。

獲ったカリブーは温かい間に解体しないと、すぐ凍って石同然になる。

彼等は夢中でナイフを振い、カリブーの血をすすり、血を浴びながら、食肉の塊をこしらえて行った。

冷蔵庫はいたるところにあった。日当りの悪い沢の雪の中に埋めれば当分腐ることはない。彼等はその上に、目印と狼除《おおかみよ》けのケルンを積み上げた。

一段落ついたところで、彼等は次の獲物を追った。

六月に入って間もなく、蚊がいっせいに発生した。ツンドラ地帯から湧《わ》き出た蚊の群れは生き物を狙って集中した。蚊の群れに襲われると、眼も口も開けられなかった。皮膚の露出部は勿論《もちろん》のこと身体《からだ》の中までもぐりこんで、茱萸《ぐみ》の実ほどになるまでたっぷりと血を吸った。エスキモーはアヌラックを頭からかぶって蚊をさけた。こうなると行動の自由は制限された。

蚊は黒い塊となって移動し、カリブーを発見すると、つきまとって、離れなかった。蚊に眼を刺されて、一時的に失明するカリブーもあった。カリブーにとって、ブルックス山脈の北斜面地帯の苔の新芽はこの上なく美味であったが、蚊の黒い塊に襲われて血を吸われるのは耐えがたいことだった。カリブーは北斜面地帯から退却を開始した。第二のチャンスが来た。フランクは、蚊に追われて逃げ帰るカリブーの群れをブルックス山脈への関門で待ちかまえていて獲った。

カリブーの春の猟期が終っても、フランク等には、貯蔵して置いたカリブーの肉をポイントバローに運ぶ仕事が残っていた。雪が完全に消えると、犬橇が使えない。いそがねばならなかった。

彼等は犬橇に積めるだけのカリブーの肉を持ってポイントバローに向った。豊猟を知らせることと、生肉に飢えている人たちに、新鮮な肉を与えることと、そして、都合がつくかぎりの犬橇を引張って来て山に残して置いた肉を村へ運ぶためだった。

犬橇は荷物は重いし、道は悪いので、思うようには進まなかった。ポイントバローの近くの湿地帯では、犬橇の荷物をおろして、何度かに分けて運ばねばならなかった。

犬橇がポイントバローの村はずれまで来ると、いつものとおり、犬が吠《ほ》え、仔犬《こいぬ》たちがまず駈《か》けよって来た。そして犬に次いで子供が現われた。鯨が獲れないので、村は全体的に意気消沈していたが、犬橇が村へ入り込んで来る気配を感ずると、新鮮な肉のにおいを嗅《か》ぎつけたように、村中のものが外に出てそれを待った。

村人たちは、犬橇に殺到した。彼等は、勝手にカリブーの肉を、橇から引き摺《ず》りおろして、それにナイフを当て、好きなだけ切り取って食べた。男も女も、老人も子供も、気が狂ったようにその場で肉をむさぼり喰った。それを制止する者はいなかった。そうすることが当り前のように彼等は食べた。異様な唸《うな》り声を発しながら、生肉にむしゃぶりついている人々の姿を見ながら、フランクは呆然《ぼうぜん》として立ち尽していた。

ほとんど眠らず、一所懸命になって撃ち取って来た獲物は、なんの会釈《えしやく》もなしに、村人たちに食い荒されてしまったのである。後に残った十数枚のカリブーの皮を撫《な》でながら、へらへらと笑っているエスキモーを見ると、フランクは泣きたいような気がした。カリブーは冬のための貯蔵食糧として獲って来たのである。勝手放題に食べさせるためではなかった。山に置いて来た肉も、持ち帰って来れば、同じように、眼の前で食べられてしまうかと思うとやり切れない気持になる。

フランクは疲労と憂鬱を背負って帰宅した。

「お前とキョウコのために、カリブーを一頭だけ持って来ようと思った。だが、全部村の人に食べられてしまった」

フランクはその場に坐《すわ》りこんで深い溜息《ためいき》をついた。

「フランク、あの人たちは生肉に飢えているのよ、生肉がないと生きて行けない人たちなんです。いざという時には他人のものも自分のものも一緒にして考える習慣になじんでいる彼等にとっては、そうすることが当然で、いささかも罪悪感は持っていないのだわ」

フランクは黙っていた。連帯意識のきわめて強いエスキモーのことだから、多少のことなら我慢してやってもいいのだが、春の獲物のすべてが、リーダーの彼にことわりもなしに食べられてしまったことは、なんとしても許せなかった。

「フランク、あなたはもしや、エスキモー社会にいることが嫌になったのではないでしょうね、もしそうだとしたら、私と、このキョウコを殺して下さい。それができなかったら、彼等を許してやって下さい。彼等はその時が来れば必ずあなたの言うことを聞くようになるでしょう」

ネビロはキョウコを胸に抱きしめて言った。

「その時っていつのことだ」

「この村中のエスキモーが、あなたの後をぞろぞろと、何処《どこ》までもついて行くようになる日は間もなくやって来ます」

「とんでもないことだ。おれはエスキモーの救世主でもないし、指導者でもない」

「そうよ、私の夫であり、キョウコの父であり、そして、やがては、エスキモーの父になる人よあなたは」

フランクにはそういうネビロの期待と願望を裏切るようなことはそれ以上言えなかった。

2

カリブーの猟期は八月の末にもう一度やって来る。蚊が少なくなったころを見計らって、カリブーの群れが再び北斜面地帯に姿を見せるのである。だが、この季節には犬橇《いぬぞり》が使えないから、行動範囲が制約される。

エスキモーハンターたちは、広大なツンドラ平原に小集団となって分散しているカリブーを追い求める。そして、またたく間に秋になり、ツンドラの原野が雪に覆《おお》われるころになって、南へ移動するカリブーをブルックス山脈への関門で待ち設けて撃ち取るのである。

九月の末になると急に日が短くなり、日射《ひざ》しも弱くなる。一度降った雪は来年まで溶けることはない。

フランクはエスキモーハンターを引き連れて北斜面地帯の山岳寄りに奥深く入りこんでいた。彼はハンターたちの力を集中的に使うために、大きなグループを編成し、カリブーの通る道を念入りに調べ、地形を利用して邀撃陣《ようげきじん》をかまえ、大集団が通過するのを待って撃ち取った。

フランク等は九月の末から十月の初めに続けて三つの群れを捕捉《ほそく》し、百三十頭のカリブーを射止めた。予定以上の捕獲に気をよくした彼等は、雪に追われてやって来るカリブーの最後の群れを撃ち取ろうと待っていた。だが、来る筈《はず》のカリブーは三日待っても四日待っても来なかった。寒さが急に増して、二日続きの嵐《あらし》の後には完全な冬がやって来た。

「もう二、三日待とう、必ず最後の一群がやって来る。それを撃ち取ってから引き揚げよう」

フランクは、里心のついたハンターたちをおさえた。飢餓を日の前にして、一頭でも多くのカリブーを獲《と》らねばならないし、獲物を冬の食糧として共同管理の方式にするための口実にも、捕獲を多くしなければならないと考えていた。

暮れて間もなく見張りのために外に出ていたエスキモーがけたたましい叫び声を上げた。カリブーの群れが現われる時刻でもなし、たとえ現われたとしても、そのような叫び声を出す筈はなかった。それは恐怖を前にしての絶叫だった。

フランクは銃を持って外へ出た。北極熊が、こんなに奥深く入りこむことは考えられなかったが、一応は白熊に対する心の準備をした。

テントの外に出て見ると夜空をオーロラが覆っていた。

オーロラは線より面が勝っていて、どちらかというと、カーテンのような拡《ひろ》がりを持ったものが多く、稀《まれ》に点や細い線からなるものもあったが、それらは、彩色の技巧によって、全体的には面を想像させるものであった。

そのオーロラは薄緑というよりも、むしろ白色に輝く柱状のオーロラで、何本かの縦の柱の間を無数の横棒が複雑に交叉《こうさ》していた。エレメントの一つ一つが明滅しながら動き出すと、夜空に積木細工の破壊と建設が始まった。大空を斜めに横切る大円柱の方向に、なにかの構造形を持とうとするかのようなまとまりが生じ、なにひとつ音のない世界で、あたかも激しい音と共になにごとかが行われているような幻想を抱かせるに充分な時間の経過が続いた直後に、はっきりと一つの具象物体が創造されたのである。

「骸骨《がいこつ》の踊りだ」

とエスキモーが叫んだ。一人が叫ぶと、それは口々に伝えられ、それが骸骨の踊りであることを認めるようなことばを次々と口にした。

骸骨の踊りと言われてフランクはなるほどと思った。それこそ最高の表現であり、それ以外に、この奇怪なオーロラの形容はなかった。

「村へ早く帰らねばならない」

と一人が言った。

「骸骨の踊りは死の予告だ」

と第二のエスキモーが言った。

フランクは、その男の言をただしたが、彼は昔からそう言い伝えられていると答えて慄《ふる》え続けていた。骸骨の踊りと称するオーロラを、いままで見たことがあるのかと訊《き》くと、誰も首を横に振った。古老から聞いたり、カレギで教えられたり、祈禱師《きとうし》の言葉の中に時々出て来る言葉だった。それは一生に一度出るか出ないかという珍しいオーロラであり、エスキモーにとって、もっとも不吉な兆候として伝承されて来たものであった。

冬になると毎夜現われるオーロラに対してエスキモーはほとんど関心を示さなかった。彼等にとってオーロラは美の対象でも恐怖の対象でもなく、夜空のいたずらぐらいにしか考えてはいなかった。そのエスキモーが恐れるオーロラが二つあった。一つは、「骸骨の踊り」であり、もう一つは「血の海」であった。血の海は、空全体が、血の色のオーロラによって沸き立ち、煮えくりかえり、そして渦を巻きながら流動する、赤色の狂乱ともいうべきすさまじいものだった。両者とも非常に稀にしか現われないもので、エスキモーは、共に死の予告として疑わなかった。

フランクにとっても骸骨の踊りは美しいものではなく、確かに不吉の匂《にお》いのするものだったが、特に恐怖としては感じられなかった。だが、エスキモーが、急いで村へ帰らねばならないと言いながら、夜だというのに、あわただしく身の廻りの整理を始めるのを見て、これは容易ならぬことが起きたのだなと思った。村になにかが起きたのではなく、チーム全体がオーロラの恐怖に取りつかれた腑《ふ》抜《ぬ》けになってしまったのだ。

フランクはカリブー猟を中止して帰途につくことに決めた。獲物の処理は後廻しにして、取敢《とりあ》えず、十頭分のカリブーの肉を犬橇に乗せた。

犬橇は降ったばかりの雪の上を昼も夜も走り続けた。エスキモーは、血迷ったように犬に鞭《むち》を当てた。

ポイントバローの村は静かだった。春、カリブー猟から帰ったときには、村中の者が出て来て、獲物にむしゃぶりついたのに、村人はイグルーの奥深く引込んでいて、出て来ようとはしなかった。

村には麻疹《はしか》が流行していて、ほとんどの人が病床にあった。

九月の初めごろ、ポイントバローの西、約七〇マイルにあるアタニックの村からウミアクに乗って二家族のエスキモーがポイントバローの親類を頼ってやって来た。食糧欠乏のために活路を見出《みいだ》そうとして移住して来たのである。その家族のうち一人の女がポイントバローに着いて間も無く高熱を出して寝こんだ。身体中《からだじゅう》に発疹《はっしん》した。女は間もなく死に、そして、その女と同居していたイグルーのエスキモー八名もまた全員麻疹にかかって死亡した。

一カ月も経《た》たない間に麻疹はポイントバローの住民全体に拡がり、麻疹に罹《かか》らない者はいなくなった。ポイントバローは麻疹に対しては全くの処女地だったのである。

ネビロとキョウコも麻疹に罹った。フランクが帰った日は、キョウコの死んだ翌日だった。ネビロは冷たくなったわが子を抱いたまま、死線をさまよい続けていた。

フランクはネビロの顔の赤い粟粒状《あわつぶ》の発疹と高熱から、即座に麻疹だと判断した。医師の家に生れた彼は、父や祖父が、麻疹には薬はなく、ただ暖かくしてやるより仕方がないと言っていたことや、麻疹そのもので死ぬことはなく、多くは肺炎を併発して死ぬことなどを常識として知っていた。

フランクは、ネビロの手から、死んだキョウコを離してやり、まず部屋を暖かくしてやることと彼女に食べ物を与えることから始めた。石の火皿を三つ並べてそれに脂《あぶら》を盛りこんで部屋を暖めた。脂は大切な燃料であり食料でもあったが、この際節約している場合ではなかった。

ネビロは苦しそうな呼吸を続けていたが、フランクの顔を見て、安心したのか、よく眠るようになった。高熱は更に三日続いた後、峠を越した。やがて、赤い粟粒状の発疹が褐色に退色して行くにつれて熱は下って行った。

ネビロは死からまぬがれたが、彼女はキョウコを失ったショックのため、放心したような顔をして坐《すわ》りこんでいた。時折激しくむせび泣いたり、時には、キョウコの墓場へ行ったまま一時間でも二時間でもひざまずいていることがあった。

ポイントバローを襲った麻疹の伝染経路は不明確ながら、アタニックに上陸した白人の密猟船が麻疹を置いて行ったのではないかと想像された。アタニックのほうがポイントバローより先に麻疹に襲われたのは事実であり、二家族がポイントバローに来たのは食糧の欠乏もあったが、病気を恐れて逃げて来たのであった。そのとき既に彼等は麻疹に感染しており、潜伏期にあったのである。

この麻疹によってポイントバローだけで百二十人死んだ。死んだ者は幼児が最も多く、次いで老人だった。五百人の人口のうち百二十人が二カ月とは経たない間に死んだのである。

この惨事はポイントバローが麻疹の処女地であり、免疫性《めんえき》がなかったということが、最大の原因だったが、エスキモーが生肉の不足のため、ひどく健康をそこね、病気に対して抵抗力を無くしていたことも見過すわけにはいかなかった。麻疹はポイントバローから更に東方へ飛火して、一村全滅の悲劇にあった村が幾つかあった。

ポイントバローは食糧欠乏と疫病にさいなまれながら、一九〇二年を迎えた。しかしこの年も海の猟はほとんど望めず、たのみにしていたカリブーもなぜか不猟であった。

「私は子供を生むのが、怖いわ、もし私が子供を生んだら、また悪魔に持って行かれてしまうかもしれない」

ネビロは時々そう言って泣くことがあった。

エスキモーには、最初の子供を失うと、次に生れた子もまた失うものだという迷信があった。この迷信は、養子制度の下敷きになっているもので、最初の子を失いたくない女は、生れた子を他人に養子として与える風習になっていた。実際にはその子を養子として他家へやらないで名義だけの養子とし、実母が養母としてその子を育てる場合が多かった。

それまでネビロはその迷信を否定していた。新しいエスキモー社会に生きる女性として当然なことであった。その彼女もひとたび不幸に襲われると、明らかに動顛《どうてん》し、次の子も、暗い世界に追いやられるのではないかと、考えるようになった。フランクはネビロに、迷信だよと簡単に言ってすべてをあきらめさせるわけにはゆかなかった。ブロワーにこのことを相談すると、

「そうかネビロがねえ……およそ考えられないようなことだが、今は彼女の気持を楽にしてやらないと、今度はネビロが死んでしまうことになるかもしれない」

と言った。麻疹の恐怖が去ったあとでも、人は続々と死んだ。麻疹で痛めつけられた身体を恢復《かいふく》するだけの栄養分が摂《と》れなかったからである。

ブロワーはしばらく考えた後で言った。

「おれも、今度の麻疹で三人の子供を全部失った。親の身になると、次の子供を失《な》くしたくはない。この際、エスキモーの迷信に従って、君とおれとで、養子縁組をしようではないか。ネビロが生んだ子は、おれの養子、次に生れるおれの子は君のところに養子としてやろうではないか。名義だけの養子にするか、引き取って育てるかは、その時に相談して決めよう」

フランクに異存はなかった。帰って、ネビロにこのことを伝えると、彼女はそれほど嬉《うれ》しそうな顔もせず、

「私たちは呪《のろ》われた結婚をしたのではないでしょうか。この地にいる限り、私たちは、救いのない一生を歩くことになりそうです。私たちには、此処《ここ》ではなく、もっともっと、光に満ちた新天地があるように思われてなりません」

ネビロは遠いところを見るような眼で言った。

3

ポイントバローとアメリカ大陸とは年に一度やって来る交易船によって結ばれていた。名前は交易船でも、実際は政府に依託された、海岸エスキモー救済のための食糧の輸送船であった。例年ならば、この交易船に毛皮商人のほか数人の物好きが乗組んで来て、上陸すると同時にあちこち歩き廻るのがこの北極の村の一つの景観ともなっていた。

正式な許可を得てやって来た毛皮商人は、交易所で取り引きを始めたが、もぐりの毛皮商人は、いかがわしい物を持ってエスキモー部落に現われて、とび切り上等の毛皮と交換しようとした。これ等一群の商人の他に、はっきりした目的を持たずにやって来て、結局なにもせず、十日後に出航する交易船に乗って逃げるように帰って行く者がいた。

どうにか一夏この地に止《とど》まっても、九月の末にやって来る沿岸警備船ベアー号に便乗して帰るのがほとんど常識化された極地訪問旅行であり、一冬、この地で過す者は稀《まれ》にしかいなかった。

この年の交易船には毛皮商人は乗っておらず、たった一人の乗客は鉱山師トム・カーターであった。

トム・カーターは砂金採掘用に必要な道具を持って下船すると、真直《まつす》ぐにチャールス・ブロワーの交易所を訪れた。前年のうちに、ポイントバロー訪問を予告してあったので、ブロワーは、彼のために一室を明けて待っていた。

フランクは交易船が着いたときには出猟中だったし、その後も、仕事に追われていてトム・カーターと会う機会はなかった。

フランクがトム・カーターと初めて会ったのは、秋のカリブー猟が終って帰って来た翌日だった。ブロワーはフランクの姿を見掛けると、

「探検家で、鉱山師のトム・カーターさんだ」

と紹介し、カーターには、

「この男がフランク安田です」

と言った。この男がと、言うところをみると、既にブロワーはフランクのことをカーターに話してあったらしく、カーターの丁寧な応対ぶりにも、この日の会見を喜んでい

る様子が見えた。

カーターは堂々とした体格をしていた。身につけているものもすべて上等で、鉱山師というよりも実業家を思わせるようなタイプの男だった。

「しばらくの間、私に協力して貰《もら》うわけにはゆかないかね」

とカーターは微笑を浮べながらフランクに言った。フランクはその言葉をどう解していいやら分らないままに、ブロワーに助けを求めるような視線を送った。

「カーターさんは砂金を探しに来られたのだ」

とブロワーは前置きして、いままで、ついぞ見たこともないような、かしこまった調子で、アラスカの西部の海岸、ノームに一八九八年に砂金が発見されて以来、アラスカにゴールドラッシュ時代がやって来たことを語り、トム・カーターはノームにおける砂金採集事業で成功した人の一人であることを述べた。カーターの話を別にすれば、フランクもおおよそのことは年に一度、まとめて送って来る新聞を読んで知っていた。

「ノームの砂金は底が知れている。アラスカの砂金は海岸ではなくして内陸にある、ブルックス山脈の南側には、ほとんど無尽蔵に近い金が眠っていると予想される」

カーターが途中で話を横取りして言った。なぜ、ブルックス山脈の向うに砂金があるのか、カーターは専門用語をまじえて話し出した。地質学的にそうであるべきであり、既に内陸の各地で、金鉱が発見されつつある。ここ二、三年の間に、アラスカ内陸の金鉱の権利はすべて登録されるであろう。鉱山師としては、またとない機会であり、なんとしてでも金発見競争におくれを取りたくない、というようなことをカーターは熱っぽい調子で話し続けた。

「ブルックス山脈の向う側に金があることが分っていても、そこへ近づくのは非常にむずかしい。道はない。南側から近づくとすれば湿性ツンドラ地帯の連続で、足を踏み入れたら最後、脱出することもできないようなところだ。唯一《ゆいいつ》の交通路はユーコン河だがその流域は湖沼《こしょう》地帯で動きが取れない。アラスカの自然は、金を抱いて決して離そうとはしない。そこで私はブルックス山脈を越えて、北の方からアラスカのふところに入りこもうと考えたのだ」

カーターはアラスカの地図を開いて、ブルックス山脈を指で示し、その南を流れるユーコン河との間の広大な土地に幾つかの円を書いた。そこが金が存在すると考えられているところだった。

「ひとりや二人でやれる仕事ではない。これにはしっかりした協力者が必要なのだ。山に入りこんだら、二、三年は出られないだろう。その間の食糧は自給する覚悟でないと成功はおぼつかない」

トム・カーターはそこで話を切った。イエスかノーかをすぐに求めようとはせず、話題を砂金探しから、探検の話に持って行った。南米の探検とカナダの探検のことを交互に話しながら、探検が成功するか否《いな》かは、チームの気が合っているかどうかによって決るものだというようなことを、淡々と、話し続けた。

フランクはネビロには黙っていた。もう少し具体化してから話してやろうと思っていたが、ネビロはその話をブロワーの妻から聞いた。

「なぜ、あなたはカーターさんに協力すると言わないの。それはなぜなの」

ネビロは問い詰めるような口調で言った。

「生きて帰れないかもしれないよ、それでもいいのかい」

フランクがわざとそんなふうに言ってみると、ネビロは久しぶりに晴れ晴れとした笑顔を見せて、

「あなたと一緒に死ねるなら、どこへだって行くつもりよ」

意外な答えようだった。

「一緒に……とんでもない、家族を連れて行けるところではない」

今日のネビロは少々へんだなとフランクは思った。

「いいえ、私はついて行きます。どこまでもついて行きますとも。なぜならあなたがその仕事を引き受けるということは、海だけに希望をかけて生きていた海岸エスキモーが、新しい土地と仕事を求めて出発するということになるわけでしょう。それならば、妻として同行するのは当然でしょう」

話がどこかで食い違っているなと思った。確かにカーターは金鉱を探すための協力者としてフランクを求めたが、それは何等かの雇傭《こよう》関係を結んでその仕事に取り組もうという意志を示したものであり、対等に利益を分配する条件での協力者ではないと推定された。アメリカにおける、日本人の立場を考えれば必然的にその答えが出る筈《はず》であった。

「そう簡単に決められないことなんだ」

「でもなんとかしないと、数年先にはこの村の人たちはほんとうに全滅してしまうかもしれないわ。この村を救う人はあなた以外には居ないのよ。私たちだけのことではなくこの村のエスキモーのためにも、新しい、よく日が当る土地を探してやらねばならないのです」

いったいネビロはなにを考えているのであろうか。カーターは鉱山師だ。金鉱探しの手伝いを物色しているだけのことだ。そのこととポイントバローのエスキモーの運命をどのようにつなぎ合せようとしても無理なことなのだ。

フランクは黙った。ネビロの夢のような話は聞き流しにしていた。

数日後にフランクはブロワーに呼ばれた。カーターが鉱山師姿で彼と並んでいた。

「どうだね、決心がついたかねフランク」

とブロワーが言った。

「まだ心を決めかねています。引き受ける前に、二、三具体的なことをカーターさんにお訊《たず》ねしたいのですが」

　フランクはゆっくりと言った。

「どうぞ、なんなりと訊《き》いて下さい。率直に条件を出して貰ったほうが私には都合がいいのですよ。ここにはブロワーさんもおりますから、その必要があれば、保証人になっていただきましょう」

　カーターもまた一語一語に心を配りながら言った。

「この前あなたが言われた協力者という言葉をもう少し分るように話していただけないでしょうか」

　協力者という言葉にフランクは力をこめて言った。

「ああそうですか、これは私の手落ちでした。そのことをあなたによく納得いただけるように話して置けばよかった」

　とカーターはつぶやくように言ってから、尚《なお》しばらく頭の中で、言葉を吟味するだけの時間を置いて、

「協力者というのは、パートナーのことです。あなたと私の二人が一組になって、金鉱探しをやろうということです。どちらが先に金鉱を探し当てても、利益は半分ずつ分け合おうというのです。もう少し詳しく説明しましょうか」

　カーターは地図を開いた。

「私は明年の春、ウミアクに乗ってアラスカ北東部のカニング河の河口まで行き、そこからカニング河を遡行《そこう》して、ブルックス山脈を越え、ユーコン河の支流、シャンダラー河の上流域で金鉱を探そうと思っています」

カーターはそこで話を切って、それまでに要する、ウミアク、漕《こ》ぎ手、一年分の食糧など、すべてブロワーの協力により手配が終っていることを告げた。

「また二年目の春までには、カニング河のおよそ、一〇〇マイル西にある、クパルック川の上流にある内陸エスキモーの部落アナクトブック村まで、食糧や弾薬を運び上げて置いて貰うことに手筈を整えてあります。これだけの準備に要する費用のうち三分の一はブロワーさんに負担して貰いました。なんとなれば、私のふところにはもう一銭もないからです」

カーターは、一銭も無くなったことをいかにも誇らしげに言った。

フランクは、ブロワーとカーターの間で、かなり綿密な計画が進められていたことに驚いた。しかしよくよく考えてみると、そこまでは誰にでもやれることで、ブルックス山脈の向うのことは誰にも分らないことであり、その未踏の地にカーターはどのように入りこんで行くのかは知るよしもなかった。

「補給される食糧は小麦粉と豆と玉ネギですが、充分な量ではなく、食糧のほとんどは現地で調達しなければなりません。……もうお分りでしょう。あなたは、金鉱探しと同時にハンターとしての任務をも受持って貰います。それに必要なだけの人数や犬を用意して貰わねばなりません。つまり食糧の調達とその運搬はすべてあなたの責任として処置して貰いたいのです」

フランクは頭の中で絵を書いた。ブルックス山脈までは、どうやら書けたが、連峰を越えて向うは霞《かす》んで、カリブーの姿さえ認めることはできなかった。不安だけが多く、カーターの目的はあまりにも現実ばなれしているように思われた。

「ここに契約書があります。これでよかったら、ブロワーさんに保証人となって貰ってそれぞれがサインするということになります。お互いに信用し合えば契約書などは要らないのですが、実際は状況の変化と第三者の介入で、問題が起ることがしばしばあるから念のために作って置きました」

カーターはそれをフランクの前に置いた。カーターとフランクは共同で金鉱探しに当り、どちらが先に金鉱を発見したとしても、それによって得られる利益のうち、ブロワーへの返済金額をさし引いた残額は二人で折半することが明記されていた。仕事の分担については力ーターが金鉱探しの主導権を握り、フランクが食糧とその運搬を受持つことになっており、契約期間は五年間であった。カーターが言っていることと、契約書の内容とが背馳《はいち》するようなことはなかった。

「旨《うま》い話じゃないかフランク、おれは引き受けたほうがいいと思う。いやぜひ引き受けて貰いたい。君以外にはその仕事がやれる者はいない、それになフランク……」

ブロワーは急に声を落して、フランクにささやくように言った。

「フレッド・キップソンがこのごろ、妙にひねくれたようなものの言い方をして困るのだ。養子のことを君と約束して以来は特にひどい。おれを見る眼が尋常ではないのだ。放って置くとなにをしでかすか分らない顔だ。フレッドも、おれたちと同じように、エスキモーの妻を持っている。去年の麻疹《はしか》で子供を二人とも失《な》くしている。彼の妻も養子のことを真剣に考えていたらしい……。彼には君が既にエスキモーの指導者的立場になっていることがやり切れないのだ。同じブロワー商会で、このおれにつぐ者は誰であるかが養子問題ではっきりすると、精神的に動揺するのは当り前だ。彼は君より年上だし、白人でもある」

白人でもあると言ってしまって、ブロワーはしまったというような顔をした。

フランクはキップソンの顔を思い出した。さっぱり要領を得ない男という以外に批評のしようがなかった。世界中どこにでもいる、ろくな仕事はせずに、自己の権利だけは立派に主張するタイプの人間だった。こんな男でも、ブロワーに取ってはたった一人の白人の協力者だった。

フランクはすべてが分ったような気がした。ブロワーは、前からこの地にいて、彼と共に働いている、キップソンをかばっているのだ。フランクを追い出すつもりはないのだが、しばらく此処《ここ》から遠ざかっていて貰いたいという気があるに違いない。

「ポイントバローのエスキモーのことなら、なんとかなる。政府は救援食糧の増加を認めてくれた。もうしばらくの辛抱で、また北極海には鯨が泳ぐようになるだろう」

そうは言ったもののブロワーの言葉には力がなかった。要するにブロワーは、このポイントバローの危機をどうして突破したらよいかの定見を持ってはいないように見受けられた。

(ブロワーにはたまたまそこへやって来たカーターという鉱山師に少々の賭《かけ》を挑んでみたいという気持があったことは事実だが、それよりも極地における事業そのものを縮小し、人員を少なくしようと考えているのではなかろうか)

フランクは更に考える。

(ブロワーのその気持が、彼の妻の口から、ネビロの耳へ伝えられて来た現在においては、既に彼の心は決ったとみるべきかもしれない。そうだとすれば、これから先のことは、ブロワーとの訣別《けつべつ》を前提として考えねばならない)

4

フランクには、トム・カーターという人間が分らなかった。二人で協力して金鉱を探し、どちらが発見したとしても、利益は折半するという契約書まで交わそうという言い分に心は動かされたが、やはり、心配になるのは彼の人柄だった。カーターの探検家という経歴よりも鉱山師という履歴が一抹の不安感を与えた。

フランクはイエスともノーとも言わずにいた。彼がその問題に触れたがらないのを見て、カーターは強いてその回答を求めようとはしなかった。毎日、ブロワーの事務所で二人は顔を合わせながら、なんとなく気まずい日々が続いていた。

十一月に入って、太陽が大地の下にかくれると、人々の心も急に暗くなり、重々しく黙りこんでいるような日が続いた。

吹雪の季節になった。フランクは、救援物資を犬橇《いぬぞり》に積んで、付近のエスキモー部落を見舞って歩いていた。ブロワー商会が、政府の「原住民救援物資取扱所」としての代行機関を引き受けるようになってからは、この仕事はかなり面倒なものとなった。与えれば与えられただけ食べてしまうエスキモーに対しては、一年分、まとめてやることはできなかった。理想的には、毎日、毎日、その日の分の食糧を与えればよかったが、それができないから、一カ月置きかせいぜい二カ月置きに部落毎《ごと》にまとめて持って行ってやらねばならない。

食糧は充分ではなかったので、トラブルは必ず起る。それを収めるのがフランクの役だった。フランクが行けばたいていのことは不思議に解決した。エスキモー間におけるフランクの信用は絶大だった。

「実はなフランク、カーターさんの話だが、君が気が進まないようなら、他の人を向けようと思っているのだ」

ブロワーがフランクの顔を窺《うかが》うように見ながら言った。一時は積極的にカーターと同行することをフランクにすすめていたブロワーがそのような考え方に変って来た原因は幾つかあった。第一には、フランク無くしては、政府の代行事務に支障をきたす虞《おそ》れがあると考えたからであり、第二の理由は、教会にいる宣教師が、フランクを鉱山師の案内人として出してしまうことに強力に反対したからであった。宣教師は、フランクとエスキモーとの連帯感を無視しては、この危機を救うことはできないと言った。海岸エスキモーを飢餓から救うものは政府から送られて来る救援物資ばかりではない。彼等に生きる希望の灯を与えることだ。フランクはその灯がなんであるかを知っているたった一人の男だとまで言われると、ブロワーは考え直さざるを得なくなった。

ブロワーはもともと人のよい男だった。だから、カーターにいい案内人を世話してくれと言われた時点では、案内人として最高のフランクを推薦し、また、その後になって、教会からの激しい抗議に会うと、そうだフランクは離すべきではないと考えるようになったのである。

カーターはフランクとブロワーの事務所で毎日顔を合わせたが、フランクに対して、契約書にサインしてくれないかなどとはひとことも言わなかった。ただ、しばしば、彼はフランクと共に犬橇に乗って、近くのエスキモー部落へ、食糧の配給を手伝いに行った。

「神技とはこのことだろう」

カーターは、暗夜に目標のない氷原を犬橇を走らせるフランクの技倆《ぎりょう》をそう言って讃《ほ》めたたえた。

一九〇三年に年が変ってもフランクの心は決らずにいた。むしろ、ポイントバローにそのまま定着する可能性の方が強くなったように自らも感じていた。一時は、新しい天地を求めてポイントバローを離れようと言っていたネビロも、周囲の情勢や、教会の説得に負けて、カーターに関する話は口にしなくなった。

或《あ》る月の明るい夜に事件が起きた。

ブロワーの事務所にいた、フランクとカーターは銃声を聞いた。一発ではなく続いて、二発、三発、それも近くであった。フランクがドアーを開けて外へ出て見ようとするのと同時にエスキモーが飛びこんで来て、

「ネビロが危ない。酔っぱらったビル・ワーレスとジム・ハートンがピストルの弾丸《たま》を家の外から撃ちこんでいる」

と言った。

フランクは後頭部をいきなり殴られたように感じた。ビル・ワーレス等が、エスキモーに配給された救援食糧を粗悪な酒と交換している現場をフランクが押えて注意したのは、つい数日前だった。

(畜生め、そのうち殺してやる)

ビル・ワーレスは口ぎたなく罵《ののし》っていたが、その脅しが、単なる脅しではないことを示すためのいやがらせに彼の家へやって来たのだと考えられた。

フランクは直《す》ぐ出て行こうとした。

「待て、相手は銃を持っているぞ」

カーターの鋼《はがね》のような声が飛んで来て、フランクを押えつけた。そしてカーターは、彼の部屋に飛び込み、ピストルをさし込んだままの帯革をつかんで出て来ると、フランクをおし退《の》けるようにして月光の中へ走り出した。彼は走りながら、帯革をしめ、ピストルの安全装置を外していた。

ピストルの音がまた響いた。

フランクの家の外に二人の黒い影が立っていた。

「危ないことはやめろ、話があるなら、ピストルを引っこめてからしようではないか」

フランクは彼の家のドアーに向ってピストルをかまえているビル・ワーレスに言った。

「なんだと、この野郎」

ビル・ワーレスは振り返ると、カーターと並んで立っているフランクを狙《ねら》っていきなり発砲した。酔っているようだったが、ピストルの扱いには馴《な》れていた。

ビル・ワーレスが発砲したと同時に、カーターは、腰のピストルを抜き取り、雪の上に身投げするように倒れた。ビル・ワーレスの弾丸に当って倒れたのではなく、両手でピストルを握りしめ、ワーレスに向って雪の上を全力で滑りこんで行ったような格好だった。ビル・ワーレスは、なにが起ろうとしているか、すぐに察すると、フランクに向けて発射しようとしていた二弾目の筒先をカーターに向けた。

カーターの銃口が火を吐いた。ビル・ワーレスはピストルを落し、右腕を左手で押えてうずくまった。

「やられやがった。こりゃ滑稽《こっけい》だ。ビルが鉱山師のカーターに射《う》たれたぜ」

ビル・ワーレスの傍に、ウイスキーの瓶を抱えこんで立っていた、ジム・ハートンが、とてつもない大声で笑い出した。

その声でビル・ワーレスは気を持ち直し、落したピストルを左手で拾うと、笑いこけているジム・ハートンを撃ち、ジム・ハートンのひっくり返るのも待たずに、その銃口を再びカーターに向けた。だが、その前に、カーターの撃った弾丸は、正確にビル・ワーレスの心臓を射抜いていた。ジム・ハートンとビル・ワーレスはほとんど同時に雪の上に倒れた。

ビル・ワーレスは即死、ジム・ハートンは、青い夜明けがやって来る前に死んだ。ビル・ワーレスがフランクを狙った一弾は、フランクが着ていたアヌラックの左肩の上部を射抜いていた。もう一センチ下だったらたいへんなことになったのだ。そして、もしカーターが応戦してくれなかったならば、ビル・ワーレスの第二弾はフランクに当っていたであろう。

ネビロは、もう大丈夫だから戸を開けろとフランクが叫んでもなかなか戸を開けようとはしなかった。

ブロワーはすべてが終ってから、そこへ駈《か》けつけて来た。

悪夢のようなこの事件によって、フランクのカーターに対する気持が大きく動いた。

「カーターさんは信用できる白人だ。平気で人を裏切るようなことをするアメリカ人ではない」

とフランクはネビロに言った。そのひとことでネビロは、フランクがカーターと同行する決心をしたのだと思った。

「あなたがブルックス山脈の向う側へ行くならば、私もどこまでも一緒について行きます。このことだけははっきりさせて置いて下さいね」

とネビロは言った。

事件があってから数日後に、フランクは、ブロワーの事務所で、ブロワーとカーター

「カーターさん、私はあなたの仕事に協力させていただきます」

とはっきり言った。

「それは有難いが……」

しかし、とカーターは首をひねってから、

「この前の事件の借りを返すために同行しようというならば、私のほうからおことわりする。この仕事は、本気になってかからないと、成功はおぼつかない」

「この間の事件の恩返しという気持もありますが、それだけではありません、あなたは、日本的に言うならば、武士の精神を持った人です。信用の置ける白人だと見込んだ上の同行なんです」

信用の置ける白人と言ったときカーターは妙な顔をした。だがフランクは言葉を続けた。

「私は妻のネビロのほかに、エスキモーハンター二名を連れて行きます。必要なだけの人間を更に補給するかもしれません。但《ただ》し、私が連れて行く人間の食糧その他についての一切の責任は私が負います。私がネビロを連れて行く理由の一つは、彼女にブルックス山脈の向うを見せてやりたいからです。そこに、落ちつき場所を発見して、ポイントバローのエスキモーを移住させるための先触れとして彼女を同行したいのです」

カーターはフランクの言うことを頷《うなず》きながら聞いていた。一言も質問はなかったし、注文もつけなかった。彼は黙って契約書を拡《ひろ》げてフランクの前に置いた。サインが終ると、彼は大きな手をさし出して、フランクの手を力いっぱい握りしめた。ブロワーがもの淋《さび》しそうな眼でその二人を見詰めていた。

5

一九〇二年から一九〇三年にかけての太陽のない季節には、悪徳商人、ビル・ワーレスとジム・ハートンの死に続いて、エスキモー部落でも暗い事件が頻発した。麻疹《はしか》の流行の際、かろうじて生き残った老人が相次いで自殺した。彼等はイグルーから暗い夜の中へ出て行って再び帰らなかった。饑饉《ききん》の年には必ず見られると言われていた、エスキモー独特の自殺である。その老人たちは、身ごもった婦人に、そのお腹《なか》の子が生れたときには、おれの名をつけてくれと頼み、彼女が承知した段階において自殺を決行した。彼等は、自分の名を新しく生れて来る子供につけることによって、自分もまたよみがえるものと信じていた。ほんのしばらくの間、雪の上に眠っておれば、飢えや老醜とおさらばして生れ変ることができると考えていた。極地における自殺はそれほど苦痛を伴うものではなかった。零下三十度ないし四十度の酷寒の中で、身体《からだ》からアヌラックを離せば、永遠の眠りはたちどころに訪れた。

エスキモーにとっての飢えとは生肉を対象としての飢えであり、小麦粉や大豆や、乾《ほし》肉《にく》やタマネギは彼等にとっては食糧ではなく、特にエスキモーの老人には、異物以外のなにものでもなかった。幼い子ほど順応性があって、老人たちはいかに飢えてもそれ等の食糧を口にしようとしなかった。幼い子ほど順応性があって、腹が減ればなんでも食べた。だが、これらの救援食糧もけっして充分ではなかった。不足が慢性化したときは、飢えが肉体的障害を起し、それが死につながって行った。潮を吹く鯨を見ることができなくなった絶望感の中でひたすら生肉を求めている彼等の姿はみじめであった。

このような状況の中で、フランクとネビロがカーターと共にブルックス山脈の向う側に金《ゴールド》を探しに行くという噂《うわさ》が、部落に拡《ひろ》がった。

彼等はその噂を耳にすると、

「それでおれたちはやっと救われる。多分その金《ゴールド》という動物の肉は、カリブーより旨《うま》いに相違ない」

と話し合った。金《ゴールド》が動物ではない、金属だと聞いたときは、彼等は一時的に失望したが、フランクが行くからにはついて行ってまず間違いがないだろうし、こうなったら、生死をフランクに委《ゆだ》ねる以外に方法はないだろうと話し合っていた。

エスキモーは会議のようなものを開くことはなかった。多くの人を集めて祈りを行い、方向づけをする祈禱師《きとうし》が他の原始社会における指導者と同じような存在に見えてはいたものの、実際には、必ずしもそうではなく、いざという場合は、祈禱師や親方などが相談して一つの方向を見出《みいだ》し、それに合意できるものだけが従うというような、指導性の微弱な社会であった。

インディアン社会のように酋長《しゅうちょう》の命令一つで全体が動くというようなはっきりしたものはなく、強いて言うならば、エスキモーは、最終的には自分のことは自分で決めるという特色を持っていた。

だからエスキモーは喧嘩《けんか》をあまりしなかった。仮に争いごとを起しても、喧嘩の仲裁は不要で、いかなる場合でも当人どうしで解決していた。

フランク夫妻がカーターと共に南の方へ行くと聞いたとき、彼と行動を共にするかどうかなどという相談はどこでもなされなかったが、ほとんどのエスキモーはこの話に興味を持ち、自分がどうするかを心で決めていた。フランクの呼び掛けが、あるかないかなどということは問題ではなかった。一緒に行こうという者を拒否する権利はフランクにはないし、フランクがエスキモーである限り、いやだなどという筈《はず》はないと思っていた。

「あなたと共にブルックス山脈を越えるつもりになっている人が多いわ」

とネビロがフランクに告げた。

「とんでもないことを。そんなことをしてみろ、それこそ村が全滅する」

とネビロに言うと、

「ここにいても死ぬ、向うに行っても死ぬというなら、彼等はブルックス山脈の向う側で死ぬことを希望するでしょうね、エスキモーには古来、幾度となく危機がやって来て、そのたびに新天地を求めて移動したものです。移動することにはなんの疑惑も感じてはおりません」

ネビロは、行きたい人は連れて行くべきであるとしきりに言った。

「そんなことはできない。此処《ここ》に止《とど》まっておれば政府の救援食糧があるから、細々ながらも生きて行くことはできるけれど、ひとたび、この地を離れたら食糧は自給しなければならない。その見とおし無くしてこの地を離れることは無理だ」

フランクは、ブルックス山脈の北と南で、どのようにカリブーが分布しているか分っていないことから話を始め、ブルックス山脈付近には内陸エスキモーがいるし、またブルックス山脈の南側の森林地帯には、好戦的なインディアンがいるからそれ等の部族の縄張りをおかすことの危険性を考慮せずして、多くのエスキモーを率いての移動は不可能であることを説いた。

「では私たちだけがブルックス山脈を越えればそれでいいというの、ポイントバローのエスキモーは棄《す》てるつもりなの」

分らないひとだとフランクはいささか不満を顔に出してから静かにネビロに答えた。

「金鉱を探すことが、いまのところ主なる目的だ。われわれは金鉱を探しながら、ブルックス山脈の向うのシャンダラー河の流域を歩き廻る。運がよくて、金鉱が発見できれば、利益の半分が貰《もら》えるから、その金を使えばポイントバローの人たちを救うことができるだろう。たとえ金鉱が発見できなくても、村の人たちを安住させることのできるような場所は必ず見つけ出すつもりだ。カリブーが居なくとも、カリブーに替るべき動物がいるところを探し出して新しい村を建設するのだ。つまり、私たちは、確実な見とおしがついたとき、村の人たちを連れにもう一度ここへ引き返して来なければならない。そのつもりで出かけるのだ」

それでネビロはやっと承知した。更に彼女にブルックス山脈の向うのことについての知識を持って貰うために、フランクは、カーターやブロワーなどから聞いたことを話してやった。ブルックス山脈の南側のずっと向うには、ユーコン河という大きな河があって、その付近には樹木が茂り、カリブーのかわりにムース（大鹿《おおじか》）という鹿がいることなど話した。ネビロに話せば、彼女はそれを村の人たちに正確に伝えてくれるだろうと思った。

二月になって太陽が出た。

飢えのために笑顔を失いかけているエスキモーは強いて微笑を浮べながら、フランクのところへやって来て出発はいつだと訊《き》いた。今度はごく少数でしか行けないのだという理由を説明すると、その少数の中に、このおれを加えてくれと、誰もが同じことを言うのであった。フランクは同行すべき人を既に決めていた。その日が来るまで言わずにいたに過ぎなかった。

三月が来た。雪が溶けないこの時期に犬橇《いぬぞり》で荷物を運んだほうがよかったが、飢えは人間だけではなく、ポイントバローの犬もまた飢えていた。数も減っていた。二台の犬橇を用意するのがやっとだった。

フランクはセニックとタカブックの二人の若者を選んだ。二人とも優秀なハンターであり、フラックスマン島まで犬橇で行った経験もあった。犬橇二台にカーター等の食糧が積み込まれた。

「真直《まっす》ぐフラックスマン島へ走れ。そこで案内人を探し出して、カニング河に沿って、出来得るかぎり遡行《そこう》するのだ。いよいよ犬橇が使えなくなるころまでには、われわれが追付くだろう」

セニックとタカブックはそれに対して何回も頷《うなず》いたあとで、セニックが言った。

「もし、案内人がいなかったらどうしましょうか」

「もし、なにか、予期しなかったようなことが起ったら、そのまま動かずフラックスマン島で、おれたちの着くのを待っていてくれ」

フランクは、狩猟をしながら待っていてくれというかわりに、充分な弾薬を二人に渡した。

五月早々、フランク、ネビロ、カーターとそしてウミアクの漕《こ》ぎ手の七人のエスキモーはポイントバローを出発して、海路、フラックスマン島に向った。

ポイントバローの住民たちは、ほとんど総出で、まだ溶けきらない危険な氷の上を歩いて、ウミアクの出発地点まで送って来た。なにがなんでもついて行くぞと言っていた者も、ウミアクにはせいぜい十人しか乗れないし、犬橇はもう使える季節ではなく、また歩いて行くにしてはあまりにも遠いので、ただもう、一所懸命に手を振って、きっと迎えに来てくれと叫ぶしかしかたのない送別の朝だった。

6

フランクはウミアクの舳先《へさき》に坐《すわ》って、見張りを続けていた。海賊まがいの密猟船はこのごろその数が減ったが、その危険が皆無ということはなかった。海の無法者に対する警戒もさることながら、彼が眼から、望遠鏡を離さなかったのは、鯨との邂逅《かいこう》を求めてのことだった。後に残る者たちの希望の灯が見たかったのだ。

鯨はおろか、アザラシの姿も見えなかった。流氷からの強い反射光線は、エスキモー雪眼鏡のスリットから彼の眼を刺し、海獣を絶滅に追いやった白人密猟船への怒りをかき立てるに過ぎなかった。

フラックスマン島に着くと、先行したセニックとタカブックが一行を待っていた。フランクは二人の姿を見たとたんになにかよくないことが起ったのだと思った。

フラックスマン島のエスキモー部落は死に絶えていた。そこには、死骸《しがい》だけがあって、生きた人間は一人もいなかった。餓死でないことは明らかだった。死者の枕《まくら》もとに、豆の袋がそのまま置かれてあったり、小麦粉の袋から粉が半分こぼれ出していた。フラックスマン島へは、ポイントバローから救援物資を送っていた。最後の連絡は去年の夏であった。そのときはこのようなことが予想される状態ではなかった。それ以後、麻疹《はしか》の病源菌が入りこんで来たものと思われた。

酸鼻を極めていた。この村の住民が飢えと生肉不足のために、いちじるしく健康を害し抵抗力を無くしていたところへ病魔が襲いかかって全滅に追いこんだように考えられた。

カニング河上流の案内者としてフランクが予定していたフラックスマン島の数人のエスキモーの死さえ確かめることができないほどの状態の中で、ただ一つだけはっきりしたことは、彼等は病魔に対して、逃れる術《すべ》を知らずに、また逃れようともせずそのままイグルーの中で死んだということだった。少なくとも一人や二人は病魔の手から逃れることができた筈《はず》だった。その人たちはどこへ行ったのだろうか。或《ある》いは、と考えたとき、フランクの背筋につめたいものが走った。自殺という言葉が思い浮んだからである。親兄弟、親戚《しんせき》、知人のほとんどを失った人は、たとえ生き残ったとしても、死を選ぶだろう。連帯感の強い種族だけに、そのようなことは充分考えられた。

彼はポイントバローを思った。

フラックスマン島と同じようなことが今後起らないと誰が保証できようか、そういう時期は意外にはやく、そして突然やって来るような気がしてならなかった。その前になんとかしてやらねばならないという焦燥の炎がフランクの心の底で燃えた。

セニックとタカブックは、付近の小部落を歩いて見たが、ほとんどの村がフラックスマン島と同じような悲惨な状況にあることを告げた。カニング河の上流を案内する者は得られなかった。

フランクは、フラックスマン島にいたときカニング河の上流にカリブー狩りに行った経験があったから、おおよそのことは知っていた。彼はウミアクに荷物を載せ曳《ひ》き綱をつけて、カニング河を遡行《そこう》する計画を立て、出発に先立ち、セニック、タカブックほか三名をカニング河の上流にカリブー狩りに送り出した。

カニング河は急流ではなかったが流れに逆らって登ることは楽ではなかった。カニング河の河口から、遡行を断念しなければならない地点までは、約一〇〇マイルあった。

上流に行くほど遡行速度は遅くなり、最終点の滝の下にたどりつくまで約一カ月を要した。

荷物はウミアクからおろされて、犬の背と人の背によって、ブルックス山脈の向う側へ運ばれることになった。その約三〇マイルの登り道を無事突破できるかどうかが、カーター等一行の第一年目の試練であった。

フランクとカーターは一日を費やして、近くの山の頂へ登って地勢を観望した。地図はおおざっぱなもので、そこから山脈を越えてシャンダラー流域へ出るにもっとも有利なルートを図上で検討することは困難であった。

「カニング河の上流をどこまでも登って行こう。やがて分水嶺《ぶんすいれい》に至る筈だ」

カーターが言った。フランクはそれに異存はなかったが、行動を起す前にさしせまった問題があった。輸送隊の食糧が無くなって来たのである。輸送隊の食糧として用意して来た、罐詰《かんづめ》、小麦粉、豆、乾肉《ほしにく》などは限界に達していた。犬の餌《えさ》も同様に、あとがとぼしくなっていた。ブルックス山脈に向って行動を起すまでに、この問題を解決して置かねば、探検隊の一行の食糧に手をつけざるを得なくなる。じっとしてはおられなかった。

フランクはカリブー狩りに先行したセニック等の一行を待たずに、三名のハンターを率いて自らカリブー狩りに出発した。あとには、カーターとネビロと一人のエスキモーしか残らなかった。

そのあたりは海抜千数百メートルの山が点在する荒涼たる山地だった。白銀の頂を除いては全体的に乾燥ツンドラ地帯になっていた。ツンドラ地帯のところどころに、美しく咲き揃《そろ》った高山植物の群叢《ぐんそう》があった。

ロシヤ領だったころ、内陸エスキモーと海岸エスキモーとの交易ルートだったという記録は残っているが、道はなかった。狭い沢にはまだ雪が残り、幅の広い沢は既に雪が溶けて水を湛《たた》えていた。池の付近にうっかり踏みこむと、足を取られてしまうけれども、その池にもう一息というあたりのツンドラ地帯の植物は比較的よく繁茂しており、コケモモなどの群落があるのは、こういうところだった。

フランクは、沢の中にできた周囲一マイルほどの池の近くのツンドラ地帯に入りこんでいる、二十頭ほどのカリブーを発見した。彼は人数を二手に分けて、カリブーを池の方へ追いつめ、足の自由を失った七頭のカリブーを撃ち取った。彼等は、腰まで、水の中につかって、撃ち取った獲物を引き上げた。獲物は重くて容易に運ぶことはできないから、一日中日が当らない、狭い沢の雪の上まで引き摺《ず》って来て、そこで解体された。カリブーの皮は剝《は》がれ、内臓が取り出され、頭と足は切断され、胴体は、運びやすい大きさに切り分けられた。解体している途中で雪が降った。日が当らないこの沢は全体が冷蔵庫だった。すべてが終るころには肉塊は凍っていた。フランクはそこに目印のために雪塊を積み上げ、彼等が背負えるだけの肉を背負って、カーター等のところに引き返した。そこにはセニックとタカブック等がいた。セニックの一行も、十頭近くのカリブーを撃ち取っていた。生肉にありついたエスキモーは、見違えるように元気になった。久しぶりに生肉にありついた犬たちは、まだ食いたりないのか、しきりに唸《うな》り声を上げながら、あたりを嗅《か》ぎ廻っていた。

「たいしたものだ、ブロワーさんが言ったように君は北極第一のハンターだよ」

カーターはフランクに、お世辞とも讃《ほ》め言葉ともつかないことを言った。

移動が開始された。犬も人も荷物を背負って、狭い谷間をゆっくりと登った。荷物が多いから、同じ道を何度か往復しなければならなかった。太陽が沈まない夏だからと言っても、働きづめというわけには行かなかった。休養と行動はすべてフランクの指示によって行われた。

山をよく知らない海岸エスキモーは、眼の前に雪をいただく、二千メートル級の山が迫って来ると、これ以上前進するのはいやだ、帰りたいと言った。しかしそう言ってみるだけで、フランクが進めば、彼等はやはり従って来た。

石の多い山地に入った。それまで聞えていたせせらぎの音は雪渓の下に消えた。その沢は細く長くきびしい登り坂で、登りつめた頂は露岩に覆《おお》われていた。カーターはそこらあたりをハンマーで叩《たた》いて廻った。

フランクは、このあたりが、カニング河の上限で、おそらく、前方を扼《やく》する二つの大きな山と山の間の鞍部《あんぶ》あたりに、ブルックス山脈を南と北に分ける峠があるのではなかろうかと思った。

その峠は近いようで遠かった。三日間を要した。

フランクの予想は当っていた。その峠から向うは誰にでもはっきりと分るような下り坂になっていた。峠を越えて、二日目に、南に向って流れる小川に行き当った。

「われわれは、ブルックス山脈を越えたぞ」

とカーターは地図と磁石を按《あん》じながら言った。ポイントバローから、そこまで、行動を共にした人たちと別れなければならない時が来た。

フランクは、途中で獲《と》ったカリブーの肉のほとんどを彼等に与えた。彼等がカリブーの肉をウミアクに乗せて、カニング河を下り、海路ポイントバローに着くのは九月の終りになるだろうと予想された。

フランクは、そこで、セニックとタカブックの二人を正式に探検に誘った。二人は即座に承知したが他の者の中には不満をはっきり口に出した者がいた。

「フランク、お前はエスキモーだと思っていたが、いつ白人になったのだ」

とその男はフランクを責めた。エスキモーの社会常識から考えれば、それはまことに不公平であり、利己主義的な行動に見えた。白人たちは平気でやるけれど、エスキモーにはどうしても理解できないことだった。

「今はだめだ。しかし、必ず、きみたちを迎えにポイントバローに行くぞ」

フランクの言葉にネビロが口添えをした。ネビロが熱弁をふるうと、ようやく彼等は納得した。

「五人になった。五人だけでなにもかもやらねばならない」

彼等が去った後でフランクが言った。

「いいえ、犬が十頭と犬橇《いぬぞり》があるわ、犬を忘れては困ります」

ネビロはそう言って笑った。

7

五人のパーティーは三つの小パーティーに編成され、カーターとフランクは砂金探しに、セニックとタカブックはカリブー狩りに、そしてネビロは犬たちと共にベースキャンプを守った。

フランクはカーターと二人だけで歩くようになってから、カーターという人物に少しずつ牽《ひ》かれていった。

カーターはどことなく紳士然としたところがあったが、その所作のすべては、英国の名門出の彼の父の影響を受け、その遺風を継いだものだった。カーターの父はその生涯を探検に賭《か》け、財産の殆《ほとん》どをそのために失った。

カーターはその父の話になると熱を帯び、純粋の探検は、金鉱探しなどではないことをちらりとほのめかしたりした。そのカーターが彼の妻子のことになると、急に話をそらせたり、中断したりした。

カーターは金鉱探しに熱心であった。しかしその熱心さは、山師的なものともゴールドラッシュに駆《か》り出されて来た砂金亡者《もうじゃ》等ともいささか違っていた。

アラスカの中原《ちゆうげん》に世界一の金の宝庫があるという伝説を確かめるがための探検に目的の主力を置き、一攫千金《いつかくせんきん》の夢の彷徨《ほうこう》でないことは明らかだった。だから、カーターの行動そのものには、なんとなくゆとりが見られ、切羽つまったようなものの考え方はしなかった。

フランクはふと、カーターを探検に追いやったものは、なんであるかに思いを巡らし、そして、そう考えることでさえ、きわめて失礼なことであると気がつくと、いかなることがあっても、カーターの家庭に触れるようなことは言うまいと心に誓った。

カーターとフランクはこの年の秋、シャンダラー河の東股《イーストフォーク》地区一帯の支流を歩き廻った。

カーターは、川の上流に当る山の頂に登ると、金槌《かなづち》で露岩を欠き取ったり、石を割ってその断面を調べて廻った。フランクにも、そのやり方を教えた。

「金は変成岩の一種の石英岩に含まれている場合が多い。含金石英脈を発見することが金鉱の発見である。また、含金石英岩は長い年月の間に風化されて、おし流されて行くうちに、砂と金とに分離される。砂金のみが川底に沈む。その砂金を発見することによって、上流にある金鉱を発見することもできる」

カーターは足もとにある石に金槌を当てた。くすんだ灰色をした石だったが、割られた断面は真白な色をしており、ところどころに、青みがかった筋が入っていた。

「フランク、これが石英岩だ。そして、この青みがかった筋が、金だ」

「金ですって」

フランクは信じられないという顔をした。

「そうだ金だ。非常に微量な金の場合はこのように見える。肉眼ではっきり、金だと分るほどの金を含んでいるものもあるし、時には、金塊となって発見されることさえある。いいかねフランク、金を探すにはまず石英岩を探すことだ」

フランクは、大きく頷《うなず》いた。彼は右手にしっかりと金槌を握りしめながら、彼の人生における新しい展開が始まりつつあることを自覚した。彼は、その山の頂に点在する石を金槌で叩《たた》いて廻った。大きな石の表面には地衣《ちい》が生えていた。多くは、石の表面に付着した痣《あざ》のように黒かったが、中には驚くほど鮮明に輝く黄色い地衣があった。エスキモーが傷薬にする地衣だった。フランクはそれを取って腰に下げた袋に入れながら、ふと背に負っている銃の重みを感じた。ハンターであると同時に鉱山師でもある自分の姿が滑稽《こっけい》に思われた。

カーターは新しい小川の岸に立ったとき、しばらくは動かず、じっとせせらぎの音に耳をかたむけながら、流れを見詰めていた。流れの岸には背の低いウイロー（楊）と榛《はん》の木が、短い夏の終りを告げるかのように、いくらか黄ばんだ葉を、風にふるわせていた。

フランクは物音を立てずに、カーターの思索が終るまでじっと待っていた。

「滝の音が聞えるだろう」

とカーターはフランクに言った。

「はい、聞えます。おそらく、一〇〇メートルほど下に、滝があるでしょう」

「その滝へ行って見よう。砂金は、滝壺《たきつぼ》の中に隠されている場合がしばしばある。われわれはこれを砂金の袋と呼んでいる。袋のような形をして、砂金があるからだ。今までの記録によると、一つの滝の底からバケツ三十三ばいの砂金が発見されたことがある。その男は、それを発見した瞬間に百万長者となったが、三十三ばい目の砂金をバケツに掘り取った瞬間、気が狂って、岩に頭をぶちつけて死んだ」

カーターは豪快な笑いを残して滝の音のする方へ降りて行った。

滝壺は三メートル四方ほどのものであった。カーターは、滝壺にはすぐに入らず、その滝壺の末端で、飛沫《ひまつ》を浴びながら仕事に取りかかった。彼は砂金採取用の七つ道具の一つの金属盆に川底の砂を水と共に掬《すく》いこみ、盆を傾けながら揺さぶった。軽い砂から先に、水と共に流れ落ち、更に水を加えてこれを繰り返すうちに、盆の底に、ほんのひとつまみの砂が残った。彼は、その砂を、太陽にかざして見た。黄金の光は見られなかった。

「一度であきらめてはならない。一つの滝壺について、数カ所の砂を取ってやってみないとほんとうのことは分らない。この盆の中に、数粒の砂金が発見されたならば、いよいよ次の段階にかかるのだ」

カーターはフランクに言い聞かせながら、もう一つの盆を渡した。

直径一メートルもある、その鉄の盆に砂と水を盛ったときフランクは、砂金探しという仕事の投機性を身を以《もっ》て知らされたような気がした。あるかないか分らないものに賭ける気持が、ポイントバローで、彼を待っているエスキモーの運命につながった。

彼は、カーターと反対側の滝壺の隅で、カーターに教えられたとおりのことをやった。盆に残った最後の砂を太陽に当てると、たった一粒の光るものがあった。

「砂金だ、まさしく、これは砂金だ、フランクお前には運がついている。生れて初めて手に取った盆に砂金が入ったということは、君が協力者として、必ずや、大きな貢献をしてくれるという証拠だ」

カーターは、そう言いながら、背負って来た携帯用の折りたたみ式の樋《とい》を水の中に組み立てた。長さ二メートルほどの樋の底には布が張ってあった。その樋を斜めに立て、上方から、砂と水とをスコップで流しこむと、砂は流れ去り、砂金が、布地の上に残るという仕掛けだった。人類が初めて砂金を発見した遠い遠い昔から、世界中で用いられていた共通の方法だった。フランクもそういう方法が日本では、ねこ流しと呼ばれていることを知っていた。

二人は長い柄のスコップで、滝壺の砂を掬い取ってはねこ流しに掛けた。期待したほどのものは得られなかった。この滝に五日間かけた。最後には滝の水をかぶって、滝壺の底の砂をかき上げてみたが、得られた砂金の量は、二人の日当にもならないほどの僅《わず》かなものだった。二人はその滝をあきらめ、更に砂金を求めて未踏の山と沢を渡り歩いた。

久しぶりでベースキャンプに帰ると、ネビロが、カリブーの皮をなめしていた。セニックとタカブックは撃ち取った十三頭のカリブーの毛皮と生肉三頭分を三回に渡って運んで来て、また猟に出掛けて行って留守だった。彼等が撃ち取ったカリブーはその場で解体され、一カ所に集め、その上に石を高く積み上げ、狼《おおかみ》の掠奪《りやくだつ》に備えるとともに、目印にした。カリブーの多くは狭い沢で撃ち取られたから、その貯蔵所は、一度見失うと発見しにくくなる。彼等はこれに対しても、考慮を払っていた。二人は、その沢を登りつめたあたりの見透しの利く頂《き》に登って、目印のケルンを立てた。その場所が発見しにくい場合は、更にその付近の山の頂に目印のケルンを設けた。こうして二人は、次々と獲物のケルンを積み上げながら、西の方向に移動していた。

セニックとタカブックは、太陽の高さと、日の長さから、もう間もなく、太陽が隠れる季節が来ることを知っていた。二人は懸命に、ブルックス山脈の北斜面地帯から移動して来るカリブーの群れを追った。一行五人の食糧は二人の腕にかかっていることをよくよく自覚しての狩りだった。

フランクはカーターのために久しぶりに料理の腕をふるった。豆のスープに、カリブーの焼き肉が出された。パンと、デザートに出されたコケモモの砂糖煮はネビロが作ったものだった。

食事が終ったころ、犬が激しく吠《ほ》え立てた。フランクが銃を執ってテントの外へ出て見ると、頭に皮のバンドをした男が二〇メートルほど離れたところに、石を盾にして立っていた。女の子のように長く編んだ髪が異様に見えた。その男も銃を持っていたが、敵意はないようだった。

フランクは右手を高く上げて、エスキモー語で呼びかけた。返事がないから、英語で、どこから来たのだ、お茶を飲んで行けと再度話しかけたが、相手は答えなかった。フランクはテントの方に向って、カーターの名を呼んだ。そのちょっとした隙《すき》に男は、石の陰に姿を隠し、カーターが出て来て呼んでも、終《つい》に出て来ようとはしなかった。日没の間際《まぎわ》だった。カーターは、テントに引き返してフランクに言った。

「ここから南方三〇マイルほどのところに、オールドジョーン湖がある、そこから、ユーコン河にかけての一帯は、インディアン保護地区になっていて、そこには、アタバスカンインディアンが住んでいる。勇敢なインディアンで、ロシヤ人の侵略に対して、最後の最後まで踏み止《とど》まって抵抗した、クチン族、タナイナ族、テナ族、インガリック族などが住んでいるところだ。おそらくその男は、インディアンであろう」

カーターはやや不安そうな顔で言った。

「その男なら、昨日も、一昨日《おととい》も姿を見せました」

とネビロが言った。犬が吠えるのでネビロが出て見ると、白人でもエスキモーでもない、頭に鉢巻きの飾りをした男が銃を持ったまま立っていたというのである。

「われわれはこれ以上南下するのは、避けるべきである。インディアン保護地区に近づいて、彼等を刺戟《しげき》すべきではない」

とカーターが言った。

彼等のキャンプ地付近には木はなかった。背の低いウイローがところどころに生えているだけで、未《いま》だに、乾燥ツンドラ山岳地帯の植生域を脱してはいなかった。

「この付近をうろついているかぎり彼等がわれわれに危害を加えるようなことはあり得ない。ここは、もともと、内陸エスキモーの縄張りである」

カーターの説明をフランクとネビロは心配そうな顔で聞いていた。特にネビロは、二度も続けて現われた男が、インディアンだと分ると、恐怖をおし隠すのに苦心しているふうだった。

「そろそろ、ここを引き揚げて、西の方に移動することにしよう」

カーターは地図を開いて、フランクと次の予定について相談を始めた。

日が暮れると風の音が耳につく。ブルックス山脈の頂を越えて吹走する風の音が、間もなくやって来る厳寒を思わせた。

三人は心を合わせたように、山の音に耳をそばだてたまま、黙っていた。

テントは二つあった。小さい方のテントにフランクとネビロが去ってからも、山の音は依然として聞えていた。

「怖《こわ》い」

と寝袋に先に入ったネビロがフランクに言った。

「山の音が怖いのか、インディアンが怖いのか」

フランクは、同じ寝袋にもぐりこむ前にネビロに訊《き》いた。

「怖いのはインディアンです。一昨日、インディアンが現われたときには、丁度、私が水で身体《からだ》を拭《ふ》いていたときなんです。そして昨日も、そうなんです」

「たまたま同じ時刻に彼が現われたということではないのか」

「いいえ、一昨日は昼ごろでした。そして昨日は、まだ朝のうちでした」

ネビロは毎日身体を水で拭いた。エスキモーにはこの習慣はなかったが、彼女は、フランクと結婚する以前から日課の一つに入れていた。

「見られたというのか」

「そんなことはありません。身体を拭くのはいつもテントの中ですから。それに外には犬がいます」

「心配するな、相手がインディアンであろうがなかろうが、こちらに害意がないのに危害を加えることはないだろう」

フランクはネビロの黒い髪を撫《な》でながら言った。ネビロは大きく頷いて、寝袋の口を拡《ひろ》げた。フランクは寝袋の中から迎えに出て来た彼女の体臭に誘われるように、彼女が明けて待っていてくれる空間に滑りこんだ。テントの隙間から洩《も》れて来る月の光がネビロの顔を白く浮き出させていた。

翌朝カーターは、二つのテントに、アメリカ国旗を結びつけてネビロに言った。

「セニックとタカブックが帰ったら、そのまま待つように言ってください。フランクとぼくは、三日後には帰って来る」

二人がテントを出るときには雪がちらついていた。

8

カリブーの移動が終ったと同時に冬が来た。降った雪はそのまま溶けずに厚みを増して行った。

五人の一行がシャンダラー河の支流、ウインド河の上流まで来たときには、犬橇《いぬぞり》が使える季節になっていた。

河も沼も湖もいっせいに凍結を始めた。砂金を探すには、氷を割り、その下を流れる水に入らねばならなかった。

それは容易なことではなかったし、そのような無理をして砂金探しを続けるよりも、太陽のない一冬をどうして過すかを早急に考えねばならない時期になっていた。

「森林地帯までおりて雪のイグルーで冬を過すことを考えよう」

とカーターが言った。彼は燃料のことを心配していた。持って来た石油は、ほとんど費《つか》い果していた。暖を取るにも、肉を焼くにも、湯を沸かすにも、木が必要だった。

カーターは犬橇に荷物を載せ、ウインド河を南に向って下り、途中から、シャンダラー河の中股《ミッドルフォーク》地域に入って行った。南に下るにつれて山容は少しずつ変って行った。背丈の低いウイローが唯一《ゆいいつ》の植物らしい灌木《かんぼく》だったのが、そのウイローの木の丈が高くなり、喬木《きょうぼく》の群落をなし、更にその間にエゾマツの針葉樹林が見えて来ると、それまで、犬橇の先に立って歩いていたセニックとタカブックは、雪の中に坐《すわ》りこんで咳《せき》をした。馭者《ぎょしゃ》台《だい》にいるネビロもまたはげしく咳きこんだ。

「ひどい臭《にお》いだわ、呼吸がつまりそうよ」

ネビロがフランクに言った。エゾマツの臭いだなとフランクはすぐ気がついて、そのことをネビロに説明したが、ネビロはエゾマツがなぜそのような強烈な臭いを発するのか理解に苦しんでいるようだった。セニックとタカブックは苦しそうな咳を続けているうちに頭を抱えこんで倒れてしまった。頭が割れるように痛いというのである。ネビロもまた頭痛を訴えた。

海岸エスキモー出身の彼等は、生れてこのかた樹木を見たことがなかった。海岸に流れつく流木から木の存在は知ってはいたが、実際に樹木を見たのははじめてであり、エゾマツの脂《やに》の臭いを嗅《か》いだのもはじめてだった。おそらく、海岸エスキモーとしての歴史が始まって以来何千年もの間、海岸エスキモーはエゾマツの臭いを知らなかった。彼等の血の中には樹木の臭いに対する抵抗は、皆無であった。エゾマツの臭いは彼等の鼻孔の粘膜を刺戟《しげき》したばかりではなく、彼等に頭痛を感じさせるほど強く作用したのである。

犬橇をそれ以上進めることはできなかった。キャンプ場が設営された。しばらくそこにいて、エゾマツの臭いに馴《な》れてから、森の中へ入って行くより仕方がなかった。

翌朝、セニックとタカブックとネビロは、腫《は》れぼったい顔をして起き出た。彼等は一晩中頭痛に悩まされて眠れなかったのである。セニックとタカブックは、ここは危険だ、こんなところにいたら、必ず死ぬから、おれたちだけで山の方で寝たいと言った。しかし、ネビロは、

「もう、臭いはきのうほど強くは感じなくなったし、頭痛も、二、三日できっと治るわ。もう少し頑張ってみましょう」

とセニックとタカブックを説いた。ネビロはそれほど、エゾマツの臭いを気にしてはいなかった。

ネビロのいうとおり、三日間で、彼等の顔の腫れは引いて、エゾマツの臭いも、そう気にならなくなった。

犬橇は再び動き出し、エゾマツの樹林の中の小川のほとりにやっと一冬の居住地が決められた。しばらくはテントで生活し、更に雪が降り積り、寒さがきびしくなったら、雪のイグルーを作る予定だった。

居所が決ると、セニックとタカブックは犬に橇を曳《ひ》かせて、それまで来た道を引き返して行った。カリブーの肉を取りに出掛けたのである。太陽が大地の下に沈むまでに、

ケルンの下に貯蔵して置いた肉をできるだけ多く運んで来るのが、彼等の任務であった。

「寒いけれど太陽があるうちは働かねばならないだろうよ」

カーターはフランクと共に、近くの川筋の氷を割りながら、砂金探しを続けた。

ネビロは二匹の犬と共に留守番をしなければならなかった。彼女の任務は留守を守る仕事の他に薪《まき》を集めることだった。

ネビロはエスキモーが使う、舟のような形をしたかんじき（スノーボート）を履いて森の中へ出掛けて行った。立枯れの木がところどころにあったから、それを引き摺《ず》って来た。彼女は鋸《のこぎり》を使ったり、薪割りを使うことに次第に馴れていった。

日中でも太陽は地平線近くにあるので、雪の上に彼女の影が長く延びた。ネビロは、自らの影の方向に枯れ木を曳いていった。

突然犬が吠《ほ》え出した。けたたましい吠え方だった。彼女は咄嗟《とっさ》に狼《おおかみ》だと思った。銃を持っていないことが反射的に彼女を責めた。フランクに言われたとおり、外出するときは必ず銃を背負っていなければならないのに、その準備をおこたったのがいけないのだと思った。

犬は吠え続けたが、狼が現われたときのように、おびえた吠え方ではなかった。犬は彼女と、十数メートル先のエゾマツの根本との間を行ったり来たりして吠えていた。なにかが、そこに居るようだった。

エゾマツの陰に人が倒れていた。エゾマツの幹に背を持たせかけて一休みしているうちにそのまま倒れてしまったようにも見えた。

その男はエスキモーに似ていたが、彼等よりもやや毛深い感じだった。ネビロはインディアンではないかと思った。この前見掛けたインディアンの男とどこか似ているような気がした。インディアンだとすれば、白人が使う背負い袋を持っているのは何故《なぜ》だろうか。男は呼吸をしていた。死んだのではなく、空腹のあまり倒れてしまったように見受けられた。

「しっかりしなさい。あなたはどこから来たのですか」

ネビロは男の肩を揺さぶりながら英語で叫んだ。

男は眼を開けて、ネビロの顔をぼんやり見ていたが、やがて、唇がかすかに動いた。言っていることは分らなかった。

ネビロはテントに取って返すと、水筒に水を入れ、彼女が今朝焼いたパンの残りを持って再びその男のところに行った。男は水を飲み、そしてパンを食べた。やはり男は飢えて倒れていたのだ。

「あなたの夫は白人ですか中国人ですか、それとも日本人ですか」

と男は、かなり使い馴れた英語でネビロに訊《き》いた。声はかすれていた。

「彼は日本という国から来たエスキモーです」

ネビロは正しい英語でそう答えながら、ひょっとすると、この男も、フランクと同じように日本という国からやって来たエスキモーかもしれないと思った。男はネビロの言葉に喜色を示しながら、前よりもはっきりと言った。

「おれは日本という国からやって来たインディアンで、名前はジョージ大島だ」

そして、彼は、犬橇の後を何日も追いかけて来て、眼の前にテントを見たとたんに眼が廻って倒れたのだとつけ加えた。そしてネビロの助けでテントまでようやく歩いて行ったジョージは、有難うのひとことを言う暇もなしに眠りこんだ。今度こそほんとうに死んでしまったかと思われるほどよく眠ったが、時々眼を覚まして、水と食べ物を要求してはまた直《す》ぐ眠った。

翌日、カーターとフランクが帰って来たときジョージ大島はまだ眠っていた。

「なに、日本という国からやって来たインディアンだって……」

フランクは眠っている男の顔を見た。ひげ面《づら》だったが日本人であることには間違いなかった。十年間も会わなかった日本人がそこにいるのだ。日本語を話す相手がそこに寝ていると思うと懐かしさがこみ上げた。枕元《まくらもと》に坐って、ジョージが眼を覚ますのを待っている時間は長かった。なぜここに日本人が突然現われたのだろうかと、考えを巡らせているフランクの傍で、

「その日本人も、ゴールドラッシュ時代到来と共に生れ出た砂金亡者《もうじゃ》の一人ではなかろ

うか」

とカーターが言った。その声でジョージは眼を覚ました。

彼は起き上った。小柄な男で、自らインディアンと名乗っただけあって、眼付きの鋭いところはエスキモーよりも、どちらかというとインディアンに似ていた。

「あなたはインディアンですか、それとも日本人ですか」

カーターが訊いた。

ジョージは、よく眠って、澄んだ眼をぱちぱちさせながら、カーターとフランク安田の顔を等分に見較《みくら》べていたが、カーターの問いに対して、カーターではなくフランクに向ってはっきりと、英語で答えた。

「あなたの奥さんが、私の夫は日本という国から来たエスキモーだと言った。おれも、それに合わせて、日本という国から来たインディアンだと答えただけのことさ。つまり、おれは、少々ばかり、インディアンとのつきあいを持っている日本人だ」

ジョージ大島は声を上げて笑った。

「なぜここにやって来たのだね」

カーターは、ジョージ大島の出現を最初から警戒しているようだった。

「白人と二人のエスキモーと、そして、白人でもエスキモーでもない夫婦がいるとインディアンに聞いたので、そこへ行って見た。既にあなた方は出発した後だった」

ジョージは、犬橇の後をずっと追い続けた。そして、持っている食糧を食い尽し、倒れたところをネビロに助けられたと語った。

「なぜ、われわれの後を追う気になったのだね」

カーターはやや語調をやわらげた。

「白人でも、エスキモーでもない夫婦者がいると聞いたとき、それは日本人ではないかと思ったのだ。そう思ったとたんに会いたくなった。おれは、ふと襲われた郷愁のために、危うく飢え死にするところだった」

ジョージ大島が言った。

「ところであなたはいったい、こんなところでなにをしているのです」

カーターは一応念を押した。訊かずとも、彼の持物を見れば、砂金探しの一人だということは一目瞭然《りようぜん》だったが、順序として糺《ただ》したのである。

「ご覧の通り、あなたと同じように、一山当てようと思って、シャンダラー河の上流をぶらついているやくざですよ」

ジョージ大島は、不貞腐《ふてくさ》れたような答え方をしたあとで、

「御心配には及びません、私はあなたの仕事の妨害なんか、絶対にいたしません。しばらく此処《ここ》に置いて貰《もら》ったら、退散しますよ」

ジョージ大島はカーターに対して、はっきりと反抗の姿勢を示した。ふん、白人がな

んだい、威張り腐ってさ、彼の眼はそのように悪口を垂れていた。

ジョージ大島とフランク安田は、二人だけになったときは、日本語を話し、もしそこにネビロが入って来ても、たちどころに英語に切り替えた。ネビロが私にはかまわずに、どうぞ日本語で話してくださいと言っても、二人は彼女の存在を無視することはなかった。アメリカに移住した当時の日本人のすべてが身につけている遠慮だった。ネビロは二人のために、わざと席をはずした。

ジョージ大島は過去を語らなかった。上州の出身だという以外に彼自身のことにはいっさい触れなかった。フランクはそういう日本人に馴れていたから、彼自身も、なぜ、アメリカへやって来たかなどということは口にしなかった。彼等は自分自身のことには触れないが、日本のことについては知るかぎりのことを話し合った。上州名物の空風《からつかぜ》から始まって漬物の味の話まででした。

話がアメリカのことになると、ジョージは、声を低くした。

「おれはアメリカ人に限らず、白人のすべてを信用しない。彼等の心の底に人種差別の観念が存在するかぎり、必ず何時《いつ》かは裏切られる。だから、おれは独りで歩いている。独りで砂金を探し歩いて、もし砂金の山に当っても、それを白人の名義で登録しようなどという考えは持ちたくない。おれは独りでこっそり掘る。掘り取った砂金はどこかに隠して置いて、必要なだけ使うことにする」

ジョージの白人不信感は徹底していた。その話がカーターにまで及んだとき彼は言った。

「利益を折半にするなどというのは嘘《うそ》だ。もしも君が砂金の鉱山を発見したとしてもすべての権利はカーターのものになるだろう。君は単なる使用人として使い捨てにされる運命にあるのだ」

フランクは黙って聞いているだけだった。ジョージに強いて意見を求められると、人間であることにおいては白人も、日本人もエスキモーも同じだろうと答える程度に止《とど》めていた。

ジョージは五日間、フランクのテントに居て、すっかり元気を恢復《かいふく》した。

「きみたち夫婦にはなんと言ってお礼していいか分らない。なにかおれにできることがあったら協力したい」

ジョージは、その申し出がけっしてでたらめではないことを示すかのように日本人らしく、きちんと膝《ひざ》を揃《そろ》えて坐り、姿勢を正して言った。

「実は頼みたいことがあったのだ」

フランクはそのときになって、はじめて、ポイントバローのエスキモーが食糧危機にさらされていることや、彼等を救うためには内陸へ移動するしかないことを述べ、カーターと行動を共にしたのは、エスキモーを救うための砂金が欲しいのと、海岸エスキモーの移住地を探すためであると話した。

「君は聖人になろうとしているのか、それともモーゼを見習おうというのか」

ジョージは、フランクの考え方に徹底的に反発した。エスキモーのために、なぜ献身する必要があるのか、それは、君の妻がエスキモーだということに考え方の基礎が置かれているからなのかとも言った。

「いや、おれは日本で生れたエスキモーだからだ。エスキモーだから、エスキモーを救わねばならない」

フランクは平然と答えた。

「おれと君とは火と水だ。上州生れのおれは火のように絶えず燃えているのに、東北生れの君は水のように冷静そのものだ。負けたよ。しかし、君の考えていることは至難だ」

ジョージは、インディアンと親しかった。インディアン語を話し、インディアン保護地区の近くに山小屋《ロッジ》を建てて一人で住んでいたこともあったと語った。

「インディアンが最も嫌っているのは、白人ではない、エスキモーだ。インディアンは、生肉を食うエスキモーはもっとも劣等な人間であり、神の教えにそむく人間だと思っている。そのインディアンの縄張りの中に、エスキモーが大挙して踏みこんで来たら、流血の悲劇が必ず発生する」

ジョージははっきり言った。

「だが、われわれは移住して来なければならない。そうしなければ海岸エスキモーは全滅する。エスキモーは人と戦う武器を持ったことのない種族だ。しかし白人とも日本人とも、協調できるのだからインディアンともうまくやっていけるだろう。おれがいるかぎり必ずトラブルを起さないようにするつもりだ」

フランクは言った。

「どうしても来るというのか」

「来なければ飢えて死ぬ。飢えて死ぬのもインディアンの弾丸《たま》に当って死ぬのも同じことだとおれは考える」

「やむを得ないことだ。いざそのときが来たら、おれがインディアンとの間を取り持ってやろう」

ジョージは約束したが、しばらくはどうしたらいいかを考えているようだった。

「フランク、これから後、シャンダラー河流域の森林地帯を歩くときは、気をつけろよ。森林地帯で銃を使ってはならない。もしそんなことをしたら、彼等は、ことわりなしに攻撃しかけて来るだろう」

「誰にでもそうするのか、それともエスキモーに対してだけそうするのか」

「内陸エスキモーに対してだ。白人に対しては、報復が怖《おそ》ろしいから、めったなことでは銃は向けない」

「しかし、ことわりなしの発砲はひどいではないか」

「アタバスカンインディアンの戦法は奇襲である。シャンダラー河が大ユーコン河と合流するところにフォートユーコンがある。この町が交易所として発展する以前は、このあたりで、白人とアタバスカンインディアンとの間にかなり激しい争いがあった。アタバスカンインディアンは奇襲が得意だ。彼等は現在においても侵略を受けたと判断したら、不意討ちに出て来る可能性がある」

ジョージは薄気味悪いことを言った。

ジョージがテントを去る朝はよく晴れていた。

「銃はどうしたのだ。古い銃だが一丁、余分があるから貸してやろう」

とフランクが言ったが、ジョージは首を振った。

「まだまだ狼《おおかみ》が人間を襲う季節ではない。おれのロッジに行けば、銃も弾丸も、食糧もちゃんとある。心配はいらない」

ジョージはそう言って笑ったあとで、

「フランク、人間をたよりにしては、駄目だぜ。おれがいい例だ。おれは、きみたちの犬橇を当てにして大失敗をやらかした。もうすぐそこに犬橇がいる、そこへ行けば、食べさせて貰えると期待しながら、深追いをしすぎてとうとうあんな目に会ってしまった」

小柄な身体のジョージはそれだけ言うと、更に背をいくらか丸めて、雪の密林の中をくぐり抜けるようにして消えて行った。

9

ジョージ大島を知ったことはカーターにとっても無駄ではなかった。ジョージはユーコン河流域の砂金探しの情報をかなり詳しく摑《つか》んでいた。

ジョージは、シャンダラー地区よりも、その西側に隣接している、コユクック河上流地域につぎつぎと金鉱が発見され、中心地ワイズマンには既に二千人に近い鉱夫が入りこんでおり、そこにはアメリカ鉱山局の役人まで出張して来ているという情報をもたらした。

「予想されていたことだ。なにも、そうあわてることはないさ、来年の夏こそ勝負だ。われわれは必ず成功する」

カーターはフランクにそうは言っているものの内心の焦燥は覆《おお》い隠せるものではなかった。だがもう冬が来ていた。砂金探しは無理だった。

カーターはこの地で冬を過し、春を待って予定通り、アナクトブックに戻り、そこで、ポイントバローからの補給物資を受取って、山岳地帯から内陸部に向って、金鉱探しの二年目の旅を続ける計画を立てた。

セニックとタカブックが犬橇《いぬぞり》にカリブーの肉を積んで帰ったころには、吹雪の季節に入っていた。彼等は、雪塊を切り取って積み上げ、イグルーを二つ作った。テントよりはるかに暖かだった。

厳冬期は休養に当てられた。と言っても寝てばかりいるわけではなかった。青い夜明けと短いながらちゃんとやって来る日照時間には外に出て薪《まき》を集めたり、狩りをした。仔犬《こいぬ》を交えての、犬橇の訓練も冬の日課の一つだった。

二月になってからはセニックとタカブックの狩猟範囲は飛躍的に増大した。インディアンとのことを警戒してなるべくカーターが同行した。そして或《あ》る日、二人は、小川のほとりで雪を前肢《まえあし》で掻《か》きのけながら、ウイローの枝を食べていた大鹿《ムース》を射とめた。

二人にとってはカリブーよりひとまわり大きいムースは初めての獲物だった。しばらくは驚いた顔で、その扁平《へんぺい》な角を眺めていたが、思い切ったように大鹿の解体にかかった。ハンターとしての愉悦感に浸りながら、生温かい肉を、腹いっぱい食べられる時だった。だが、二人は一口、ムースの肉を口にしたとたん、顔をしかめて、肉を吐き出した。それは、いままで彼等が体験した動物の何《いず》れとも違った味がした。異臭があるのでも、肉が固いというのでもなく、口に入れたとたん、反射的に吐き出してしまいたくなる、そのような味を持った肉だった。

「これは食べられない」

と二人は顔を見合せて言った。二人は、解体しかけた肉をそのままにして、毛皮だけ剝《は》いで持ち帰ろうとした。

「これはムースという鹿《しか》の一種で、この肉は牛肉より旨《うま》いとされている」

カーターが説明してやったが、二人は納得しない顔をしていた。フランクが、二人の案内で現場へ行き、ムースの肉を犬橇につけて持ち帰った。

「こんな御馳走《ごちそう》にあずかるとは今年は幸先《さいさき》がいい」

とカーターは喜んだ。ムースの肉を焼くにおいが、大地を這《は》い廻った。ネビロが焼肉の小片をセニックとタカブックにすすめると、二人はごく少量だけ口にした。食べ終ってからも、しきりに腹のあたりを押えて、その肉に毒がありはしないかと心配しているようだった。

その夜は一晩中犬が吠《ほ》えた。ムースの肉を焼くにおいが狼《おおかみ》の群れを誘ったようだった。
二、三日すると二人はムースの肉に馴《な》れた。しかし彼等はムースの生肉は食べなかった。ムースの肉は焼かねば食べられないものと思いこんだようであった。とにかく、二人のエスキモーハンターが、生肉を食べずに焼肉を食べたということはフランクにとって驚異に価《あたい》するできごとだった。

三月になって、彼等は移動を開始した。まだ氷が張りつめている川の上を、上流へ上流へと遡行《そこう》して行った。川の氷が溶けて危険になると雪の沢に入った。

アナクトブックはブルックス山脈の分水嶺《ぶんすいれい》を越えた北側にあった。そこまで一五〇マイルの道なき道を一カ月間旅することは決して楽なものではなかった。

カーターは飽くまでも、金鉱は高いところから低い方へ向って探すべきだという姿勢を崩さなかった。いきなり沢や川に入り込んで砂金を探すより、その川の源流に遡《さかのぼ》り、山の頂をさぐれば、必ず金鉱の手掛りが得られるという彼の考え方は、必ずしも、鉱山学的に正しいとは言えなかったが、彼はそのような信念を持って、第二年目も、ブルックス山脈を基点として南の内陸地帯へ向って下ろうと考えていた。

アナクトブックは内陸エスキモーの部落であった。ポイントバローのエスキモーとは、かねてから親交があった。苔《こけ》を積み重ねたイグルーが三十ほど並んでいた。

村中の者が外に出てカーターの一行を迎えた。カーター以外はすべてポイントバローのエスキモーだと分ると、彼等は、相好《そうごう》をくずして、私の家へ来て泊れと言った。それが彼等の挨拶《あいさつ》でありしきたりだった。だが、一行はテントを張った。

アナクトブックのエスキモーは、カリブー猟によって生きていた。この付近がカリブーが通る道になっているので、必要なだけカリブーを獲《と》り、肉は食糧、脂《あぶら》は燃料、皮は衣料としていた。カリブーの他に狼や熊《くま》や狐《きつね》なども獲った。内陸エスキモーの交易品は、狼の皮、ウイローの枝を編んで作った用具などがあり、海岸エスキモーのそれはアザラシの脂、セイウチや鯨の骨で作った用具などだった。近年、海獣が獲れなくなって、海岸エスキモーと内陸エスキモーとの交易はなくなってはいたが、同じエスキモーとしての信頼感に変化はなかった。

ネビロは外交官としての役割を見事に果した。彼女は海岸エスキモーが目下危機に瀕《ひん》していることから話を始め、海岸に住めなくなった彼等はブルックス山脈を越えて移動しようという計画を立てていることを率直に話した。間も無く、ポイントバローから何人かの人が来ることも、それ等の人がこの近くでカリブー猟をすることについての内諾をも得た。

アナクトブックのエスキモーは別に反対はしなかったが、困惑の表情を浮べた。多数の海岸エスキモーがやって来たら、自分たちが逃げ出さねばならないだろうと考えていた。内陸エスキモーは、海岸エスキモーと違って、獲物を追って移動する習性があった。グループで移動することもあるし、家族単位で移動することもあった。同じ場所に必ずしも執着することはなかった。

カーターの一行より十日ほど遅れてポイントバローからの一隊がやって来た。それは女子供を含めて、総勢四十名ほどの集団であり、すべてがフランクの後を追ってポイントバローを捨てて来た人たちだった。フランクの後をついて行けばなんとかなると信じて来た人たちだった。ポイントバローのブロワーからカーター宛《あて》に送られて来た、小麦粉、豆、玉ネギ、乾肉《ほしにく》、石油、弾薬などは予定通り受領できたが、その品物を犬橇に積んで来た二人の若者もまた、フランクと共に南に移動することを乞《こ》うて止《や》まなかった。フランクにはカーターとの約束があった。エスキモーの面倒を見ている余裕はなかった。そのわけは去年ポイントバローを出発するとき、よく言って聞かせたのだが、フランクの迎えを待たずに出掛けて来たのは、それだけ、ポイントバローの食糧状態が逼迫《ひっぱく》したからだった。

フランクは、彼等をしばらく、アナクトブックに定着させることにした。ここで、カリブー狩りをして一年か二年時を過すうちには必ず、落着き先を探し出して迎えに来ると約束した。ジョージ大島のことが頭に浮んだが、ジョージが、信用できる男かどうか、フランクにはまだ自信がなかった。

三日遅れて、ポイントバローから次の団体十名がやって来た。前と同じようにフランクを慕ってやって来た人たちで、その中に、日本人のジェームス・ミナノがいた。

ミナノはゴールドラッシュと共にノームに来た。彼はいち早くそこに見切りをつけて、密猟船に乗って、ポイントバローの南東五〇マイルのアラクタックというエスキモー部落に上陸してエスキモーの婦人クナーナと結婚した。アラクタックの村も飢餓と麻疹《はしか》に同時に襲われた。村は全滅に瀕した。ミナノはクナーナを連れてポイントバローへ逃げた。日本人がいると聞いたからだった。フランクが出発した直後のことである。

「それで、おれの後を追って来たのか」

フランクはミナノの話を聞いて大きく頷《うなず》いた。ミナノは容貌《ようぼう》、身長共にどちらかというと西洋人臭い日本人だった。髪でも赤く染めたら、白人と間違えられそうな顔つきをしていた。

フランクが、おれは日本という国から来たエスキモーだと言うと、ミナノはその形容が面白いと言って、それからは、しきりにその言葉を使った。ミナノは、カーターがびっくりするほど、綺麗《きれい》な文法通りの英語を使ったし、日本語を話す場合も、どこかに教養を感じさせるような男だった。

ミナノもまた過去を話さなかった。砂金取りの七つ道具は持参していたが、一攫千金《いっかくせんきん》を夢見てアラスカへやって来た人間のようにも見えなかった。折目の正しい、謙虚な男だった。カーターはミナノを高く評価した。

「日本人にもいろいろ居るものだ」

とカーターは言った。いろいろの中に、彼の嫌いな小男のジョージ大島が入っていることは間違いなかった。

地の果てのようなところで、日本人どうしがめぐり合ったということは、まことに不思議なことだった。ミナノはフランクより七つ年上だった。

ジェームス・ミナノのことを、エスキモーはジェームスと呼ばずミナノと呼んでいた。そのほうが呼びやすかったからであろう。フランクもまたジェームス・ミナノのことを生涯ミナノと呼んだ。

カーターは出発に当って、ミナノに言った。

「きみがもし、われわれのパーティーに加わりたいならば、三人のうち誰が先に金を発見したとしても、利益はこのカーターが半分取り、他の半分はきみとフランクが話し合いの上で分け合うことにして貰《もら》いたい」

ミナノはそれを承知の上で一行に加わった。カーター、フランク、ネビロ、セニック、タカブック、ミナノ、クナーナの七名は出発の準備に取り掛った。

六月になった。沢には雪がぎっしりつまっているのに、日当りのいいところでは強い芳香を放つエゾルリ草やワスレナグサの花が群がって咲いていた。黄色の花が多く、その群落の中に、濃い青色の花やピンクの花が混っていた。ツンドラは急に緑を増して、そのこまかい葉の一つ一つがしっかりと太陽を摑《つか》んで短い夏の営みにかかったようであった。

カリブーの大群が移動して来たという情報があった日に、カーターの一行はアナクトブックを出発した。

ポイントバローからやって来たエスキモーの多くはカリブー狩りに出掛けていた。後に残された者は、ツンドラ苔を切り取って、彼等の住居を作るのに一所懸命だった。残された人たちは、フランクに早く迎えに来てくれとは言わなかった。彼が必ず迎えに来るものと信じているから、別に念を押す必要はなかったのだ。

海岸エスキモーは白人の影響を受けて、送り迎えをちゃんとやったが、内陸エスキモーは、迎えは派手にするが、去る者は送らないという風習をそのまま残していた。

カーター等の一行はポイントバローからやって来た少数のエスキモーに送られて静かにアナクトブックを去った。その直後にネビロはフランクに妊娠したことを告げた。

10

アナクトブックから南下するのに、三つのルートがある。西のルートは、ジョーン河に沿って下るコース、中央のルートはコユクック河北股《ノースフオーク》を下るコース、そして、東のルートはハモンド河を下るコースであり、三つの河は下流でコユクック河に合流し、やがてはユーコン河に合流するのである。

カーターは東のルートを選んだ。ハモンド河を下って、ワイズマンに至り、ジョージ大島の言ったように、その付近が金鉱の中心地になっているかどうかを彼自身の眼で確かめようと思った。彼はその方針のもとに、ハモンド河流域の山々の頂と支流を根気よく調べながら旅を続けた。

ウイローの背丈が高くなり、背の低いエゾマツが見られるようなところまで下って来たとき、カーターは、人間の足跡を発見した。金槌《かなづち》で欠き取った跡のある岩石があちこちにあった。鉱山師が入りこんでいることは間違いなかった。

「こんなところまで既に人間が入って来ているのか」

カーターは、金槌で欠き取られた傷跡を撫《な》でながら失望の色を濃くした。遅かったのではなかろうか、アラスカ中原の宝物のすべては奪われてしまったのではないかと考えられた。

彼はハモンド河をそのまま下るのをやめて、途中から西にコースを変えて、コユクック河北股に出た。ここには人は入っていないだろうと思ったが、この谷も鉱山師に関する限り人跡未踏ではなかった。

ここで彼等の一行はコブックエスキモー（内陸エスキモーで、コブック河付近にいるエスキモー）の夫婦に会った。

「この付近には、何人かの白人が砂金を探して歩いている」

とエスキモーは言った。

コブックエスキモーはカリブーとムースを追って移動中だった。

「カリブーやムースなら、森林地帯を越え、草原地帯に出たところにたくさん居るだろう、なぜ、もっと南へ下らないのだ」

　とフランクがエスキモー語で訊《き》くと、

「森林地帯はインディアンの縄張りだ。その向うの広い草原もインディアンの狩り場だ。そこで獣を獲《と》ることはできない」

　コブックエスキモーは当り前のことをなぜ訊くのかというふうな顔をしていた。

「すると、インディアンの縄張りへは銃を持って入ってもいけないのか」

　そのフランクの言葉に対してコブックエスキモーは首を振った。

「銃を持って歩くのはかまわない。インディアンだって、われわれの縄張り内を銃を持って通過することがある。また、草原でコケモモを取ったり、森でイチゴを取ったり、川で魚を獲ってもかまわない。しかし、獣を撃ってはならない。獣を狙《ねら》ったら、引金を引く前にこっちが撃たれる」

　コブックエスキモーは、彼の頭に人指し指を宛《あ》てがって言った。ジョージ大島の言ったことはおどかしではなかった。

「白人と一緒ならどうかね、白人の従者としてエスキモーが森の中で銃を使ったらどういうことになるだろうか」

　しかし、フランクの質問がコブックエスキモーにはよく分らないようであった。フランクは、同じことをもっと具体的に訊いた。

「白人とエスキモーが一緒ならば、インディアンは文句を言わないだろう。しかし、白人と少しでも離れていたら、やはり危険だ。インディアンはエスキモーを目の敵にしているから森林の中で銃を使うことはやめたほうがいい」

コブックエスキモーは、森林地帯へ行くのは絶対に止《や》めなさいとフランクに言った。

カーターの一行はそこに佇立《ちょりつ》したまま考えこんだ。南へ下っても思うように猟ができないとなると、ここに止《とど》まるしかない。場合によっては、セニックとタカブックを狩猟のために置いて行かねばならないことになる。

フランクはこのことについてカーターに相談した。

「食糧はまだある。食糧が続くかぎりこのまま旅を続けよう」

カーターはなにか心の中に期するものがあるようだった。

一行は南へ南へと下った。

ウイローの木からエゾマツ更に白樺《しらかば》の林、そして白楊《コットンウッド》の森に出たところで、小さなロッジに行き当った。

中には誰もいなかったが、今そこを出て行ったばかりのような白人の臭《にお》いがあった。食糧や砂金掘りの用具などが雑然と置いてあった。壁にアラスカの地図が張ってあった。ところどころに赤い丸がつけてあった。既に金鉱が発見された場所だった。

「しばらく待って見ますか」

とフランクがカーターに訊くと、彼は、激しく首を横に振って言った。

「金鉱を探しに来たような人間はいっさい信用できない。今、私がたよりにしているのは、君たちだけだ」

そして彼は突然、

「ワイズマンへ行こう、そこで今後の方針を決定する」

と言った。ワイズマンへ行く道は、更に二日ほど歩いたところで偶然出会ったインディアンのハンターが知っていた。インディアンは、カーターがワイズマンと言っただけで、目的を了解して、指で、遠くの山を指した。その山を越せばワイズマンだと教えたのである。道を教えながらもインディアンはセニックとタカブックの方にしきりに眼を配っていた。二人が担《かつ》いでいる銃が気になるようだった。一行が歩き出すと、インディアンは送り狼《おおかみ》のように一行の後をついて来た。しかし途中まで来て、ムースを見掛けるとそれを追って姿を消した。間もなく銃声がした。

「どうやら、コブックエスキモーの言ったことはほんとうらしい。銃を使うのはよくないようだ」

カーターはインディアンとの間にトラブルを引き起すのを避けるために、セニックとタカブックには、ムースを見掛けても発砲してはならないと厳命した。

森が尽きて草原に出ると紅紫色の花を咲かせたヤナギラン（fire weed）の群落があっ

た。フランクはその花を千代の家の庭で見た覚えがあった。柳の葉にそっくりな葉をつけ、小さな蝶《ちょう》のような花を上へ上へと積み重ねるように咲き延ばしていくその花の叢《くさむら》は、姿を隠すのに丁度よかった。千代の祖父鳴斎は、たしかその花を客花《きゃくばな》と呼んでいた。

（こら、客花の中で遊んではならぬ）

千代と恭輔《きょうすけ》が、その花叢《はなむら》の中でかくれんぼうをしていたとき、鳴斎が怒鳴った声がフランクの耳の底にはっきり残っていた。

草原は湿っていた。そこもやはり、ツンドラ地帯であることには変りはなかった。ふわりと軽い弾力性を持ったツンドラ特有の抵抗感が、フランクをアラスカに引戻した。そこには、人が歩く道がちゃんとついていた。草原を越えて、山地へ入ると道は更にはっきりしていた。峠に立つと、足下に町が見えた。カーターは溜息《ためいき》をついた。フランクとミナノは原始の森の中に出現した金鉱町に驚きの声を上げ、そして、他の四人は、生れて始めて見る町と、そこからはっきりと聞えて来る様々な雑音に恐怖の色を浮べた。

ワイズマンは金鉱の基地の町となっていた。その付近には大きな金鉱が五つもあった。金鉱で働く者を対象として出現した町にはあらゆる種類の需要と供給の商売が並び立ち、あらゆる善と悪とが雑居していた。

彼等は町の中には入らず、ワイズマンから一マイルほど北の小川のほとりにテントを張った。

カーターは翌日、フランクを連れて町へ出て、鉱山監督局の出張所に寄り、既に登録された鉱山の位置を、彼の地図に書きこんだ。

「今ごろ来たって、もう遅いよ。このあたりにはもう新しい金鉱はない」

と役人がカーターに言った。

「だが、まだかなり多くの鉱山師が入りこんでいるでしょう」

カーターがやりかえすと、役人は鼻先でせせら笑いながら、

「入りこむのは勝手だ。餓死するのも勝手だ。しかし、アメリカ政府は彼等金亡者《きんもうじや》どもに資金の援助はしませんよ」

役人は、いかなる方法を以《もつ》てしても、援助資金や開発資金を政府から借り出すことはできないと言った。

彼は銀行へ行った。銀行はなんの担保も持たない彼に金を貸そうとは言わなかった。

「あなたが、金鉱を発見して、その登録証明書を持って来た場合、銀行では、その鉱山を一応調査した上で、相談に応じましょう」

銀行員の言葉は型どおりで、同じようなことを、カーターの隣の男にも言っていた。

彼はこの付近の金鉱経営者を渡り歩いた。カーターの名を知っている者がいるにはいたが、金を貸そうと言う者は一人もいなかった。

彼は、自分自身の計画が根底からひっくり返されたように感じた。ブルックス山脈を

越えようとしたときは探検家としての理想があったが、いよいよ、ユーコン河地域に踏みこんでみると、エスキモーを使って、食糧を補給させながら、彼自身は金鉱を探すなどという方法が既に通用しない時代に転じたことをはっきりと知らされた。

「フランク、おれは大きな見当違いをしていたようだ。これ以上、金鉱に望みを掛けようというなら、資金を調達して来なければどうにもならない」

此処《ここ》ではドルがすべてを解決した。ドルを持っておれば、食糧も燃料も入手さえ買えた。

「フランク、残念だが、われわれのパーティーは解散しなければならない。これ以上一緒に行動すれば、全員が餓死することになるだろう。お互いにまず食うことを考えねばならない」

「解散はいつでもできます。しかし、解散したら、再びパーティーを組むことは、非常にむずかしくなります。あなたは、アメリカへ帰って、資金を調達して、再びこのアラスカに来るお考えのようですが、私はそれについてはっきり反対します。私はあなたにいままでどおり食糧を補給する役割を引き受けましょう。今日、町を歩いていたら、レストランでコックを募集していました。私とミナノはそこで働こうと話し合いました。二人で心を合わせて働けば、われわれの家族のほか、あなたの必要な経費ぐらいかせぎ出せます。セニックとタカブックは、どうぞ連れて行って下さい。白人の従者として二人が銃を使うならば、インディアンはそれほどとがめないでしょう。もし銃を使うことが、危険でしたら、彼等に魚捕りをやらせたらいいでしょう。彼等はハンターであると同時に有能な漁夫でもあります」

フランクの言うことに、カーターは一応は耳を傾けたが、すぐその場で、ではそうして貰《もら》おうかとは言わなかった。カーターはパーティーの解散を延期した。もうしばらくは形勢を見ようと言って、ほとんど当てのない金策のために、町へ出掛けて行った。

ミナノとフランクも町に出掛けたが、彼等は有り金を出し合って簡単な大工道具と、釘《くぎ》、鎹《かすがい》などの建築資材を買いこんでテントに戻り、直ちに、ロッジの建設に掛った。図面はミナノが書いた。用材の選定も、切り込みもミナノが指導した。彼はそのようなことにも知識があるようだった。

カーターは、彼等がロッジ建設に取掛ったのを見て、心を変えた。カーターもロッジ建設に協力した。彼は、ロッジが完成し、ネビロとクナーナが新居に移り、フランクとミナノが町のレストランのコックとして職を得たのを見届けて、セニックとタカブックを連れて、再び金鉱探しに出掛けて行った。

既に秋色が濃厚だった。

ネビロとクナーナは冬のための保存食糧のコケモモと薪《まき》取りに精を出していた。フランクとミナノはロッジから、町のレストランまで歩いて通勤した。気の荒い男がやって来て、食べ物に文句ばかりつける大衆食堂だった。ミナノ等が勤め出して一カ月ほど経《た》ったころ、近くの鉱山主がやって来て、なにかおれの口に合うようなものを作れとレストランの主人に言った。

「鉱山主だなんて、でかい面《つら》をしゃあがって、あのフランス人野郎め」

レストランの主人はそう言いながら調理場へ来て、たまたま、そこで玉ネギをきざんでいたミナノに、

「おいジャップ、あのフランス系のアメリカ人野郎にびっくりするように旨《うま》いフランス料理を作ってやれ」

と言った。ミナノもフランクも、コックの下働きだった。彼等にそんな料理ができないことを知っての上でわざとそう言ったのである。レストランの主人はまずい料理を鉱山主に出してやって、場合によっては大喧嘩《おおげんか》でもするつもりのようだった。

ミナノはフランクに手伝わせて料理を作った。まずスープが鉱山主のところへ運ばれた。鉱山主はスープを一さじ口に入れると、妙な顔をした。更に一さじ掬《すく》ってからは休まずに飲んだ。そして、レストランの主人に、このスープを作ったコックを呼べと言った。

「そうら、お出《い》でなすったぜ」

主人は予期したとおりのことが起りつつあるのを楽しむように、ミナノを手招きして

鉱山主のところに連れて行った。

「お前がこれを作ったのか。これこそほんもののフランスのスープの味だ。どこでこの作り方を覚えたのだ」

と鉱山主はミナノに訊いた。

「はい、パリで、……ほんのしばらくそこに居《お》りました」

そう答えたミナノの顔を鉱山主は穴の明くほど見詰めていたが、ミナノが嘘《うそ》を言っていると思ったらしく、突然早口のフランス語で言った。

「なにパリだと、フランスのなんという港で船を降りてパリへ行った」

しかしミナノはいささかも動ずるふうもなく、

「はい、旦那《だんな》様ルアーブルで船を降りて鉄道で参りました。……あとの料理の用意がございますので、ちょっと失礼いたします」

ミナノはちゃんとしたフランス語で答えると、丁寧に頭を下げてその場を下って行った。

鉱山主は夢を見るような眼でミナノを見送った後でレストランの主人に言った。

「どうして、こんなところに、パリのスープの味を出せるコックがいるのだ。おいどこから引張って来たのだ」

レストランの主人は意外な成り行きに呆然《ぼうぜん》としていて、すぐには言葉が出なかった。

「……つまり、つまり、……こう見えても、このレストランはアラスカでは一流ってことでさあ」

主人は大見得を切った。

ミナノの待遇が変った。彼は、三度三度食べに来る鉱山主のために特別料理を作った。ミナノの助手のフランクの待遇もよくなった。レストランでは、二人の日本人の経歴についてはいっさい詮索《せんさく》がましいことはしなかった。それは新天地アラスカにおける作法だった。

カーター等は冬の初めに帰って来た。

「疲労と絶望だけを拾い歩いていたような毎日だった」

カーターは肩を落して言った。彼はまだ、金鉱の手掛りさえ摑《つか》んではいなかった。

「来年があります。来年の夏には、私たちも、お手伝いしますよ」

というフランクのなぐさめの言葉も、むなしく沈んだ。

カーターは数日間休養した後で、セニックとタカブックと犬橇《いぬぞり》を率いて、ワイズマンの町にでかけて行き運送屋を始めた。

アラスカにおいては夏よりも冬の間のほうが交通が便利になった。河川も、沼も湖も凍り、犬橇が自由に使えた。仕事はいくらでもあった。

ワイズマン付近の金鉱は冬になっても活発に仕事を続けていた。人手にたよる単純な採掘法では、競争に負けるので、どの鉱山も機械をフルに使うようになっていた。夏の間にユーコン河から、コユクック河へと船で運ばれて来た石炭は町のはずれに山と積み上げられていた。蒸気機関がたくましい音と煙を吹き上げていた。

吹雪の季節になると、町はずれのロッジからの通勤はむずかしくなったので、ミナノとフランクはレストランに泊り込む日が多くなった。

11

ポイントバローでは真冬の太陽を見ることはできなかったが、此処《ここ》まで来ても、やはり真冬の太陽の恩恵を受けることはできなかった。ここはまだ北極圏内だった。

ネビロとクナーナは薄明の中で働いた。その明るさこそ昼だった。薪割《まきわ》りという、彼女たちにとっては想像もしなかった仕事が、今では日課となり、真暗になると、ロッジの中で、皮のなめしの仕事や、縫い物をした。それまでに獲《と》ったカリブーの皮を縫い合せて、着物や穿《は》き物や外套《アヌラック》や靴まですべて彼女たちの手で作られていた。ロッジの中の暖炉の火は燃え続け、ときどき、薪が音を立てて火の粉を弾《はじ》き出し、カリブーの毛皮をつなぎ合せて作った敷物をこがすことがあった。ネビロとクナーナは、そんなことにも、声を立てて笑った。

犬が激しく吠《ほ》えるので、ネビロが銃を持って外に出たのは吹雪になる前だった。低く垂れこめた空の下に暗い森が続いていた。

ネビロは、その森の中に、青く光る二つの眼を見た。

「クナーナ、狼《おおかみ》だわよ」

ネビロはロッジの中のクナーナに警告を発して置いて、銃を肩に上げた。二つの光る眼は消えた。

「吹雪になるかもしれないわ、できるだけ多くの薪を運び入れて置きましょう」

とネビロは言った。できるだけ多くというのは、ロッジの中に収容できるかぎりという意味であって、ロッジは、二夫婦が生活するのには狭すぎたので、彼等はその空間をたくみに利用していた。暖炉のある壁に直角に、皮製のカーテンを引いて、部屋を二つに区切るようにしていた。いよいよ彼等が寝につくときにはその間仕切りが引かれた。通常は共同の間として使用されていた。

薪を運び込むにしても、そう多くを入れる余地がないので、薪はロッジの外側の壁に持たせかけるように積み上げて置き、必要に応じて、運びこめるようにしてあった。

ネビロは臨月のお腹《なか》を抱えていたが、薪割りもやったり、薪運びもやった。妊娠中だから重い物を運んではならないなどという考え方は彼女には通用しなかった。エスキモーの女は妊娠中に働けば働くほど丈夫な子が生れると信じていた。

ひととおり薪を運び入れたところでひどい吹雪になった。こんなひどい吹雪になると夫たちは帰れないだろうと彼女たちは話し合った。

「犬橇《いぬぞり》があったらねえ」

とクナーナが言った。犬橇だったら、どんな吹雪だって平気だった。犬たちが自分の家を忘れることはなかった。

しかし、その犬橇と曳《ひ》き犬はカーター等と共に働きに出ていた。

犬が又吠えた。今度は前よりも激しい吠え方だった。危険が身に迫ったような吠え方だった。五匹の犬は今年生れたばかりの仔犬《こいぬ》だった。訴えるような吠え方が気になった。

「きっと狼だわ」

とネビロは言った。彼女は、銃を持って、戸を細めに開けて外を見た。青い眼が十ほど光っていた。ネビロは戸を閉めて、クナーナに狼の群れが来たことを告げた。

外で狼の遠吠えがした。いつもならば虚《むな》しく、悲しく余韻を引いて流れて消える狼の遠吠えだったが、傍《そば》で聞くと、身がすくむような威嚇《いかく》に聞えた。

ロッジの外の犬たちは吠えることも忘れ、哀願に似た鳴き声を上げた。

「クナーナ、私が見張っているから、犬を家の中へ入れて頂戴《ちょうだい》」

ネビロが言った。彼女は戸を開けて外へ出ると、森の中の光る眼を狙《ねら》った。まだ射程距離外だった。

クナーナは手早く仔犬を家の中に入れた。ネビロが戸を閉めたのと同時に、数頭の狼が揃《そろ》って吠えた。その遠吠えの合唱は、数回に渡って為《な》された。その呼びかけに間違いなく山中のすべての狼が応《こた》えて来るだろうと思われた。余韻の中に、ネビロは、狼群の宣戦布告を聞いた。狼群が狙っていた犬を隠したという彼女等の不信行為を森の狼族のすべてに通告して、その応援を求めたようであった。

「クナーナ、炉の火を消してはだめよ」

ネビロは、狼の襲撃を予期した。飢えた狼が、歩いている人を襲うことは珍しいことではなかったが、家を襲うことはいままで聞いたことはなかった。襲われないためには狼がもっとも嫌いな火を絶やさないことだった。

ネビロは銃を握りしめ、クナーナは炉に薪をくべた。

狼の遠吠えの合唱は続いた。合唱が盛大になりつつあるのは狼群の数が増したことだった。そして、その声がロッジを包囲しながら近づいて来ることは、彼等が攻撃の姿勢に転じたことを示すものだった。

ネビロは、まず第一に入口を守るべきだと思った。彼女はクナーナと共に運び入れた薪を、戸口に積み上げた。まず戸口を守ってから、ネビロは、南面の壁の上に開けられたたった一つの明り取りの窓に眼をやった。それは、ポイントバローから持って来た、鯨の腸を延ばして乾かした、半透明の皮膜を、ガラスのかわりに張りつけたものだった。

皮膜は光を充分に透すから、外の狼群にはその窓こそ、火を掲げる人間の戦闘旗に見えるだろう。その窓は狼一匹がくぐり抜けられるぐらいの大きさがあった。

「クナーナ、あの窓をなんとかしてふさがないと危ないわ」

ネビロがそう言ったのと、ほとんど同時に狼群はロッジに向って殺到した。戸口に向って、次々と体当りを喰わせて来る狼群の襲撃は、まるで、森の巨人が、戸口に向って岩を摑《つか》んで投げつけているようなすさまじさだった。

ロッジのすべての壁に狼群は体当りを喰わせ、外に積んだ薪をかけ上って、屋根にまで登った狼がいた。しかし、火の映る窓を襲う狼はいなかった。

ネビロは銃をかまえ、クナーナは薪割りを手にして立っていた。狼はやがて戸を破って侵入するだろうと思った。その前になんとかしなければならないけれど、その方法が思いつかなかった。

ネビロは部屋の隅にあった踏み台を明り取りの窓の下に持って行った。窓を銃眼として、狼の襲撃に応じようとした。戸を破られる前にこちらから攻撃に出るべきだという考えからだった。ネビロが銃を持ち、片足を踏み台に掛けた時だった。ロッジの外壁を駈《か》け登る音と同時に、明り取りの窓が破られ、そこから、狼の二本の足が突き出た。

ネビロの銃が火を噴いた。

狼の身体《からだ》がロッジの外に落ちる音がした。急にあたりが静かになった。狼群は一時退却したようだった。

ネビロは銃をクナーナの手に渡すと間も無く生れるだろう赤ちゃんのために、フランクがこしらえた、ベッドを金槌《かなづち》で解体して、その用材を明り窓に打ちつけた。

「これで窓の方の危険は去ったわ」

ネビロはそう言いながら、狼に破られた明り取り窓の隙間《すきま》から外を見た。狼の眼が小屋を取り囲んでいた。その光る眼の数があまりにも多いので、彼女は危うく叫び声を上げるところだった。これだけの狼が、次々と体当りをして来たら、入口の戸は破られるだろうし、明り取りの窓も安全ではないと思った。

ネビロは銃を取って、明り窓の隙間から、光る眼を狙おうとした。光る眼はそこから消え、そのかわり、彼女が恐れていたとおりに、そのロッジのうちもっとも弱点と思われる戸口に向って間断のない攻撃を集中して来た。

威嚇の唸《うな》り声を発しながら全身をぶっつけて来る狼群のすさまじい攻撃に、仔犬共はがたがたと慄《ふる》え続けていた。

狼群は時々攻撃方向を変えた。明り窓の方へ向ったり、戸口の方へ向ったりした。明り窓へ来た時を見て、撃ち取ろうとすると、すぐ戸口の方へ廻った。狼群は中にいる二人を神経戦術によって降伏させようとするかのようだった。

時間があわただしく経過して行くにしたがって、戸が押し曲げられ、やがて、一部に穴が明いたら、そこから狼群は一気に押しこんで来るように思われた。

困ったことに、戸口をふさいでいる薪が残り少なくなった。狼は、ロッジの中で火が燃えているから、まだまだ攻撃を遠慮しているのだった。もし、炉の火が消えたら、それこそ、彼等は嵩《かさ》にかかって攻め寄せて来るだろうし、明るさを失ったら最後、彼女たちは、獣たちと戦うことはできなかった。それに薪が無くなることは、戸の押えがなくなることだった。

「クナーナ、よく燃えている薪を両手に、しっかり持つのよ。私は銃を持って外へ出るわ。銃で狼を追いはらっている間に、あなたは薪をロッジの中へ運びこんでね」

ネビロは、そう言い終ると、弾丸を二個口に銜《くわ》えて戸口に寄って行った。クナーナは、ネビロが狼との決戦を覚悟したことにいささかの反対もしなかった。そうしなければ、朝までには、確実に狼に食べられてしまうだろうと思っていた。

クナーナは、黙って炉の中から、よく燃えている薪を二本取り出して両手に持った。

ネビロは戸の隙間から銃口を出して、威嚇射撃をすると、直《す》ぐ、口にくわえている二つの弾丸のうち一つを銃にこめて、戸を開けて外へ出た。発砲と共に不意に現われた人間を見て、狼群は森の中へ引き下ったが、その眼は、大地に落ちた宝石のように二つずつ揃って輝いていた。

クナーナが、燃える薪を振りかざしながら小屋の外に出た。火を見て狼群が逃げ腰になったところをネビロは、間近にいた一頭を狙って撃った。弾丸に当った狼はよろめきながら森の中に消えた。彼女は口にくわえた弾丸を銃にこめると、自由になった口で、クナーナに向って叫んだ。

「早く、早く薪を……」

クナーナは火のついた薪をそこに置くと薪を両手にいっぱい抱いて小屋へ運んだ。二度、三度、四度目に、薪を運びこんだとき、彼女が小屋の前に置いた薪の火が消えた。火が消えたと同時に、小屋の陰から風が起った。黒い影が跳躍して、ネビロに飛びかかった。ネビロは狼の前足に突き飛ばされて、雪の上に倒れたが、銃はしっかり握っていた。狼が彼女の咽喉《のど》に向って飛び掛って来ると同時に、彼女は引金を引いた。弾丸は、吹雪の夜の中にむなしく飛んだが、狼はその音に驚いて、彼女を捨てて逃げた。

ネビロとクナーナはロッジの中に入って激しい息をついた。

「これだけあれば、朝まで大丈夫……」

ネビロはその薪を見てそう言うと同時に、崩れるようにそこに倒れこんだ。苦痛を噛《か》みしめた顔だった。

「クナーナ……赤ちゃんが、赤ちゃんが生れそうよ」

狼に突き倒された衝撃でネビロの出産は早まったようだった。

ネビロは、苦しみをこらえながら、クナーナに、出産に対しての準備をつぎつぎと言いつけた。その間も銃を手から離さなかった。バケツの中に湯が入れられ炉の傍に置かれるのを見たネビロは、炉の火は私が見るから、もう少し炉の傍に薪を運んでくれと言った。すべての準備は終った。ネビロは銃をクナーナに渡しながら言った。

「自分の子は自分で生みます。あなたはこの銃で狼と戦うのよ。私のことなんか、気にしては駄目、ふりかえってもいけないわ。私と赤ちゃんと、あなたの三人が生きるためには、そうしなければならないのよ」

ネビロは毛皮の敷物の上を炉の傍まで這《は》って行った。

ネビロは呻《うめ》き声どころか、唸り声一つも上げずに、女の子を生んだ。呱々《ここ》の声はロッジの外にまで洩《も》れて、それが狼の食欲《しょくよく》を誘ったようだった。狼群の攻撃は狂的になり、ついに戸に穴を明けた。それまでじっとしていたクナーナは、その穴から銃口を出して、引金を引いた。戸の外にいる狼が倒れた。即死したようだった。狼の攻撃はそれが頂点だった。汐《しお》が引いて行くように静かになり、やがてたった一声、象徴的な狼の遠吠えを最後に狼はロッジから離れて行った。吹雪もいつか止《や》み、きびしい寒さがやって来た。

朝がすぐそこまで来ていた。

「ネビロ、狼は退散したようよ」

クナーナはまだ外を警戒しながら言った。

「ありがとう、クナーナ、こちらもすべてが終ったわ」

ネビロがそう言ったので、クナーナははじめて、ネビロの方をふりかえった。ネビロは生んだ子に産湯《うぶゆ》を使わせて、毛皮に包んで寝かせたところだった。

臍《へそ》の緒を切った鋏《はさみ》がまだそこに置いてあった。クナーナが、それを片づけようとすると、ネビロは、

「赤ちゃんの臍の緒の切り口は薪《まき》の火で焼いて消毒して置いたわ」

と言った。クナーナは、なぜネビロがそんなことを言ったのか分らなかった。きっとネビロは気を張っているのだ。疲労と睡魔に負けないがために、なにか言っていなければならないのだと思った。

「ネビロ、狼はもう居ないわ。またやって来たとしても、私一人で大丈夫だから、ゆっくりと休むのよ」

ネビロはそのとき初めて笑顔を見せた。外が明るくなった。

その朝、フランクとミナノは、

「昨夜、ジャップ・クリークの方から狼《おおかみ》の遠吠《とおぼ》えが聞えた」

という話を人伝《ひとづ》てに耳にしたので、いそいで、ロッジに帰った。

ロッジの中は綺麗《きれい》に取り片づけられ、赤ん坊の傍でネビロが眠っていた。

フランクはその子に、幼くして別れた妹のサダの名をそのままつけた。

ロッジは、早速狼の襲撃に耐えられるように、補強改造されたが、再度狼が来襲する

ことなしに春になった。

一冬、彼等が稼いだ金は、一夏の探検に必要な物資を仕入れるに足りた。

カーターは地図を前に置いて、その夏の計画を明らかにしようとした。

ミナノはカーターが話し出す前に言った。

「私は、この町で引き続いて働きたいと思います。料理人という仕事はもともと好きだし、どうも金鉱探しという仕事は私の性分には合わないように考えられますので、この際、パーティーから抜けさせていただきたいと思います」

カーターもフランクも異存はなかった。もともとミナノは途中から加わったのだし、強いて、金鉱探しに引張りこまねばならない理由もなかった。

「よく分った。ミナノはこの地に止《とど》まることとして、私は、去年の夏に引き続いて、ジョーン河の西を調査して廻るつもりだ。フランクは、私とは逆に、東の、シャンダラー河地域に入り、シャンダラー湖付近を調査してくれ。あの辺にはまだ人が入っていないから、或《ある》いは砂金の袋に行き当るかもしれない」

カーターは地図を指し示しながら言った。自信がありそうな顔ではなくむしろ悲痛な表情をたたえていた。

「情報は、このミナノのロッジへ送ることにしよう。自分自身で情報が運べない場合、つまり、われわれのパーティー以外の人間に情報を託す場合は、暗号を使うことにしよう、例えば私がエルニー湖のほとりですばらしい金鉱を発見した場合は、カーターはエルニー湖で死んだという情報をミナノのロッジへ送る。まあまあの金鉱だったらカーターはエルニー湖のほとりで、大怪我《おおけが》をしたという情報を送る。その情報を得たらすぐ駈けつけてくれ」

カーターはフランクに言った。鉱山師のうようよしているアラスカでは、新しい金山が発見されたらしいという噂《うわさ》が流れたら最後、その付近にどっと人が集まる。下手をすれば、折角発見した金鉱が他人のものになってしまうことさえある。油断も隙もならなかった。

「よく分りました。私が砂金の袋を発見したら、フランクは死んだという情報を送りましょう」

カーターとフランクは固く握手した。カーターはセニックを連れ、フランクはタカブックと、妻と子供を連れて、金鉱探しの旅に出ることになった。犬は二分された。犬の背に、食糧が入った袋が振り分けに背負わされたが、それだけでこの夏を過すわけにはいかなかった。途中で、ワイズマンからの補給を受けるか現地で調達するか、何《いず》れにしても、その困難を承知の上での旅立ちだった。

「一九〇五年、今年こそあなたがたの頭上に栄光が訪れることを私は信じます」

ミナノはそう言って、二つのパーティーを送り出した。

一九〇一年から一九〇二年にかけてアラスカ北斜面地帯《ノーススロープ》を襲った麻疹《はしか》は多くのエスキモーを殺した。

一九〇一年のチャールス・ブロワー氏の日記には、

「女が麻疹（measles）を持ってやって来た。ポイントバローで百二十人が死んだ。コルビーユ河の河口の村では、一村が死に絶え、彼等の持物が散乱していた」

と記録されている。

アラスカのゴールドラッシュについては、種々文献があるが、アラスカに長いこと滞在していたことのある東良《あずま》三氏の著書『アラスカ』（昭和四十八年、山と渓谷社発行）には、もっとも正確に且《か》つ要領よく、この間のことが書かれている。この本によると、一八九七年七月十八日に、シアトルの有力紙ホスト・インテリジェンサーが、

「汽船ポートランド号が一トン半の砂金を積んでアラスカから入港」

という見出しで砂金発見の記事を大々的に報じたことがきっかけとなって、空前絶後のゴールドラッシュが起ったと書かれている。

このゴールドラッシュを起した震源地はアラスカではなく、アラスカの国境に近い、カナダのクロンダイク（現在のドーソンの近く）という荒野であった

が、一度ゴールドラッシュ時代に入ると、現在のジュノーの近くのスカグウェイというところには、たちまち港ができ、そこからチルクート峠（一、三〇〇メートル）を越えて、クロンダイクに歩いて行った黄金亡者《もうじや》の数はおよそ三万五千人、チルクート峠の断崖《だんがい》から墜落した人が約三百人、荷物を背負ったまま墜死した馬が千数百頭あったという。

第二のゴールドラッシュは一八九八年の九月にアラスカ西海岸のノームに起った。一八九九年には五十数隻《せき》の船がピストン輸送で黄金亡者をノームに運び、一九〇〇年夏までには二万余の黄金亡者がこの地に集まった。

そして第三のゴールドラッシュはアラスカ中部、ユーコン河の支流タナナ河流域に展開された。一九〇二年、ペドロというイタリア人移民が砂金鉱床を探りあて、一挙に四万ドルを得たという報が伝わると、黄金亡者は、船に乗ってユーコン河をさかのぼり、（或いはユーコン河を下り）アラスカ中原に入りこみ、湿原ツンドラの中を、眼の色を変えて、砂金を探し廻ったのである。一九〇三年だけで、この地で七百万ドルの砂金が採取されたというのだから単なる夢物語ではなかった。この年、この地域に踏みこんだ者の数は数千人ないし一万人と言われている。一九〇六年にフェアーバンクスという町ができ上ったときの人口は四万人となっていた。

以上は東良三氏著『アラスカ』に書かれてあることであるが、フランク安田とトム・カーターが、ワイズマンに足を踏みこんだ一九〇四年は将《まさ》に、アラスカ中部に黄金の花が咲き始めた年であった。

この地には黄金の山を当てようとする一発屋が、世界中から集まって来ていた。このような状態だから、無頼の徒も多く、暴力沙汰《ざた》は絶え間なく起り、苦労して発見した金鉱が暴力で奪われるような事件は、日常茶飯事であった。奥地で採取した砂金を懐《ふとこ》ろにおさめて、基地の町へ現われたところを町の入口で待ち伏せて射殺し、その砂金を奪うというような兇悪《きょうあく》な犯罪も続出していた。ノームなどでは治安維持のため一時軍隊が出たほどであった。一九〇〇年代初頭数年間はアラスカの歴史始まって以来の混乱の年であった。

トム・カーター（Tom Carter）がフランク安田の案内で、カニング河を遡行《そこう》して、ブルックス山脈を越えた峠は、

カーター峠＝Carter pass

と命名されて地図に載っている。

またジェームス・ミナノが居をかまえていた、ワイズマンより一マイル北の、

ジャップ・クリーク＝Jap creek

も、米国地質調査所発行の二十五万分の一の地図（一九五六年版）に記入されている。ジャップは日本人を軽蔑《けいべつ》した呼称であるが、当時そう呼ばれていたから、その通りの地名となったもので、強いて日本語に訳せば、日本人沢が適当であろう。長さ三マイルほどの狭い沢で、中央に小川があり、コユクック河

中股《ミツドルフオーク》流域の上流の一支流となっている。

ワイズマンは金鉱基地として繁栄した町であったが、現在は幽霊町《ゴーストタウン》と化し、金鉱の留守番として、たった七人の白人の老人が住んでいるに過ぎない。

フランク安田とジョージ大島とのめぐり合いについて、フランク安田の娘ハナさん（一九一四年生）は彼女の母ネビロから聞いた話だと前置きして次のように語った。

「母はジョージを発見したとき、エスキモーが死んでいると思ったそうです。でも彼は母が介抱するとすぐ息を吹き返しました。飢えて倒れたのに、生肉を口に入れてやると吐き出したそうです」

ジョージ大島、ジェームス・ミナノ、フランク安田という三人の日本人が偶然に出会ったことは、やはり、アラスカのゴールドラッシュという異常事態をさし置いては考えられないことであった。

第四章　ユーコンのほとり

1

フランク等の一行はワイズマンから、東へ東へと移動して行った。

この付近はコユクック河に流れこむ諸河川が複雑に入りこんでおり、川がそのまま細長い湖沼《こしょう》となって行く先をさえぎっているので、止《や》むを得ず、川に沿って、かなり上流まで渡渉点を探さねばならなかった。やっとの思いで、一つの河を越え、ほっとすると、そこにはまた別な沼沢地がひかえているというような地形が続いた。

河ばかりではなく、千数百メートルの山が、なだらかな起伏の線によってつながれており、それらの山が霞《かすみ》の中に漂うように果てしもなく続いているのを見ていると、アラスカの恐るべき広さが身にしみて感じられた。

ワイズマンから、五〇マイルほどの間は、沢という沢、川という川、山という山には、人が入りこんだ跡があった。幾人かの砂金探しに会った。一人で歩いている者が多く、時には、二、三人組を作っている者もいた。鹿狩《しか》りに来ている白人やインディアンの姿も見かけた。

彼等の多くは話しかけて来て、どこからどこへ行くのだ、砂金は取れたか取れないかというふうな型どおりの質問をした。フランクは、ワイズマンからやって来た。特にこれといって行く当てはないが、このまま東へ旅してシャンダラー河の流域へ入って見たいと答えた。

彼等は訊《き》くだけで、自らは語ろうとしなかった。共通して、彼等の眼は貪婪《どんらん》に輝き、フランク等が、どこかに砂金の入った革袋でも隠していはしないかというふうな眼で、じろじろ見廻していた。

「砂金探しにしては少々変ったパーティーじゃあないか」

と人相のよくない二人連れの砂金取りの一人が言った。

「ゆっくりと探すには、家族連れのほうがいいと思うがね」

そのフランクの答えに対して、二人連れは顔を見合せて、笑いながら言った。

「そうだ、それがいい、東へ東へと金を探しに行くがいいさ。子供が半ダースも生れたころには、砂金の夢の跡へ出るだろう」

砂金の夢の跡とはカナダのドーソンあたりのことを指していることは明らかだった。一九〇五年の時点では、「ユーコン河流域の砂金はコユクック河より西部にある」と信じられていた。だから、フランクが東の方向、つまり、シャンダラー河の方向へ行くということは、金に背を向けて行くということになるのである。二人の砂金探しが、冷笑したのはこのためだった。

「まあ、行って見るがいいさ、まぐれ当りってこともあるからな」

二人はそう言い残して去った。

フランクは人が入ったことのないような沢を一つ一つ丁寧に調べて行った。沢の中央には清冽《せいれつ》な川が流れており、その上流へ登りつめた山の頂には、必ず、風化した岩や石がくすんだ表情でフランクの金槌《かなづち》の一撃を待っていた。

彼は小川の砂を盆で掬《すく》い、山の頂の石を欠き取って見ながら、当てのない旅を続けていた。

コユクック河の流域を離れると、人に会うことはなくなった。

どうやらシャンダラー河の流域に入ったらしいという感じがあったが、確証はなかった。人の姿は見掛けないが、足跡の古さから想像すると、二、三年前には多くの人がこの地区に入りこんだものと思われた。シャンダラー河流域は、既に鉱山師たちに見放された過去のもののようであった。

だが、フランクは此《こ》の地に執着を持っていた。一昨年の秋、生れてはじめて、金を含んだ石英岩の切断面を見たのも、砂金を自らの手で掬いとったのも、シャンダラー河の東股《イーストフオーク》上流であった。シャンダラー河とのつながりは、彼の頭の中では、彼の掬い取った盆の中のあの一粒の砂金のように輝きを失ってはいなかった。

しばらくは、山から山の旅が続いた。犬に背負わせて来た食糧入りの振り分けの皮袋のふくらみが次第にやせて行って、ついには、その皮袋だけになってしまうと、犬たちも行先に不安を感ずるのか、用もないのにやたらに吠《ほ》えた。

大きな山を三つ越えて、シャンダラー河北股《ノースフオーク》流域に出たときには、彼等の食糧はほとんど底をつきかけていた。

山を下ると眼の前に長さ五マイル、幅一マイル半もある細長い湖があった。

「これはシャンダラー湖に間違いない」

フランクは地図を見てその場所を確認したが、すぐその湖を渡ろうとはしなかった。一行はシャンダラー湖の湖畔に沿って湖尻《こじり》まで南下し、シャンダラー湖から流れ出る川のほとりにテントを張った。

そこで、彼はタカブックやネビロに手伝わせて、細い木の枝を集めさせ、これをウイローの皮を撚《よ》り合せて作った緒《いと》で編んで簀《す》を作り上げた。

簀を立てるのは浅い広い瀬が選ばれた。魚の通路に簀を立て並べ、魚は次第に狭い梁《やな》囲《がこ》いの中に追いこまれて行くように工夫された。

梁囲いが完成するのに十日ほどかかった。その間にも、大小無数の魚がそのあたりを通過して行った。

梁漁は大成功だった。鮭《さけ》や、鱒《ます》などの大魚が続々と梁囲いに追いこまれ、ウイローの枝で作った大笊《おおざる》にすくい上げられた。ネビロは魚を、その場で燻製《くんせい》にしたり、天日で乾かしたりする仕事に専念した。当分の間困らないだけの魚獲を得ると、彼等は持ち切れない分は、袋に入れてエゾマツの枝の上に結びつけて、梁囲いを取払って、再び旅を続けた。シャンダラー北股を北上しながら砂金を探そうというのがフランクの考えだった。

一行がシャンダラー湖の丁度半ばほどまで来たとき、ネビロが、

「この湖を渡りたい」

と突然言い出した。

「そんなことを言ったって、ウミアクはないし、カヤックもない」

とフランクが言うと、ネビロは、

「筏《いかだ》は作れるでしょう」

と言った。木はあったし鋸《のこぎり》も鉈《なた》もあるから筏を作ろうと思えば作れるけれど、なぜそんなことまでして、シャンダラー湖を渡らねばならないのだろうか。フランクは、ネビロの顔を見詰めた。

「このシャンダラー湖を横切って、あそこに見える丸い山へ行きましょう。あの山にはきっと金があるわ」

ネビロは、薄靄《うすもや》がかかっているシャンダラー湖の向うに、椀《わん》を伏せたように見える山を指して言った。そのような景観は、北斜面地帯《ノーススロープ》ではめったに見ることはできなかったが、このあたりでは珍しいことではなかった。

(いったいネビロはどうしたというのだろうか、なぜ突然へんなことを……)

と思った瞬間、フランクは冷水を浴びせられたように感じた。女の身で、しかも子持ちのネビロには、砂金探しの放浪の旅はあまりにも重荷に過ぎるのだ。彼女はそれについて一言も愚痴をこぼさなかった。耐えに耐えて、此処《ここ》までついて来たのだが、彼女はついに精神的にも肉体的にも限界に達したのではなかろうか。梁場で、魚を獲《と》っているとき、彼女は、十日間ほど一睡もせずに魚の処理に当っていた。獲物を取るのは男の役目で、それを処理するのは女の役目であるというエスキモー社会の鉄則を彼女は見事に実行した。

(彼女には休養を与えねばならない。そうしないと彼女は、ほんとうにへんになってしまうかもしれない)

フランクは、その湖のほとりにテントを張って、彼女の身体《からだ》の恢復《かいふく》を待とうと言った。

「フランク、あなたはなにか勘違いしているようですわ、私は疲れてもいませんし、頭がおかしくなったのでもありません、ただ、あの山へいそいで行って見たいのです。あの山を見詰めていると、私の心臓が音を立てて鳴るのがよく分ります。このような経験は過去にたった一度だけありました。……それは、十年ほど前フランクという、日本生れのエスキモーが、氷に封じこめられたベアー号を救うため、暗い、はげしい吹雪の中をひとりでポイントバローまで歩いて来たという話を聞いた時のことです。当時、私はあなたについて、なにも知ってはいませんでした。それなのに、私の胸は鳴ったのです。そして、今、私は金鉱についてはなにも知っていないのに、あの山を見詰めていると、ほらフランク、私の胸に触ってごらんなさい。こんなにはげしく心臓が躍っているでしょう」

ネビロはフランクの手を取って、彼女の心臓に当てた。鼓動はフランクの手の先から彼自身の胸に伝わった。すると、不思議なことに、彼の心臓もまた異常なたかぶりを始めたのである。

「当てがあっての旅ではない。お前が当てがあるというならば、そっちへ行こう。それこそ今のところただ一つの、もっとも当てになる方向かもしれない」

フランクは筏を組んだ。櫂《かい》もこしらえた。わざわざ、そんなことをしないでも、上流に遡《さかのぼ》れば渡河点はあるだろうけれど、ネビロの乗ってみたいという、エゾマツの匂《にお》いのぷんぷんする筏を湖水に浮べると、なにか、太平洋を前に見て、遠いアメリカを考えた子供のころのことが思い浮ぶのである。

幼いサダは筏が気に入ったのか、ネビロの胸の中で声を立てて笑っていた。

イカダが対岸に着くと、草叢《くさむら》から、三人のインディアンが同時に顔を出した。三人とも銃を持っていたが、危害を加える様子はなく、そのあたりに腰をおろして、じっと眺めていたが、フランク等が筏を、対岸の木に繋《つな》ぎ止め、持って来た生の魚肉を食べ始めると、インディアンは、急に顔をしかめて、そそくさとその場を立去った。インディアンがエスキモーを軽蔑《けいべつ》するのは、エスキモーが生肉を食べるという理由からである。フランク等の一行が魚肉を食べるのを見てインディアンが顔をしかめたのは、予期したとおり、彼等が生肉を食べたのを確認したからのようであった。

「ジョージ大島が言っていたように、鉄砲を使わないかぎり彼等との間に悶着《もんちゃく》は起らないだろう」

フランクはタカブックに、インディアン保護地区に近いから銃を使ってはならないと厳重にいましめた。

シャンダラー湖の対岸からよく見えていた丸い山もいざその麓《ふもと》に来て見ると、かなり急峻《きゅうしゅん》な山であり、しかも、エゾマツの密林になっていて、登りようもなかった。やむなく、彼等はシャンダラー河に沿って、その山の麓を迂回《うかい》するように北上して行き、その山の北山麓《さんろく》を流れる川に出会った。

一行はそこでしばらく落ち着き、付近の地勢を調べ、丸い山の頂に登るには、北山麓を流れる川を更に東に遡り、そこから沢沿いに登るより方法がないことを知った。その川に沿って東へ二日間歩いたところで周囲三マイルほどの湖に出た。ここまでは人が入った形跡がなかった。

着いた翌朝、フランクはその湖に流れ込む小川で砂金の選別をしているうちに、数粒の砂金を発見した。久しぶりのことだった。

（あるぞ、この沢の奥にきっと砂金がある）

彼は確信のようなものを持った。はやる気持を押えるために、湖のほとりにキャンプ地を設け、タカブックには、その湖尻の川に梁囲いを設けて魚を獲ることを命じたあとで

「或《ある》いはここで冬を越すことになるかもしれないから、しっかりたのむ」

と言った。

ネビロも、フランクの顔色から、いよいよ重大な場面になったことを知ったようだった。冬を迎えるならば、彼女にはまたその準備があった。彼女は、サダを背に負うて、コケモモや、野イチゴを取りに出掛けた。エスキモーは、コケモモを乾《ほ》しかためたものや、コケモモの脂漬《あぶらづ》けなどを冬の食糧としていた。ネビロもまた、短い夏の間にできるだけ多くの果実を摘み取って、冬に備えようと考えたのである。

沢には、花が咲き乱れているのにコケモモやイチゴは既に赤い実をつけていた。イチゴは日当りのよいところに群落をなしていたがそこに坐《すわ》りこんで欲しいだけ摘み取るわ

けにもいかなかった。ツンドラの上に長いこと坐っていると、身体ごと湿地帯に引きずりこまれてしまうことがあるので、彼女は絶えず足場を変えていた。

ネビロは摘み取ったイチゴを、ウイローの小枝で編んで作った、籠《かご》の中に入れていた。その日はめずらしく暖かい日で、よく熟したイチゴが、たちまち籠の中にいっぱいになった。彼女は、背中のサダに、

「ほうら、こんなにたくさん取れたでしょう、これを小川の水でよく洗って、日向《ひなた》に敷いたなめし革の上で生乾きにしてから、押しかためて、冬の食べ物にするのよ」

と語りかけていた。

サダの顔には、ワイズマンの店でフランクが買って来た蚊《か》除《よ》けの網《ネット》がかぶせてあった。サダは、その網を手で押しのけ、たちまち蚊の群れに襲われて、悲鳴を上げた。そのたびにネビロにたしなめられていた。

ネビロは小川の岸辺に立った。白楊《コットンウッド》の繁《しげ》みの間から洩《も》れた光が水面を照らしていた。

彼女はそこに腰をかがめ、イチゴの入った籠を水の中につけて、丁寧に揺さぶった。イチゴに付着しているよごれはすべてきれいに洗い流され、イチゴは水の中で紅玉のように輝いた。

背中のサダがむずかり出した。彼女はまだ口はきけないけれど、かなりはっきりと意

思表示できるようになっていた。背から降りたいのだなと察したネビロは、サダをおろして、岸辺に坐らせた。サダは水を指して、なにかわけのわからないことを言った。

「お水が飲みたいの、そうなんでしょう……」

ネビロはそう了解して、両手で椀を作って、水の中に入れようとした。かがみこむと、水の底までよく見えた。木の間を洩れる太陽の光が水底をくまなく照らしていた。

「おやなんでしょう」

ネビロは川の底に光るものを見てつぶやいた。一つ、二つ、三つ、四つ、そこには無数に光るものがあった。

「砂金かしら」

とまた彼女はつぶやいた。こんなに簡単に砂金に出会《でくわ》すことなどあり得ないと思うから、別に驚きはしなかったが、そこに光っているものがあるのに、そのまま放って置くこともできなかった。砂金ではないだろうが、光るものがあったとフランクに報告してやろうと考えた。

彼女は手を延ばして、光る砂粒を拾い上げた。拾い上げても拾い上げても、光る砂粒は川の底に光っていた。

「なんでしょうね、これ」

砂金でもないこんなものを、いくら拾ってもきりがない、ばからしいと思ったので、彼女は、そうすることをやめ、拾い取った光る砂を草の葉に包んで、籠の中に入れた。

ネビロはテントに帰るまでには、光る砂のことは忘れていた。イチゴをなめし革の上に乾し並べているとき、草の葉に包んだそれが出て来たが、気がつかなかった。それから、二日経《た》った。

「たしかに、この付近には砂金の袋がある。そして、どこかに金の鉱床があるに違いない」

フランクはその日、新たに手に入れた砂金の粒をネビロに見せて言った。

「それが砂金なの、その光る砂が砂金なの」

ネビロは砂金だと言って見せられたのは、その時がはじめてだった。それまでは、夫やカーターが血まなこになって探している砂金がどんなものであるか知らなかった。彼女はエスキモーにしては積極的な女だったが、男の領分と女の領分とをはっきりわきまえている謙虚な婦人だった。男のやることには口を出さなかった。

「フランク、それが砂金なのほんとうに」

ネビロは念を押した。

「ほんものだよ、砂金だよ、世界中の人が欲しがっている砂金だよ」

それを聞くと、ネビロは黙って立上り、イチゴが乾してあるなめし革のところへ行った。光る砂を包んだ草の葉はすっかり乾き切っていた。手に取ると、かさこそと音がした。彼女はそれを包むように両手に持ってテントに入ると黙ってフランクの手の平に置いた。

「ネビロ、いったいこれをどこで見付けたのだ」

フランクは抑制しきれないほどの声を上げた。

ネビロはイチゴ取りに行って小川で発見したことを話した。

彼はあわてた。砂金取りの競争者がすぐ傍に来ているかの如《ごと》くあわてふためき、ネビロの手を取って、直《す》ぐその場へ案内するように言った。その小川のほとりにたどりつくまでにも、あっちこっち見廻した。誰かに後を跟《つ》けられていはしないかという恐怖だった。

彼はネビロが連れて来た小川の岸辺に立ったとき、そこより二〇メートルほど上流に滝があるのを見た。小さい滝だったが、その外形の規模から言って、もともとはかなりの大滝だったと推察された。

（すると、これこそ、砂金の袋というものかもしれない）

彼は、小川に飛びこんで、盆に砂を掬《すく》い上げて、選別を始めた。一掬いの砂の中から、三グラムから五グラムほどの砂金が取れた。彼は吾《われ》を忘れた。ネビロのことも、カーターのことも忘れ、自分自身さえも砂金の中に見失っていた。

サダが泣き出したので、彼はわれに返った。そして恐ろしいことだと思った。砂金の袋を発見したのだ。何万ドルもの砂金がそこに眠っているのだ。そして、この上流には砂金の鉱床があることは間違いない。

彼は採取した砂金をなめし革の袋に入れて、それを胸の奥深く、しまいこんでから、ネビロに言った。

「この場所のことは誰にも話してはならない。タカブックにも言ってはならない」

彼女は頷《うなず》いた。なぜ夫が、こんなに恐ろしい顔をして、そんなことを言うのだろうかと思った。悪いことをしたような、うしろめたさが彼女の心を暗くした。光る砂の発見によって、夫を駄目にしたのではなかろうか。彼女は悲しい気持で岸辺に立っていた。

2

フランク安田は、昂奮《こうふん》していた。ほとんど眠らなかった。寝たと思うと大きな声で寝言を言ったり、なにかにうなされて突然飛び起きて、銃を執ったりした。

そうなった原因は砂金にあるのだとネビロは思った。砂金が彼の心をむしばんでいるのだと思ったが、その彼に掛けてやるべきなぐさめの言葉を知らなかった。

彼は連日小川に出掛けて行き、砂金選別用の樋《とい》を作り、ねこ流しをやったり、取って来た砂金はテントに持ち帰って砂金入れの革袋に入れた。五日ほど経《た》った。袋はいっぱいになり、小型の漬物石ほどの重さになった。彼の気持はかなり落ち着いた。一時は血走ったような眼であたりを見廻し、風に揺れる木の影にも神経をとがらせていた彼が、その砂金の袋を、テントの近くの木の根本に隠してしまうと、急に安堵《あんど》したような顔になり、ネビロに口をきくようになったし、サダをあやすようにもなった。

六日目になると、彼はテントの近くの窪《くぼ》地に穴を掘りにかかった。彼は人一人がようやく入れるほどの穴を掘ると、その中に、そのあたりの、木の枝や草や、石などを投げこみ、足で充分踏みつけてから、土をかぶせた。大きな土饅頭《どまんじゅう》ができると、その上に十字架を建てた。

「これはおれの墓だ」

フランクは驚いた眼で彼と墓とを交互に見較《みくら》べているネビロに重々しい口調で言った。

「タカブックにおれが死んだことを伝え、ミナノとカーターのところへこの知らせを持って直《す》ぐ走るように言ってくれ」

ネビロは、了解した。その暗号はカーター、フランク、ミナノの三人の間で取り決めたものであった。三人がそのことを英語で話し合っているとき、たまたまネビロもそこにいたので、彼女は、この暗号の重大さをよく知っていた。

「タカブックに嘘《うそ》を言うのは悪いけれど、この際、タカブック自身にも、フランクが死んだと思いこませないと、この仕事は成功しない」

フランクはネビロを説いた。そして、彼女がその役を承知してテントを出るときに、

「タカブックには、フランク、死んだ、シャンダラー湖の三つの英語だけはよく覚えさせてやってくれ」

と念を押した。

ネビロはサダを背負って寂しげな姿で谷を下って行った。タカブックの梁場《やなば》へ来ても、しばらくはその場に佇立《ちょりつ》していた。もしタカブックが彼女の姿を見付けて声を掛けなかったならば、そこにそうして一日でも二日でも立っていたに違いないほど、彼女は嘘をつくことにこだわっていた。

鮭《さけ》の燻製《くんせい》を積み上げて、その傍に坐《すわ》っていたタカブックはネビロの姿を見ると、そのまま駈《か》け出して行ってなにがあったのかと訊《き》いた。彼女の沈み切った姿から凶事を想像した。

「フランクが死んだ」

とネビロは小さい声で言った。その眼には涙を浮べていた。嘘を言っている自分自身を責めている涙だったが、タカブックには、真実の涙に見えた。

「ワイズマンに走って、ミナノとミナノの妻のクナーナに伝えておくれ、そして、カーターさんとセニックを探し出して、フランクはシャンダラー湖のほとりで死んだと言っておくれ」

ネビロは一呼吸《ひといき》に言った。

「死んだのか、フランクが死んだのか、何時《いつ》、何処《どこ》でどうして死んだのだ」

タカブックはせき立てるように言った。

「彼は急病で、二日二晩苦しんで死にました。私は、彼を、テントの近くに穴を掘って葬《ほうむ》った。ここしばらくは、フランクの傍から動くつもりはありません」

と言った。

タカブックは慌《あわ》てた。一冬、女と子供だけでテント生活なんかできるものか、今度こそ狼《おおかみ》に食べられてしまうぞと言ったが、ネビロは首を激しく振り続けるだけだった。

タカブックはネビロの言うことを信じないわけではないが、あまりに突然なことなので、フランクが死んだというあかしを見たかった。

彼はネビロと共に、テントまで引き返した。そこには新しく土を盛り上げた墓があり、その上に、十字架が立っていた。

タカブックは墓の前に坐って水も飲まず、ものも食べずに丸一日泣き続けた。フランクを失った悲しみを声に出してあたり一面にふりまいた。

泣きたいだけ泣いた後、タカブックは、ワイズマンに行きつくだけの食糧を袋に入れて背負い、テントを後にした。ネビロには、直ぐ迎えに来るから、待っていてくれと言い置いた。

タカブックは、筏《いかだ》でシャンダラー湖を横断してからも、もと来た道を忠実に引き返して行った。彼はワイズマンまで直線距離で約五〇マイルの道を、六日間で踏破し、ワイズマンのジャップクリークのミナノの家の戸を叩《たた》いた。

「フランクはシャンダラー湖のほとりで死んだ」

とタカブックは挨拶《あいさつ》のかわりに言った。ミナノはすぐ、例の暗号を思い出したが、タカブックの真剣な顔と、フランクが急病で死に、ネビロが墓を掘って葬ったという話を聞くと、フランクはほんとうに死んだのではないかと思われて来た。

「ネビロは墓を守って、ここしばらくはあそこを動かないと言っています。連れ戻さないと、彼女は狼に喰われてしまいます」

と叫ぶように言うタカブックを見ていると、ミナノには、いよいよフランクの死は現実に思えてならなかった。

「そうだ。ネビロは連れて来なければならない。この小屋を改造して、彼女等親子のためにもう一部屋用意してやろう」

ミナノは心配そうな顔で立っているクナーナに向って言った。

タカブックは、一日だけ、ミナノの小屋で休養してから、カーターとセニックの跡を追って西へ走った。途中で砂金探しの白人に何回か会った。彼は従者のエスキモーと五匹の犬を連れた白人のカーターを知らないかと彼等に訊《たず》ねた。英語が話せない彼は身振り手振りでそれを伝えた。なんのために、カーターを探しているのだと逆に訊かれると、タカブックは、フランク、死んだ、シャンダラー湖の三語の英語をつぶやいた。タカブックの行動に疑いをさしはさむ者はなかった。ワイズマンを出てから七日目にタカブックはカーターと出会った。

カーターは、タカブックが運んで来たフランク、死んだ、シャンダラー湖の三語をフランクが寄こした金鉱発見の暗号だと信じて疑わなかった。ワイズマンに帰ってミナノの口から、更に詳しいことを聞いたが、墓も十字架もおそらく、秘密を守るためのフランクの創意であろうと言った。

「そうであって欲しいと祈りながらも、私は、ネビロ親娘《おやこ》のために一部屋、建て増して待っているつもりです」

とミナノは言った。

カーター、セニック、タカブックの三人はシャンダラー湖に向って急いだ。岸に繋《つな》いであった筏に乗って対岸につき、それからはほとんど駈け足で、フランクの墓へ駈けつけると、テントの中から、フランクとネビロが揃《そろ》って顔を出した。

タカブックはなにがなんだか分らないままに突立っていた。ネビロが、そのタカブックに事情を説明した。すべては砂金発見の秘密を守るためにしたことで、もし、タカブックが、それを知っているらしい素振りを見せたら、血眼で砂金を探し廻っているならず者たちは、われわれパーティーになにをしかけてくるか分らないから、敵を欺《あざむ》く前にまず味方を欺いたのだと話してやったが、タカブックを納得させるにはかなり長い時間を要した。

カーターは自分の眼の前に、砂金のつまった二つの革袋を重い音を立てて置かれたとき、はじめて、フランクの成功を認めた。彼は有難うとも、よくやってくれたとも、嬉《うれ》しいとも言わなかった。フランクが、砂金の宝庫の前でしばらくは放心していたように、彼もまた、やせこけた頬を念入りに両手でこすりながら、なにかわけの分らぬことをつぶやいていた。

その彼は砂金の次に、フランクが書いた砂金鉱区の地図を見せられると、今度はものを言わずに唸《うな》り出した。

フランクはカーター等が到着するまでに、磁石と彼自身の歩測によって、この付近の地形調査をほとんど終っていた。

ネビロの背にいたサダが水を要求したことがきっかけとなって発見された砂金の沢には、

少女の沢＝Little squaw creek

と命名されていた。また、彼等がテントを張っていた湖には「女の湖」(Squaw lake)、「少女の沢」を登りつめた山には「少女の峰」(Little squaw peak)、そして、ネビロが丸い山と呼んだ山には「シャンダラー鉱山」（Chandalar mine）と名付けられていた。squaw はインディアン語で女という意味であり、フランクがワイズマンで一冬コックを勤めているころ、同僚が言うのを聞いて知った言葉である。ワイズマンに入りこんで来た男たちは、インディアン語の単語を使って開拓者ぶっていた。squaw というのもそのころよく使われていた言葉だった。

フランクが彼が発見した場所にエスキモー語ではなくインディアン語の squaw を使用したのは、シャンダラー河地域は歴史的に見ても、現にその近くにインディアン保護地区が存在しているのを見ても、明らかにインディアンの縄張り内であると認めたからであった。将来、インディアンとの摩擦を避けようという心構えもあったし、それ以上に彼自身の謙虚な気持が、彼の娘の名を取ってサダクリークとしたいところを Little squaw creek にしてしまったのである。

「少女の沢」は砂金の宝庫だった。ネビロが発見した砂金の袋と同じようなところが、他に二カ所ほどあった。また、フランクの調査によると、「少女の峰」や「シャンダラー鉱山」には大小五つほどの露頭があり、その何《いず》れにも金を多量に含んだ石英岩系の金の鉱床が認められた。

カーターは二日がかりで、フランクの調査結果を確認した。

「あとは、ワイズマンに帰って、なるべく早く鉱山の権利の登録をすませることだ。まず法律で権利を守るような処置を取ってから、その次に実力でこの鉱区を守らねばならない」

カーターは近い将来に必ず当面する困難に対処すべきあらゆる方法を考えているようだった。彼はクリア・クリークのほとり（現在のフェアーバンクス）で砂金を発見した、フェリックス・ペドロというイタリア人が彼の金鉱の権利を守るために、自らの生命を縮めなければならなかった事実を知っていた。発見しても、それを鉱山として出発させるまでの手段を誤ると、非常に不幸なことになる。ならず者たちに狙《ねら》われて、暗殺されるようなことさえそう珍しくはなかった。

「どうぞ、この砂金をあなたの思うように使って下さい。私とあなたは協力者としての契約を結んでいます。このシャンダラー鉱山が、軌道に乗って動き出し、利益を上げるようになったならば、約束通り、その利益の半分だけ頂きます。それまでは依然として補給の役を引き受けましょう」

フランクは、それまでに得た二袋の砂金をカーターに渡した。

カーターは深く頷《うなず》いた。

「有難う。これだけの砂金があれば、先手を打つことができる。私はこれから、ワイズマンに帰って、すべての手続きをすませて引き返して来るが、その間に、或《あ》いはならず者が入りこんで来るかもしれないが、彼等には決して抵抗しないように」

カーターはセニックを連れて去った。

ワイズマンに帰ったカーターは、即日鉱山監督局の出張所でシャンダラー鉱山の仮登録をした。まず仮登録をしないと、横取りされるからである。仮登録した足で彼は銀行に行き、フランクから渡された砂金と仮登録の写しを見せて、銀行を信用させた。

九月の終りには、役人と銀行家がカーターの案内でシャンダラー鉱山を視察した。シャンダラー鉱山は正式に登録された。カーターは鉱山の発掘権を得た。そして、十月の末までには、シャンダラー鉱山への入り口の沢には、厳重な木戸が設けられ、有刺鉄線が張りめぐらされた。たちまち、要所要所には掘立て小屋ができ、鉱夫として二百人あまりの人が入りこんだ。

カーターは銀行の融資を得て本格的に金鉱開発に取掛ったのである。

シャンダラー鉱山の輝かしい開幕であった。

3

十二月になると太陽はほとんど姿を隠してしまい、薄明が昼の代理を勤めた。連日の酷寒がなにもかも凍結させたが、砂金亡者《もうじゃ》の血迷った熱はいささかも沈降する気配もなく、夢の国シャンダラー河流域へと押し寄せていた。

シャンダラー河流域は一度は見捨てられたところだったが、フランクがシャンダラー鉱山を発見したことにより、ゴールドラッシュは再びこの地に逆戻りしたのである。既に河川は凍り、山々は雪に覆《おお》われていて、手のほどこしようもないのに、彼等は氷を割り、雪をけずって砂金を求め歩いた。凍死して狼《おおかみ》に喰われたという話は毎日のようにあった。

この夏の終りから冬にかけてシャンダラー流域に流れこんだ砂金亡者の数は三千人とも四千人とも言われた。シャンダラー鉱山開発によってワイズマンはからっぽになったと言われるほど、一時的に急激な人口の移動が起った。ゴールドラッシュ時代にのみ起った特異な現象であった。

シャンダラー鉱山には落ちぶれ果てた砂金亡者が職を求めてやって来た。カーターにとって人手には不自由しなくなったが、鉱山の綜合《そうごう》的開発には人力よりも機械力が必要であり、それを完備するには、更に資本を要した。

カーターは、全力を上げて、「少女の沢」付近の砂金の採取に当り、それを元手に、シャンダラー鉱山全体の大掛りな開発に乗り出した。銀行が積極的に協力した。

どうやらシャンダラー鉱山の見とおしがついたのは越えて一九〇六年の一月だった。

「フランク、すべては君のお蔭《かげ》だよ、あとはこの鉱山によって得られる利益を君と私で折半するという事務的な仕事だけが残っている」

カーターは言った。利益を折半すると言っても、それは簡単な仕事ではなかった。カーターはここらあたりでその方法について相談して置いたほうがよさそうだと考えたようだった。彼は更に続けた。

「君がこの鉱山に残って、私と共に働いてくれるということになれば、共同経営者としての考え方をしなければならないし、君がここで一先《ひとま》ず区切りをつけたいというならば、この鉱山の現時点における売買価格を銀行に見積らせて、その半額を君に上げることにしよう。但《ただ》し、今直《す》ぐ耳を揃《そろ》えてその金を出すことは無理だから、利益の上り次第に君にその金を返して行くという方法を取りたい」

どう考えるかねというカーターの問いに対してフランクは、はっきり答えた。

「私はもともと鉱山の経営には不向きですから、その仕事からは手を引きます。そしてポイントバローのエスキモーが安住できる地をこの付近に探してやり、彼等を連れて来たいと思っています。私はそのことのために必要なお金が取り敢《あ》えず欲しいのです。カーターさん私の村造りの気持を理解して下さい」

フランクの答え方にはよどみがなかった。

「新しい村造りと言っても、狩猟を主体とした生活にふさわしい土地は、アラスカ中部にはもう見当らないのではなかろうか、新しい村造りというならば、彼等をこの鉱山に連れて来て働かせるほうがむしろ合理的のように考えられるけれど」

カーターはフランクの顔を窺《うかが》うように見た。フランクを傍に置くためにはそれより他に方法はないと思った。

「現代的な労働条件の下で彼等を働かせることができるまでには長い長い年月がかかります。当面は狩猟民として定着するように考えてやらないと彼等は生きて行くことができません」

フランクはエスキモーをよく知っていた。彼等に無理な仕事をおしつけることはできなかった。

「それはむずかしい。一人や二人ならどうにかなるが、五十人、百人、二百人が移住して来るとなるとたいへんなことになる。たとえ彼等に住む家を与えたとしても、彼等の必要なだけの食糧が立ちどころに得られるかどうか……」

カーターは椅子《いす》から立上って、その辺を歩き出した。急造の家屋だから、床がぎしぎし鳴った。突然、彼は壁に向い合って止った。壁には、地図やら、飾りのポスターなどが雑然と貼《は》ってあった。

「そうだフランク、いい考えがある。このシャンダラー鉱山が発展するにつれて、まず考えられることは道だ。大幹道はユーコン河であり、夏は船、冬は犬橇《いぬぞり》がユーコン河を利用して物資を運んで来る。ところが、ユーコン河からここまでの道がない。ユーコン河のどこかに足溜《あしだま》りを作り、そこからシャンダラー鉱山まで、道を作れば便利だろう。

足溜りとはつまり物資の集積所だ。倉庫、宿舎、交易所、郵便局、当然人間も必要になる。夏は馬、冬は犬橇によってそことシャンダラー鉱山との間を荷物が運搬されることになる」

カーターは机の前に引きかえすと、鉛筆を持って来て、シャンダラー鉱山からユーコン河に達する最短距離の直線を引きそこに丸をつけた。改めて、距離を計ってみると、シャンダラー鉱山からそこまでは、南に向って一〇〇マイル離れていた。

「シャンダラー鉱山が繁栄すれば、必然的にこの村は発展する。いや町は発展するだろう。どうかね、フランク、もし君が望むならば、この地へ、エスキモーを連れて来て定着させたら、運輸の仕事と狩猟とを並立させることだってできるだろうし、なによりもこの地点の魅力は、ユーコン河という魚の宝庫を眼の前にしていることで、第二にはビーバー（海狸）という獣がこの付近には無数にいる。この毛皮は高く売れる。ムースもカリブーも狐《きつね》も熊《くま》も狼もいる。狩猟には不自由しないだろう」

さすがに、カーターは探検家だけあって、動物のことはよく知っていた。

フランクの気持はかなり動いた。運輸の仕事ならばエスキモーにもできるし、その仕事で得た金で生活は成り立つ、その上漁労も狩猟もできるということになれば、なにもいうことがない。

（話がうま過ぎる）

と思ったとたんに彼はインディアンのことが頭の中に浮び上った。その場所は地図の上では、インディアン保護地区から五〇マイルほど離れてはいるが、銃を持っての狩猟となると、インディアンが黙ってはいないだろう。

彼は、インディアンという言葉を思わず洩《も》らした。それは、カーターの考えの総《すべ》てに終止符を打つかのような虚《むな》しい響を持っていた。

「インディアンとはなんとか共存できる道はある筈《はず》だ。他の人にはできないが、フランクならきっとできる」

カーターはもともと冷静な男だったが、ユーコン河畔に、シャンダラー鉱山行きの足溜りの村を作ることについては、常になく昂奮《こうふん》した態度を見せた。彼は繰り返し、その村の必要性を強調し、終《つい》には、至急シャンダラー鉱山の評価を銀行に依頼し、フランクへ渡すべき金を算出して、その中から、新しい村造りに必要な金だけを取り敢えず渡そうとまで言った。

フランクはカーターの考えに従って実行計画を練った。何度練り直しても、インディアンとの問題だけが残った。エスキモーを連れて来るにしても、その前にインディアンの酋長《しゆうちよう》との間にしかるべき話し合いをして置くべきであると考えられた。インディアンに顔が利《き》くという、ジョージ大島に会いたかった。ジョージならば何等かの手を知っているだろう。

フランクは犬橇をワイズマンに走らせて、ジョージ大島の行方を探した。

「フォートユーコンに行って、安酒場を探せばきっと会えるだろう」

そう教えてくれた人がいた。

フォートユーコンはユーコン河の東部のポーキュパイン河との合流点にある町で、ロシヤ時代に開けた町であり、病院、教会、毛皮商社などがあった。ワイズマンからは直線距離で、東へ一五〇マイルほど離れていた。

フランクはワイズマンから南下し、ユーコン河に出てその湖のように川幅の広い氷上を一路東へ犬橇を走らせた。

ジョージ大島はやはり酒場にいた。

「フランク、やったじゃないか、評判は聞いたぜ」

と大島は酔眼朦朧《もうろう》とした顔で言った。見捨てられていたシャンダラー河流域へひとりでやって来て金鉱を発見したフランクの手柄は、われわれ日本人の手柄だというようなことをしゃべるかと思うと、お前はよほどの阿呆《あほう》だ、その鉱区の権利は白人のカーターにすべて奪われて、放り出される運命にあるではないか、おれならば、ありったけの砂金を掘り出して、遠く離れた安全な場所にまず移して置き、後でゆっくりと運び出すのに、欲のない奴《やつ》は困ったものだ、などと言った。

しゃべるのはジョージであり、フランクは、もっぱら聞き手になった。フランクは酒を飲めないので、どうにもならないほど酔っぱらったジョージを介抱して、やっと、彼の住家へつれて行った。ジョージは町のはずれのインディアンの家の一室を借りていた。一室といっても、はっきり部屋が分れているわけではなく、次々と子供たちがもの珍しそうに顔を出してはフランクを指して、なにやら言った。

「お前のことを、また一人、日本からインディアンがやって来たと言っているぜ」

と昼ころまで寝ていたジョージが起き上って言った。

「君に頼みがあって来たのだ」

ジョージが起き上るのを待っていたフランクが話を切り出すと、

「分っている。いよいよおれの出番だというのだろう。約束どおり、きみたちの案内は務めてやろう。しかし、それには条件がある。相手方の酋長を納得させるためには、かなりまとまった土産物が要る。それを出すつもりでないと、この地に、君等の同族をつれて来るわけにはゆかないぞ。いったい、きみが移住させたいと思っている人数は何人だ」

ジョージは、日本語の会話中にもインディアンという言葉もエスキモーという言葉も入れなかった。次の部屋で耳をそばだてて聞いているインディアンを考慮していることは明らかだった。エスキモーやインディアンという語を使わないばかりでなく、ジョージは、おかしくもないところで、わざと大声で笑って見せたりした。

「彼等を連れて来て定着させる予定の場所は決ったのか」

ジョージが重ねて訊《き》くので、フランクは地図を出して、ユーコン河のほとりの一点を指した。

「行って見て決めたのか」

「いや、鉱山からの最短距離というだけの理由で決めたのだ」

「此処《ここ》はすばらしいところだ。ユーコン河を見おろす台地になっていて、付近には森林が多いし、湖沼《こしょう》も多い。獣類の宝庫だ。そしてここを起点とすれば鉱区までほとんど直線的な馬車道を作ることができるだろう」

ジョージは地図の上に指でその路線を引いてから、

「五十家族、二百五十人を標準として考えよう。それだけの人間を移住させたいというならば、近づきの印として新式の猟銃五十丁と弾丸五十箱、ナイフ五十丁に布切れ五十反を用意しなければならない。これが最低量の土産物だ。これだけ耳を揃えて、酋長の前に並べて見せるというならば話に応じてやってもよい」

ジョージは開き直ったような顔をして言った。

「揃えよう、揃えねばならないな」

「カーターがいやだと言ったらどうする」

「彼はそのような人物ではない」

「それほど君が自信があるのなら大丈夫だろう。何時《いつ》連れて来るのだ」

「人数が多いから、集めて連れて来るには、どんなに急いでも、夏になってしまうだろう。話が決れば、君と共にこれから直ぐアナクトブックへ向って出発したいのだが……」

ジョージとフランクはしばらくの間視線を嚙《か》み合せていた。視線と視線がからまり合って、金属性の音でも立てそうだった。長い沈黙の後で、ジョージが笑い出した。笑いながら彼は、ときどき、ばかな奴だ、これほどばかな日本人は見たことはないと言った。ばかな日本人を嘲笑《ちようしよう》していながら、彼自身も、自分の愚かしさに愛想をつかして笑いこけているようであった。

ジョージの笑い方があまりにも激しいので隣室のインディアンが次々と顔を出した。

フランクとジョージは翌日、暗いうちにフォートユーコンを出た。犬橇は快適に走り続けて翌日には、シャンダラー鉱山への足溜りとなる、村の候補地に到着した。

台地と、ユーコンの水面とは三メートルほどの落差があった。台地にはエゾマツや白楊や白樺《しらかば》の森があり、台地を少し離れると池が点在していた。木の太さから見て、この付近の土地は肥えているものと想像された。

「畑だってできるだろう」

とジョージが言った。それはフランクが考えていたことをそのとおり表現したものだった。

「このへんはビーバーが多いところだ。その毛皮はけっこういい値で売れるが、肉はまずい」

　とジョージが言った。カーターもこのあたりにビーバーが多いと言っていたが、フランクにはその実体が想像できなかった。

「ビーバーってなんだね」

　フランクは訊いた。

「さあ、なんて言っていいかな、大きさは狸《たぬき》ほどもある河に棲《す》む動物だ。鋭い歯で、流木を噛み切って、河の中に堤《ダム》を作る仕事をせっせとやっているおかしな奴だ」

「なんのために河の中に堤を作るのだね」

「それはビーバーに訊かないと分らないことだが、おれは、ビーバーの奴め、自ら、河川監督官のつもりになって、水位の調整をやっているのだと見ているのだがね、とにかく、ひょうきんな奴さビーバーは」

　ジョージの説明でフランクは、ビーバーについてのおおよその概念を得た。ジョージがひょうきんな奴だと言ったとき、まだ見たことのないビーバーの滑稽《こっけい》な顔が想像された。

「この地にビーバーと名付けよう」

とフランクが言った。

「ビーバーかなるほど、これはいい、ビーバー、ビーバー……」

ジョージはビーバーの名を歌うように繰り返しながら、

「なにか大きな町にでもなりそうな名前だな、おれは、きのう、きみのやっていることをさんざん笑った。しかし、夢を現実に変え得る人が居ないという実証はない、ひょっとすると、あのおとぼけ野郎のビーバーのように、きみはここに、ビーバー堤《ダム》でなく、フランクダムを築き上げるかもしれないぜ」

ジョージの言うことを聞きながら、フランクは台地に立って、南に眼をやった。前に広々としたユーコン河の氷原をへだてて、エゾマツの森が見えた。そしてその遥《はる》か向うに、なだらかな曲線を持って、つながれた山々がある。南ばかりではなく、どの方向にも、遠くには雪をいただいた山が見えた。盆地に居る感じだった。周囲を山にかこまれた彼の故郷の石巻とは違った風景だが、山と河と森と湖によって形成されているこの広大な地帯が豊饒《ほうじよう》を約束された永遠の村造りにふさわしいところのように思われた。

彼は再び遠くに眼をやった。日はまさに沈もうとしていた。山々の頂の雪は鮮やかな桃色に染め抜かれ、ユーコン河の氷原は黄金色に輝いていた。岸辺に並び立つ背の高いエゾマツの影が平行して延びて行く先に、まぶしいほどの白い肌を夕陽に輝かせている白樺の一叢《ひとむら》があった。

ジョージはその辺を憑《つ》かれたような顔で歩き廻るフランクに、いろいろと口添えをした。移住して来るエスキモーたちには、丸木小屋型式の家に住まわせ、ベッドの上に寝るような習慣をつけてやるべきである。それには、彼等がここへやって来るまでに、少なくとも、三十戸ぐらいのロッジを作って置いて彼等に与え、それと同じような家を、必要に応じて増築してゆけばよい。ジョージはそんなことを話し続けていた。

「ポイントバローと此処では気候が違う。ポイントバローからやって来たエスキモーには、まず家という観念からして変えてやらないと病気になって死んでしまうだろう」

フランクはジョージの言うことを、一つ一つ肝に銘じた。なにをして生きているのか全く得体の知れないジョージ大島も、もとをただすと、ちゃんとした家に生れ、きちんと教育を受けた人のように思われた。言葉のはしばしに現われて来る、その教養に対して思わずフランクが感銘や讃辞《さんじ》らしいことばを洩らすと、ジョージは突然、野人に豹変《ひょうへん》して、ひどくきたない言葉をわざと吐き散らしたりした。

フランクはジョージを連れてシャンダラー鉱山に着くと、すぐカーターに会って、それまでの経過を説明した。

「新式の猟銃五十丁、弾薬五十箱、ナイフ五十丁、布五十反は、あなたがたがエスキモーを連れて来るまでに必ず、用意して置きます」

カーターは笑顔を見せながら言った。シャンダラー鉱山は良い方へ良い方へと向っていた。金銭的なことで心配はなかった。カーターの微笑は経営者としての成功を裏付ける余裕を示すものであった。

「カーターさん、それだけではないですよ、ビーバーに、エスキモーが住むロッジを三十戸と、倉庫一棟、交易所を一つ建てていただきたいのです。これから彼等を迎えに行っても、なにやかやと時間がかかり、一行がビーバーに着くのは夏ごろになるでしょう。それまでに受入れ態勢を作って置いていただきたいのです。それから、お分りのことと思いますが、それらの建物のすべてはフランクの名義にして置くことと、ビーバー付近の土地をフランクの私有地に書き替えること、これ等の手続きもちゃんと終らせて置いていただきたい」

ジョージ大島が言った。フランクの言うべきことをジョージが代弁したような格好になった。フランクはいささかあわてた。彼はそれについて自分の意見をつけ加えようとした。が、カーターは彼が発言する前に答えていた。

「分りました。そのとおりにいたしましょう。それだけのことをしても、私がフランクに負っている債務はまだ消えないのですよ、ジョージさん。おそらく私から、フランクに贈られるお金は尚《なお》十万ドルぐらいはあるでしょうね」

カーターは、ジョージさんとわざと呼んだ。フランクとの間の約束を履行する意志が変らないことを強調しながらも、ジョージに対しては以前にも増して、不信感を露骨に出していた。

「ところでジョージさん、今度のインディアンとの取り引きで、あなたの懐《ふとこ》ろに入る分は、どのくらいですか」

不意を打たれたジョージは、いささかうろたえ、顔色を変えて言った。

「おれはフランクの女房に生命《いのち》を助けて貰《もら》ったお礼をするまでのことだ。利益のために、インディアンとの仲立ちをするのではない」

だが、その言葉には力がこもってはいなかった。

カーターは大声で笑った。そして手をジョージの前に出し、

「では、約束しましょう。ジョージさん、夏が来るまでにはインディアンの酋長へのプレゼントはちゃんと用意して置きます。ビーバーのロッジも、用意して置きましょう。そのかわり、あなたは、インディアンの酋長との交渉は上手にやって下さい。私は、あなたがフランクと同じ日本人であるという理由だけで、無条件にあなたの申し出を聞いて上げたのです。お分りですか」

分りましたとジョージは言ってから、

「あなたのことをフランクは信頼できる白人だと言っています。そのフランクを裏切らない白人であるということをあなたに申し上げる光栄をもうしばらく留保して置きましょう」

ジョージは、カーターの手を力いっぱい握りかえした。髯面《ひげづら》の中のジョージの眼が異様に輝いていた。

4

ゴールドラッシュという異常な時代には、何人かの乞食《こじき》同然の浮浪者が一夜にして百万長者になった。カーターもこの成功者の一人に数えられるべき人物であり、彼の協力者のフランクもまた、砂金発見から数カ月とはたたぬうちに、それまでのように、食うことを考えながらの旅を続けなければならないような生活から解放された。

カーターはフランクが要求するだけの金額はすべて支出した。いささかも、出し渋るようなことはなかった。

フランクはアナクトブックから更には、ポイントバローまで行くつもりだった。必ず迎えに来るとエスキモーに約束したことは守らねばならないと思っていた。

彼が、旅行のための犬橇《いぬぞり》、食糧、燃料、土産物にいたるまで用意した他に、ポイントバローで購入すべき食糧品の代金を持ち、ネビロ、サダ、セニック、タカブック、そしてジョージ大島の五人と共にシャンダラー湖のほとりを出発したのは三月に入ってからである。

一行はシャンダラー河北股《ノースフォーク》を北上し、上流で、西隣のディートリッヒ河に移り、更に西進してハモンド河上流を遡《さかのぼ》り、そこで、コユクック河の北股上流に移動して登りつめ、峠を越え、アナクトブック河の上流の渓谷を西進してアナクトブックに至るおよそ一五〇マイルの行程を選んだ。

ほとんどの旅程は、凍った河川を犬橇で登る旅行だったが、或《あ》る渓谷から隣の渓谷へ移動するときは、犬の背に荷を負わせての山越えであったから、容易ではなかった。道はないし、地図はいい加減なものであった。フランク等が歩いたところもあるし、未知のところもあった。だが、彼等にとって、これに類する旅は馴《な》れていたし、食糧も燃料も充分だったから、いままでのようなせっぱつまった感じではなかった。

一行は四月の半ばにアナクトブックに到着した。多くの人々の歓迎を期待していたが迎えに出て来たものは、アナクトブックに以前から住んでいる少数の人たちと、ポイントバローからやって来た五十人のうち数人のエスキモーだけで、ほとんどの者は此処《ここ》には居なかった。

「みんなカリブーを追って東の方へ行ってしまった」

と老人は言った。

フランクが、必ずお前たちを迎えに来るから待っておれと言って、この地を去ったのは丁度二年前だった。その間にいったいなにが起ったのだろうか。

「理由は分らないが、去年から、カリブーが来なくなった。カリブーは東へ東へと移動して行くから、人間もその後を追って行ってしまったのだ。この村のエスキモーや、ポイントバローのエスキモーばかりではない、アラスカ内陸エスキモーの多くは東へ移動している。特にコブックエスキモーはほとんど旧来の土地を捨てて、東へ移動している」

アナクトブックは、ブルックス山脈の北と南を結ぶ要衝であり、カリブーの通過地点であると同時にエスキモーたちの通過地点でもあった。この地に永く住んでいる老人の言に偽りがあろう筈《はず》がなかった。

「コブックエスキモーが東へ移動を開始したのか」

フランクは内陸エスキモーにも食糧危機が迫りつつあるのを知った。海岸エスキモーにとって、鯨が取れないことが致命的であるように、内陸エスキモーにとってカリブーが取れないことは致命的であった。なぜそのようなことが起きたのだろうか。考えられることは、ゴールドラッシュによって一時的に多くの人間が、アラスカ中原に入りこんで、食用獣としてカリブーに銃を向けたことである。エスキモーやインディアンはカリブーに取って油断のならない人間だったが、その数は少なかった。消耗した獣の数は増殖によって補充できたし、エスキモーやインディアンは仔連《こづ》れのカリブーは撃たないというルールを重んじていたこともあって、カリブーの総数にはほとんど変化がなかった。だが突然、新式猟銃を持ってやって来た多くの白人たちは、見境もなく獣を撃ち倒した。

特に彼等は、やわらかい肉を好むがために、仔鹿《こじか》を狙《ねら》った。カリブーが恐怖を感じて安全地帯へ移動を開始したことは当然あり得ることだ。カリブーは集団で移動する習性があった。五百、千、時には数千という数がまとまって移動する。

コブックエスキモーが移動して来たということは、アラスカ西部山岳地帯のカリブーが東に向って移動を開始したものと思われた。アラスカ中原のゴールドラッシュよりも以前にアラスカ西部のノームに起ったゴールドラッシュがカリブー移動の引金になったのかもしれない。

フランクは去年の冬ワイズマンでコックをしていた折、使用されていた肉の多くはアラスカ牛と称して、カリブーやムースの肉であったことを思い出した。それ等の肉は、インディアンが売りに来る量よりも、組織化された白人ハンター等の手を経て購入されていたものの方が遥《はる》かに多かったことから思い合せて、カリブーの集団移動は、白人ハンターによる濫獲《らんかく》が刺戟《しげき》になっての逃避と考えられた。

(白人は海から鯨を追い、陸からカリブーを追った。この次に追われるものはなんであろうか)

おそらくそれは、僅《わず》かながら存在している原住民であろう。フランクはやり切れない気持になった。

彼はアナクトブックにいるエスキモーの男たちのすべてを集めて、

「私はポイントバローから、この町へやって来た五十人のエスキモーたちの落着き先を探し出したので約束どおり迎えにやって来た。これから私はポイントバローに行って、私と共に新天地へ向う希望者を集めて来るから、あなた方は、手分けをして、離散した五十人を探し出し、出発は今年の夏の終りごろだと伝えて貰《もら》いたい」

彼はそう言うと、探しに行くための代償としての食糧と物資を彼等に分け与えた。

離散した五十人が夏の終りころまでに、この地に集まって来るかどうかは全く分らなかった。だが、アナクトブックの人たちが彼等を探すために、精いっぱいの努力をしてくれることは間違いなかった。

フランク等の一行は、アナクトブックを後にして、北斜面地帯《ノーススロープ》に足を踏み入れた。ジョージ以外の者にとってはなつかしい土地であった。

彼等は、アナクトブック河を下って、コルビーユ河の河口に出、このエスキモー部落でウミアクを借りて、ポイントバローに着いた。六月の初めだった。

ブロワーは、既に入港していた交易船がもたらした新聞によって、カーターの成功を知っていたが、シャンダラー鉱山の発見者がフランク夫婦であるとは知らなかった。どの新聞にもトム・カーターの名があって、フランク安田の名はなかった。

「白人という奴《やつ》は他人の手柄までも盗みたがる、意地きたねえ豚野郎さ」

ジョージ大島はそこにブロワーという白人がいるのもかまわずに毒のある言葉を吐い

た。ブロワーは、そのジョージに一瞥《いちべつ》を与えただけで、なにひとつ言わなかった。

フランク等の成功はポイントバローのエスキモーに大きな動揺を与えた。

「約束どおり、フランクが迎えに来たのだから、そこは間違いなく住みよいところに違いない、大きな鯨が眼の前に、毎日泳いでいるようなところだろう」

エスキモーは噂《うわさ》し合った。そういうところではないことを説明するのには努力が要った。フランクは無理にすすめようとはしなかった。ネビロも、前にポイントバローを出発するときとはかなり違った考え方をしていた。理想と現実の差を彼女は身を以《もっ》て経験していた。誇張はせず、真実を話した。将来には依然として困難が待ち構えていることも話したし、インディアンとの予想されるべきトラブルも話した上で、

「それでも、私たち夫婦と共に、ビーバーへ行きたいという者はついて来てください」

と言った。

村人の意見はほとんど半々に分れた。

ネビロの父アマオーカと兄のタリックとは行く行かないでかなりはげしく言い争ったが、結局タリックはアマオーカの説得に負けてポイントバローに残ることになった。

タリックはフランクのところへやって来て、

「分らずやの父を守らねばならないのも、運命というものかもしれない。妹のことはくれぐれもよろしくたのむ」

と言って、涙を拭《ふ》いた。

ポイントバローのエスキモーは元をただすとすべてが親戚《しんせき》だった。血の濃い薄いはあるけれど、血のつながりのない者はなかった。彼等は言いたい放題のことを言い、怒り、喚《わめ》き、泣き叫び、疲れ果てたあとで、

「お前のしたいようにするがいいさ」

と反対派は折れた。

カレギに祈禱師《トーンラリック》を招いて、シーラの神の託宣を聞いた組もあった。或る組ではフランクに同行することは凶と出、他の組で同じ祈禱師によって行われた神事においては、

「数え切れないほどのセイウチが白い大きな牙《きば》を出して泳いでいる。フランクはウミアクの先頭に銛《もり》を持ってかまえ、その後にはたくましい若者が従っている。鯨祭りでは、腹いっぱい鯨の肉を食べた子供が、歌を歌っている」

と神の託宣を述べた。これは大吉を表わしていた。

五日、十日、二十日と経《た》って行く間に、結論は決っていった。フランク等と同行するものは、若い者が多かった。家族の構成上、やむなく若者たちと同行することになった老人もいたが、多くはこれから一家を構えねばならない人たちであった。セニックとタカブックの許婚《いいなずけ》の娘は、板を張ったロッジで新家庭が持てると聞いて、小躍りして喜んでいた。

フランク等が留守をしていた三年間に良くなったことは一つとしてなかった。海での獲物は相変らず絶望だし、カリブーも去年から不猟続きだった。政府の救援物資によって、かろうじて生きている状態だった。三年間に変ったことは、エスキモーが小麦粉と豆の食べ方を覚えたことぐらいのものだった。玉ネギは依然として彼等にとって、もっとも苦手のものだった。

七月初めにフランク夫婦はポイントバローを出発することになった。彼等の後に続くものは百余名だった。あとに二百数十名が残ったが、そのほとんどは、百余名が移住した後で、ほんとうによいところだったら行きたいという日和見《ひよりみ》的な考えを持っていた。

百余名は、ウミアクを総動員して、何回かに分けて、コルビーユ河の河口に運ばれ、そこから、アナクトブックへは歩くことにした。フランクとネビロは最後のウミアクに乗ってポイントバローを離れることになった。

「君に再び帰って来てくれとは言えなくなった」

ブロワーは言葉短かに言った。もはやいかなることがあっても、フランクはポイントバローに帰ることはあるまいと思った。ブロワーとフランクとは固い握手を交わした。小雪がちらちらと舞っていた。フランクはブロワーに対して、それまでの感謝を一言で言い表わせるような言葉を探したが、適当なものは出て来そうもなかった。何度もつかえたあとで彼は言った。

「元気でさえいたら、また何時《いつ》か必ずお会いすることができるでしょう。永いこと、お世話になりました。ほんとうにありがとうございます」

もっとも平凡なその別れの挨拶《あいさつ》を口にしながら、フランクはチャールス・ブロワーの手を握った。

百余名の一行が総《すべ》てコルビーユ河口に着き、いざ出発という段になって、念のためフランクは、彼等の持物のすべてを点検した。これから苦しい旅が続くのだから、各自の負担はなるべく公平にしようと考えたからであった。

彼等が持って来た食糧は予想外に少なかった。ほとんど持って来ていない者さえ居た。フランクは、移動に際して、彼等が必要とする食糧の大半は、ブロワー商会から購入した。その食糧のうち半分は共同管理とし、後の半分は、出発前に彼等に渡して、彼等自らの才覚によって持って行くように言いつけた。エスキモーは、その食糧をポイントバローに残る身内のものに贈った。先のことはフランクがなんとかしてくれるだろう。自分たちよりも、後に残された者が気の毒だと言って置いて来たのである。

おおざっぱに計算してみると、食糧は、アナクトブックまではあるが、その先が不安だった。カリブーが獲《と》れないとすると、持参食糧以外に頼るものはなかった。

フランクは出発早々に大きな難関に衝突した。

「食糧はカーターに調達させたらよいだろう。使いをやって今のうちに、コユクック河の上流まで運び上げて置いて貰えばいいではないか」

ジョージ大島はことをなげに言った。

食糧を補給する方法が二つある。一つはジョージの言うとおりの方法、もう一つは、ポイントバローからである。フランクは熟考した末前者を選んだ。ポイントバローのブロワーに頼んでも、求めるだけの食糧は得られないだろうと見当をつけたからであった。

彼はセニックとタカブックの二人を呼び、カーターのところへ手紙を持って行き、食糧と共に、コユクック河上流まで迎えに来るように言いつけた。

「この手紙を無事カーターさんのところへ届けて貰わないと、多数のエスキモーが飢えて死ぬことになる。御苦労だが、全力を尽してやって貰いたい」

二人は交互に頷《うなず》いた。使命の重要性は充分心得ているようであった。

5

セニックとタカブックは乾肉《ほしにく》を噛《か》みながら旅を続けた。時には、枯れ草を集めて火を焚《た》き、豆を煮て食べ、小麦粉を水で練り合せ、平手で叩《たた》いてひらたくしたものを焼いて食べた。カーター等と共に行動中に覚えたやり方だった。疲れると、コケモモやイチゴを取って食べた。彼等は、この実を疲労恢復《かいふく》の良薬だと信じこんでいた。

アナクトブックは静まり返っていた。離散した五十名を探しに行った者はまだ一人も帰って来てはいなかった。

二人は、シャンダラー湖に向って、彼等がやって来た道を忠実に引き返して行った。おそらく、後続する者も、その道を歩くだろうと思った。要所にはケルンを積んだ。

幾つかの山と河を越え、シャンダラー北股に踏みこんだとき、二人は思わず叫び声を上げた。これからは河沿いに下りさえすればシャンダラー鉱山に達するのだ。

あと一日でシャンダラー湖のほとりに出られるところまで来たとき、セニックが言った。

「近道をしようではないか、沢伝いに山一つ越えれば、女の湖（Squaw lake）に出られる。今日中にはシャンダラー鉱山に行きつくことができる」

タカブックはその近道を知らなかったが、セニックは知っていた。

二人は細い狭い沢に入り、その山の頂を目ざして登った。途中で小川はなくなり、エゾマツの森に入った。それを抜けると、背丈ほどの榛《はん》の木の群生している藪《やぶ》に入った。セニックが藪をかき分けて外に出たのと銃声が鳴ったのと同時だった。

セニックが倒れた。直《す》ぐ後に続いているタカブックが、倒れたセニックを藪の中へ引き摺《ず》りこもうとしたとき、第二の銃声が起った。タカブックは右腕に弾丸を受けて倒れた。タカブックには、不意撃ちを喰わされた理由が分らなかった。敵が誰だかどこに隠れているかも分らなかった。右腕の激痛と共に、怒りがタカブックの全身を駈《か》けめぐったが、下手に動くと第三弾が間違いなく飛んで来るから、しばらくはこのままじっとして、敵を確かめねばならないと思った。彼は、左手で銃を握りしめて、痛みをこらえていた。

背の高い白人が樹《き》の陰から顔を出した。二人連れだった。二人は、倒れているセニックを見ると大声を上げて踏み止《とど》まった。驚いているふうだった。

二人の会話の中にムースとインディアンという言葉があった。内容ははっきり分らないが、彼等は、

「ムースと間違えてどうやらインディアンを撃ってしまったらしい」

と言っているようにタカブックには思われた。二人は更に近づき、傷ついているタカブックに気がついたが、いたわりの声一つ掛けずに、そのまま森の中に姿を隠してしまった。

セニックは死んでいた。急所を弾丸が射抜いたらしかった。タカブックは、セニックが、胸に抱いているカーター宛《あて》の手紙を探した。手紙は血で染まっていた。タカブックは、その手紙は、自分の生命に換えても、カーターに渡さねばならないと思った。手紙にはポイントバローからやって来る百余名の運命が懸っているのだ。

タカブックは山を登るのを止めた。その先に危険を感じた。彼はもと来た道を引きか

えして、シャンダラー北股の流域をシャンダラー鉱山まで行こうと決心した。右腕の傷は焼けつくように痛んだ。痛みのために、ときどき眼の前が暗くなった。だが彼は歩き続けた。

森を抜け出て、シャンダラー河のほとりに出たとき、彼は続けて三度よろめき、そこに倒れた。起き上る力はもうなかった。

人声がしたので見上げると若いインディアンが二人傍に立っていた。

タカブックは、

「白人《ホワイト》、白人《ホワイト》……」

と彼の傷を指して言った。インディアンはそれで、タカブックが白人に射《う》たれたと了解したようだった。

タカブックは血染めの手紙を出して、

「シャンダラーマイン、チーフ、カーター」

と繰り返した。二人のインディアンは、その言葉を理解した。二人はシャンダラー鉱山へ送られて来る荷物運びを手伝ったことがあった。また鉱山は彼等が獲《と》ったムースの肉を買ってくれる得意先でもあった。親方《チーフ》という言葉も知っていた。彼等は白人たちの周辺で、白人との交易によって細々と生き続けているインディアンだった。

二人のインディアンは、タカブックの傷を手当してから、タカブックを両側から抱きかかえるようにして、シャンダラー鉱山へつれて行った。

日が暮れて、白夜になっていた。鉱山は眠っていたが、門番は、血染めの手紙を見て驚き、寝ているカーターを起した。

タカブックは、自らの傷をカーターに指し示しながら、白人という言葉を繰り返した後で、

「セニック、白人、死んだ」

と言った。カーターは、鉱山事務所で医者の真似《まね》ごとのようなことをしている衛生兵上りの男に、タカブックの弾丸を抜き取ってやるように命ずる一方、インディアン語を解する賄《まかな》い夫を連れて来て、二人のインディアンに事情を聞いた。

「山の方で銃声が二度続けて鳴った。しばらくたって、この男が、山から出て来たと言っています」

賄い夫は答えた。

カーターは、二人のインディアンを案内に立て彼自ら現場へ向った。現場についたときは太陽が高く上っていた。セニックは銃を背負ったまま死んでいた。

セニックと苦労を共にしたカーターにとってセニックはすばらしいハンターであると同時に忠実な従者であった。そのセニックを撃った白人ハンターをカーターは憎悪《ぞうお》した。

シャンダラー鉱山が開発されてから、いろいろの種類の人間が入りこんでいた。多く

はならず者であった。砂金にも望みが持てなくなり、職もない者はハンターとなり、ムースを撃ち獲って、それを鉱山に売り込んで生きていた。そのグループの誰かが、セニックをムースと間違えて撃ったものと思われたが、犯人は不明だった。

カーターは、タカブックを助けた二人のインディアンに充分過ぎるほどの謝礼金を与えたあとで、今後、お前たちが持って来るムースの肉だけを買うことにして、悪い白人たちが持ち込む肉はいっさい買わないことにしたと言明した。

タカブックの傷の経過は順調だった。一時高熱を出したが、彼の若さが熱に勝った。十日目には起きられるようになっていた。

セニックが生命にかえて持って来たフランクの手紙に対してカーターはあらゆる努力を払って応《こた》えようとしていた。食糧輸送隊の準備は着々と進んでいた。

タカブックはまだ完全に治っていない身体《からだ》にもかかわらず、食糧輸送隊の案内役を務めた。輸送隊は二人の白人と十人のインディアンによって編成された。その中にタカブックを助けたインディアンのヴィーカスとシェイカも入っていた。

インディアンはなんのために、これほど多量の食糧をブルックス山脈へ向って運び上げるのか知らなかった。彼等はシャンダラー鉱山のカーターに雇われた労働者としてその仕事に従事したに過ぎなかった。

食糧がコユクック河の源流近くまで運び上げられたころ、フランクが、ジョージ大島の他エスキモー十人ほどを連れて迎えに来たのに出会った。そのころ、アナクトブックには二百人ほどのエスキモーが集まっていた。ほとんど飢餓状態のままで、カーターから送られて来る食糧を待っていた。

ジョージ大島はインディアンに会うと、流暢《りゅうちょう》なインディアン語で話し出した。十人のインディアンの中でシェイカだけがジョージを知っていた。

「われわれが運んで来たこの荷物はエスキモーたちの食糧なのか」

とシェイカが訊《き》くとジョージは、

「そうだ。これは日本という国からやって来たエスキモーたちのために、白人のカーターが贈って寄越した食糧なのだ」

ジョージはすまして答えた。

「なぜ、白人がエスキモーに食糧を贈るのだ」

シェイカは不審を表明した。

「それは、日本からやって来たエスキモーのあの大酋長《だいしゅうちょう》、フランク安田という男がいるからだ。彼は世界中で、もっとも偉大なるエスキモーの指導者である。彼は勇気があり、知識があって礼儀正しい大酋長だ。白人のカーターよりも数段と偉いのだ」

「われらの大酋長アラシュックよりも偉いのか」

「アラシュックはアラスカ第一の大酋長だから、偉さにおいてはフランクと同じぐらいかもしれない」

ジョージは自分の言っていることを自分で認めるように独りで頷《うなず》いていた。

シェイカはジョージが世界一の大酋長だと言っている男の方に眼をやった。フランクは、二人の白人とは英語で、タカブックとはエスキモー語で話していた。話している間に彼の顔が曇り、終《つい》に彼は、眼に涙を浮べた。

「あの大酋長を見るがよい、彼は情け深い人でもある」

ジョージは、なぜフランクが涙を浮べたのか分らないから、情け深い酋長という言い廻しによってその場をひとまずごまかして置いて、更に大酋長の讃辞《さんじ》を続けた。

「見ろあの大酋長は英語とエスキモー語を同時に話すことができる。彼はインディアン語さえも理解できるのだ」

ジョージはフランクのところに行って小声で、あのインディアンにインディアン語で挨拶《あいさつ》してやってくれと言った。フランクはジョージから教わったうろ覚えのインディアン語をこんなところで使うことになるとは思いもよらないことだったが、タカブックの命を救ったのが、シェイカとヴィーカスであることをタカブックから聞いた以上黙っているわけにはいかなかった。

「私はあなた方が私の友人を助けてくださったことに対して心からお礼を申し上げます」

フランクは二人のインディアンに向って言った。

そしてジョージには日本語で言った。

「セニックが鹿《しか》と間違えられて白人に撃たれて死んだ。傍にいたタカブックも肩に大怪《おおけ》我《が》を負った。タカブックを助けたのはこの二人のインディアンだそうだから、君からも、丁寧にお礼を言ってくれ」

ジョージはそれには頷いて置きながら二人のインディアンに向っては別のことを言った。

「いまフランク大酋長が話した言葉は、日本という国の言葉だ。彼は君達の前で四カ国語を話した。これだけではない。彼は世界中の言葉が分る酋長だ。その大酋長がきみたちの大酋長アラシュックのところに土産物をたくさん持って挨拶に伺いたいと言っているから、そのことを伝えて貰《もら》いたい」

シェイカとヴィーカスは、四カ国語を話すエスキモーの大酋長フランク安田にただ驚嘆するばかりだった。彼等は、ジョージの言葉を間違いなく大酋長に伝えると約束して帰って行った。

九月の末であった。アナクトブックでは北極海から吹き上げて来る北風の季節に変りつつあった。乾燥ツンドラ地帯の苔《こけ》は急速に色あせて行き、一度降った雪はもう来年の夏まで溶けることはなかった。

フランクは北風に追い立てられるように、アナクトブックを後にした。二百人という人の重みに押しつぶされそうな責任を感じながらも必ずこの人たちをビーバー村に安住させてやるぞという気概を眉間《みけん》のあたりに深く刻みこんで集団の先に立ったり、後ろに廻ったり、せわしく動き廻っていた。

6

ポイントバローから二年前に先発してアナクトブックに来たがその後カリブーを追って離散した者は、フランクが迎えに来たと聞いて続々と帰って来た。彼等ばかりではなく、そんな旨《うま》い話があるならば是非一緒にという内陸エスキモーが次々と加わって、その数は百人になっていた。そこへポイントバローから百人余の人が加わったのである。年齢層は幅が広く、特に内陸エスキモーは一家を挙げてこの一行に加わる者が多かった。内陸エスキモーは、森林地帯に住むインディアンとのささやかな交易を通じて、森林地帯を越えて平原に出ると、そこには豊かな猟場があり、カリブーや狼《おおかみ》や狐《きつね》の他にブルックス山脈付近では見ることのできない数多くの獣が住んでいることを知っていた。内陸エスキモーは海岸エスキモーに行く先についての情報をいろいろと教えた。その中で海岸エスキモーにとって最大の関心事は、

（そこには一年中太陽がある）

ということだった。太陽の姿を二カ月間も全く見ないような冬の生活をしないでいいということは海岸エスキモーにとって、全く夢のようなことだった。

フランクはカーターから送られて来た食糧の量を調べ、毎日必要なだけ配給することにした。彼等にそれを分ち与えて、彼等自らの手で運ぶことにすれば、立ちどころに食べ尽されてしまうことを知っていたからである。食糧の配給のような雑事はまことに面倒なことであり、配給のたびに量が少ないと文句を言われることもまた気にさわることであった。

その役は、ジョージ大島が引き受けた。彼は滑稽《こっけい》な身振りで、片言のエスキモー語を使いながら、配給係りを上手にやった。ジョージは、子供たちに人気があり、彼の周囲には常に子供たちがいた。

移動集団が草地から喬木《きょうぼく》地帯に入り、そして灌木《かんぼく》地帯に入りこむと、あちこちで異様な臭《にお》いがすると言い出し、前進を躊躇《ちゅうちょ》する者が出た。谷に沿って吹き上げる上昇気流に運ばれて来るあらゆる樹木の臭いが彼等には悪臭として感じられたのである。

海岸エスキモーにとって樹木は不思議なものに見えた。ウイローの枝でさえ、交易品の笊《ざる》として知っているにすぎなかった。ところが現実にそのウイローの木があり、中には、まだ葉をつけたものがあった。その黄葉の一葉一葉が海岸エスキモーにとっては森林に棲《す》む魔物の仕業に思われた。

「木の臭いはなんの毒にもならない」

とフランクがいくら説明しても、彼等が体感としてとらえた危険への足踏みを止めさせるわけにはいかなかった。動きは遅くなり、倦怠感《けんたいかん》と前途への不安が集団全体を覆《おお》った。

エゾマツ地帯に入ると集団は毒ガスでもくらったようにばたばたと倒れこんだ。老人も大人も子供も頭をかかえて、苦しそうな呼吸遣《いきづか》いをした。海岸エスキモーに比較すると内陸エスキモーはそれほど大きな影響は受けなかった。少々頭が痛いという程度の者が多く、むしろ海岸エスキモーが苦しんでいる様子を不思議そうに眺めていた。

集団はその場に三日間停留した。子供たちから先に恢復《かいふく》した。老齢者ほど症状は重く、四日目になって出発と決っても、浮腫《むく》んだ顔をして、頭をかかえこみ、たのむからもうしばらく休ませてくれと言った。

集団は物憂《ものう》げに歩き出した。白樺《しらかば》の森に入ると、彼等は立止って、物珍しそうにその白い樹《き》の肌を撫《な》で、エゾマツのいただきに止るミーグル（山かもめ）を見つけると、飛立つまではそこを動かなかった。

集団はシャンダラー鉱山の近くで大休止した。テントが張られた。ポイントバローを出たのは、夏の始めだったのに、もはや初冬になっていた。

「ポイントバローより寒いではないか」

と彼等は話し合った。ポイントバローより寒いのに、なぜ、木がこんなに多いのだろう。それはおそらく、真冬になっても、太陽が大地の下へ姿を隠さないからであろうなどと、勝手なことを話し合っていた。

大休止の間に、フランクはビーバーまでの最後の旅程を効果的にするための犬橇《いぬぞり》の調達、食糧の補給、そして、インディアンの酋長《しゆうちよう》に対する贈り物の用意などをしなければならなかった。

「インディアンの酋長と渡りをつけたいなら、間に立つ人はいくらでもいる。この鉱山で使っているインディアンでもいいし、インディアン通の白人もいる。彼等を通して交渉すればよいだろう。ジョージ大島のような得体の知れぬ人間を使うのはよしたほうがいいだろう」

カーターはフランクに忠告した。だがフランクは、その話を拒否した。

「私はジョージにインディアンの酋長との交渉のすべてを任せてある。いまさら、他の人に依頼するつもりはありません」

フランクはジョージ大島を信じた。彼ならば必ずやってくれるだろうと思った。取り得のないように見える男だが、ジョージの芯《しん》には鋼《はがね》の線のようなものが一本通っていた。彼の白人に対する徹底した不信感もその一つであったが、それだけではなく、彼の小さい身体《からだ》の何処《どこ》かに潜んでいる不貞腐《ふてくさ》れた度胸のようなものが、フランクにはこの上なくたのもしく見えた。日本人の眼による日本人観であった。

「君が、それほどジョージを支持するならば、彼にまかせて見るがいい、しかし、途中で、これはいけないと思ったら、すぐ私のところへ来てくれ、二段、三段の用意をして置くから」

カーターはそう言ったあとで、約束どおりの品々を犬橇ごと、フランクのキャンプに届けてくれた。

ジョージはテントの中で針仕事に余念がなかった。彼は見掛けによらぬ器用な男で、鋏《はさみ》を上手に使って、布を裁断し、針と糸を使って帽子の縫い上げに取り掛っていた。それは、日本の冑《かぶと》に似た形の帽子だった。赤や緑や黄色などの原色の布をカリブーの皮に縫いつけ、冑の鍬形《くわがた》に相当するものは鯨の髭《ひげ》を用い、冑の吹返しにはアザラシの皮を使った。そして、彼が最も工夫をこらしたのは、冑鉢の頂におっ立てたセイウチの牙《きば》一本であった。セイウチの牙の根本に穴をあけて、糸で冑鉢に取りつけたものだった。細工の跡には布切れを縫いつけて隠した。

最後に、アザラシの皮をさいて作った長い撚紐《よりひも》が冑のむすび紐として取りつけられた。

彼はポイントバローにいたころ、この奇妙な帽子の材料を集めて来たのである。

「なんだね、それは」

と訊《き》くフランクにジョージは、

「見たとおりの冑さ、大酋長が頭に戴《いただ》く冑なんだ」

と笑い飛ばしてから、フランクに、インディアンの大酋長アラシュックとの会見に当って、心得ておくべきことと、必要な言葉を教えた。

「アラシュックとの会見までには、まだまだ覚えて貰《もら》わねばならない言葉がある」

そんなことを言った後で彼は古新聞紙を折って、紙の冑を一つ作った。日本の子供たちが、戦争ごっこをするときにかぶるあの紙の冑であった。

その翌日、ジョージはインディアンの酋長との面会の場所と日時を決めるために犬橇に乗って出掛けていったが、五日後に帰って来て、

「酋長はいま機嫌が悪いからあと十日待て」

と言った。そして十日後に出掛けて行って、三日経《た》って帰って来ると、今直《す》ぐ全員を率いて出発しなければならないと言った。

十一月に入ると日は短くなり、長い夜が続く。ジョージが今直ぐと言った時は暮れたばかりであった。

フランクが朝まで待とうと言っても、聞かなかった。今直ぐ出掛けないと、約束の時刻に間に合わぬ、もし約束を違《たが》えたとなると、インディアン等は、こちらの条件を聞かないどころか、場合によっては武力で追出しにかかるかもしれないと言った。

ジョージはそれまでになく緊張した顔だった。

フランクは出発することに決めた。眠ったばかりの者は起され、テントを畳み、荷物は或《ある》いは背負い、或いは犬橇につけられた。エスキモーはフランクの命令に文句を言うものは一人も居なかった。食糧の配給ごとに量が少ないと文句を言う彼等も、行動についてのフランクの命令はよく聞いた。そうするのが当然だと思っているようだった。提灯《ランターン》が縦横に飛び交い、やがて月が出ると提灯の火は消され、二百人の集団は静かにキャンプ地を後にした。途中まで犬橇で送って来たカーターが、

「いいかね、もし失敗したら、直ぐ引返してくるのだよ」

と何度かフランクに念を押した。

集団は凍結したシャンダラー湖に出て、シャンダラー北股の氷上を南下して行った。荷物が多いし人も多いので、犬橇で走るようには行かなかった。彼等は縦隊となって、ジョージの後を黙々とついて行った。フランクは後尾を守った。夜通し歩いて朝になったが、ジョージは食事を摂《と》るだけの休養しか与えずに又歩き出した。日が南東の空に上り、数時間後には南西の空に没した。第二の夜が来たが、ジョージは前進を続けた。その夜も月が出ていた。集団はシャンダラー河本流の氷上を東へ東へと歩いていた。

人影が河畔に出没した。一人や二人ではなく、かなりの人数が、集団を取囲んでいるようだった。月影に蠢《うごめ》く人影は銃を持っていた。インディアンであることは間違いなか

った。

フランクはいかなることがあっても、命令のないかぎり発砲してはならないと全員に伝えた。

月光の中に動く人影に対して、

「お迎えだ、気にすることはない」

と言っているジョージの顔もきびしく引き締っていた。集団はインディアン保護地区の南端に接近して行った。

長い夜が明けて朝になった。日が南東の空に上った時、河の向うから一群の人が姿を現わした。

ジョージはフランクにインディアンの酋長とその一行が来たことを告げ、これからいっさいの儀式が済むまでは、すべてジョージの言うとおりにするように注意した。ジョージは集団をそこに止めて、一台の犬橇にフランクを乗せ、その後ろに五台の犬橇を一列に並べ、それぞれに贈り物の銃、弾薬、ナイフ、布を載せた。用意が終ると、彼の手縫いの冑形の帽子をフランクの頭にかぶせ、彼自らは古新聞紙を折って作った冑をアヌラックのフードの上にかぶり、木の枝につけた日章旗を持ち、エスキモー犬の背にまたがって先頭に立った。

ジョージは日本人としても小柄な痩《や》せ男だった。それでもエスキモー犬にまたがると、足が雪の上についた。彼が足を縮めると、どうやら犬の背に乗ったような形にはなるが、彼の体重がそっくり犬の背にかかるので、犬の方がつぶれそうになった。結局彼は犬の背にまたがったまま、爪先《つまさき》立ちで歩くような格好をしながらも、胸を張り、いやに取りすました顔で、インディアンの方へ進んで行った。

日の丸は氷上を渡る寒風に翩翻《へんぽん》とひるがえり、その旗を持つジョージの顔は氷上を這《は》うようにさしかけて来る朝日に照らされて童児のように輝いていた。

彼の格好は誰が見ても滑稽だった。それなのに、誰も笑わなかった。高坏《たかつき》を逆さにして、その周囲を鳥の羽根で飾り立てたような帽子をかぶり、動物を象徴化した模様のある、長い房をやたらとぶら下げたガウンを纏《まと》った、背の高い酋長を先頭としたインディアンの一行は、氷上に停止したままでジョージの近づくのを待った。

ジョージは酋長アラシュックの前で犬の背から降りると、右手に日の丸を高く掲げ、左手に紙の冑を高くさし上げて、インディアン語でしゃべり出した。

「世界第一のアラシュック大酋長に、日本という国からやって来たエスキモーの大酋長フランク安田の旗手ジョージ大島が旗と冑にかけて、御挨拶《ごあいさつ》を申し上げる。

フランク安田は二百名のエスキモーを連れて、山を越え、河を越え、また山を越え河を越えて、遠い遠いところから、このシャンダラー河の南に、ほどよき土地と、獣を求めてやって来た。世界第一のインディアンの大酋長アラシュックよ、その心が広くて絶大な力を持っている大酋長アラシュックよ、あの疲れ果てた哀れなるエスキモーを見てやってくれ。そして、彼等の希望をかなえてやって貰いたい。大酋長フランク安田は、大酋長アラシュックのために、最新式の猟銃五丁入りの包みを十箱と、弾薬五箱入りの包みを十箱と、ナイフ五丁入りの包みを十包みと、美しい布五巻入りの包み十箱とを、遠い国から献上品として持って来た。どうかこれを改めて受取り、そして、彼等の願いを聞き届けてやっていただきたい。私は世界第一のインディアンの大酋長アラシュックにこのことを心の底からお願い申し上げる」

ジョージはこの挨拶をいささかのよどみもなく滔々《とうとう》と述べた。

アラシュックは黙っていた。一度では了解できないらしかった。特に土産物の内容の数については、既にジョージから打ち合せがしてあるのにもかかわらず、すぐには納得できないようであった。ジョージは同じことを、三度言った。アラシュックの顔色が動いた。彼は颯爽《さつそう》と右手を高く上げた。

ジョージは、いそいでフランクのところへ行き、彼を犬橇からおろして、アラシュックの前に連れて行った。

アラシュックはフランクに向って、性急な、そして、ひどく甲高い声で挨拶をした。

「エスキモーの大酋長フランク安田に知って置いて貰いたいことがある。おれは世界一の大酋長アラシュックである。おれは、この拳骨《げんこつ》で熊《くま》を打ち倒したことがある。アラスカーの狼《おおかみ》の口を引き裂いてやったこともある。おれがインディアンに命令すれば、ユーコン河でさえも、その流れを変えさせることができるのだ。おれは多くの強い家来を持っているし、置きどころがないほどの宝も持っている。アラスカ中の鳥も獣もこのアラシュックの言うことをなんでも聞くのだ」

アラシュックの挨拶が終ると、フランク安田はゆっくりと、しゃべり出した。前以《まえもつ》てジョージから教わっているからおおよそ言うべきことは決っていた。

「さすが、世界第一のアラシュック大酋長だけあってたいしたものだ。驚きました。……」

そこまではジョージに教えられたとおり、インディアン語で言ってから、後は日本語でしゃべった。なんでもいいから大きな声で言えと教えられていたからフランクは、力限りの声で、

「あなたの頭にかぶっている木製の帽子に朝日が当ってまことに美しい。その奇妙な形の鳥の形の縫い取りがしてある酋長の衣には、時代の匂《にお》いを感ずる。そして、あなたの穿《は》いているカリブーの靴はまことによくできているようだ。おそらく三重か四重に皮を重ね合せて縫ったものであろう。あなたのあとに従う家来たちはみんな立派な顔立ちをしている。中にはエスキモーに似た人もいるし、日本人に似た者もいる。おそらく、エスキモーもインディアンも日本人も遠い昔においては先祖を同じくしたのであろう」

そこまで言ってから、その後をインディアン語で、

「まことに勇敢であって、情け深い、世界第一のアラシュック大酋長にお目にかかったことを最上の光栄といたします」

と結んだ。

アラシュックは、フランクのしゃべった言葉の前後だけで満足し、再び長い長い挨拶をやった。自己を極度に誇張した自慢話だった。それに対して、フランクはまた、前後をインディアン語で括弧したような日本語の挨拶を返した。

この奇妙な挨拶のやり取りは、二時間に渡って根気よく続けられ、やがてアラシュックは、フランクが持って来た土産物を点検すると言い出した。

まず数が数えられた。最新式の猟銃が五丁入った包みが十箱という表現は、五十丁という数を分解したに過ぎなかった。一つ二つと五十まで数えることの苦手な彼等に数を理解させる手段にこのような方法が用いられた。インディアンと白人との取り引きには、例えば狐《きつね》の皮が千枚欲しいという場合を例に取ると、

（十枚の毛皮を一束にしたものを十束ずつ箱に入れ、十箱持って来てくれ）

というような表現を使った。十が数えられない者は五が単位になった。彼等は数については苦手だったが表現は豊かだったから、束、個、包、箱、台、などと数をまとめる枠《わく》を設けさえしたら、数の処理を誤ることはなかった。同様なことがエスキモーにも言

えた。

アラシュックは数を数えることが終ると、五十丁の銃を一丁ずつ試射した。インディアンの中から射手が選ばれ、岸辺に、ムースの皮が、的がわりに置かれた。一発発射するごとに、誰かが走って行って命中か否《いな》かを酋長に報告した。

五十丁の猟銃はすべて検査に合格した。五十丁のナイフも、五十反の布も、彼等を満足させたし、弾丸五十箱にも文句はなかった。

アラシュック大酋長はたいへん満足したようであったが、それでは、この贈り物をそっくり貰おうとはなかなか言わずに、フランクのかぶっている冑形の帽子を羨望《せんぼう》をこめた眼で眺めながらなにか考えていた。

「その帽子をやって下さい。それですべてが丸くおさまるでしょう」

ジョージがフランクに耳打ちした。

フランクはその帽子を取って、うやうやしくアラシュックの前に捧《ささ》げた。

アラシュックが始めて笑顔を見せた。彼はそれまで、自分がかぶっていた帽子を家来に持たせ、フランクが捧げたその奇妙な冑形の帽子をかぶると、

「エスキモーの大酋長フランク安田よ、世界一の大酋長アラシュックの名に於《おい》て、汝等《なんじら》が、シャンダラー河本流を北に越えて猟をしないかぎり、汝等をとがめることはないことを、ここに言明する」

とおごそかな顔で言った。

フランクはその言葉がどうやら理解できた。

「私は心から偉大なるアラシュック大酋長にお礼を申し上げます」

と言いながら、彼は、この重大なる会見が成功したのはジョージ大島のおかげだと心の中で感謝していた。

ジョージはフランクの後についてお礼を言いながら彼がかぶっている紙の帽子を脱いで、これはいかがでしょうかと笑いながら差し出すと、大酋長アラシュックは、それは要らないと首を振った。見ていたエスキモーもインディアンもどっと笑った。アラシュックもフランクも声を上げて笑った。

日は南西の山の彼方《かなた》に沈もうとしていた。氷上に沿って寒風が雪煙を上げた。

インディアンは彼等の橇《そり》に、贈り物を積み替えると、一つの橇に数人ずつ付き添って、牽《ひ》き綱を肩に、掛け声を合わせて、氷原の向うに消えて行った。フランクには遠く消えて行く彼等の掛け声が子供のころ、浜で聞いたことのある地曳《じび》き網の掛け声に聞えた。

突然、彼の心の底から湧《わ》き上って来た郷愁の火は、彼をして、ごく僅《わず》かの間だけ放心の姿に置いた。

その時彼は日本を見詰めていた。

7

そこからは、ビーバーに向って真直《まつす》ぐに南下すればよかった。約五〇マイルの旅程だった。ほとんど起伏のゆるやかな平原であり、森と湖沼《こしよう》と草地によって形成されていた。湖沼は凍り、草地は雪に覆《おお》われ、森林の闊葉樹《かつようじゆ》はすべて葉を落していた。

エゾマツに覆われた丘は錆色《さびいろ》に見えたが、その林の中に入りこむと、威厳を以《もつ》てかぶさりかかって来る枝にぎっしり生え揃《そろ》っている濃緑の針の葉が、エスキモーの通行を揶《や》揄《ゆ》するがごとくに、彼等の顔や、払い除《の》けようとする手を刺した。

彼等はエゾマツの林に入ると、身をできるだけ縮めて、このおそるべき臭《にお》いと針を持った密林の支配者に敬意を表そうとした。

エスキモーはエゾマツの臭いにはもう馴《な》れていたが、どこまでも続く森の奥行きに不安を示した。集団は、ひとかたまりになって歩いて行った。休むたびに火が焚《た》かれた。寝るときも枯木を集めて来て火を焚きその周囲で寝た。

彼等にとっては、火とこれだけ密接した生活は経験したことはなかった。彼等にとっての火は、暖房用兼湯沸かし用のアザラシの脂《あぶら》を石皿で燃やすのが唯一《ゆいいつ》のものであった。それは静かに燃える黄色い焔《ほのお》だったが、森の中の焚火は真紅の焔を上げる火事であった。

インディアンの酋長《しゅうちょう》と別れてから二日目の夜、彼等は久しぶりに狼《おおかみ》の吠《ほ》える声を聞いた。移動中何度か聞いたけれど、間近で聞いたのはその夜が初めてだった。

翌朝、タカブックが先頭になって、三人のエスキモーが銃を持って狼を撃ちに行った。そして、その日の昼ごろ、よく肥《ふと》った大きな狼を撃ち獲《と》って集団に追いついた。

三人のハンターはアラスカ中原に出て、初めて銃を使うことができたので昂奮《こうふん》していた。三人を迎えた人たちも声を上げて彼等の手柄を賞讃《しょうさん》した。女たちは早速、狼の皮剝《かわは》ぎと料理に取り掛った。ポイントバローを出発して以来、はじめて聞く笑い声と嬌声《きょうせい》と冗談と、そして子供たちの騒ぐ声だった。集団の人口が突然倍にも増えたようだった。

翌日、ハンターは更に増員された。彼等は、比較的集団と近いところでムースを撃ち取り、引きずって来てその獲物をみんなに見せた。カリブーの化物だと言う者もいた。食べられるかどうか疑問だと言う者もあった。

ムースはみんなの前で料理され、生肉がそれぞれに分け与えられたが、彼等は臭いと言って、すぐ口から吐き出した。

焚火でその肉を焼いて、タカブックやネビロが旨《うま》そうに食べて見せても、直ぐにはその肉には手を出さなかった。

子供たちは、ジョージに教えられて、肉を串《くし》にさして焼いて食べた。最初はへんな顔をしたが直ぐ馴れて、旨い肉だと言った。子供たちが食べるので、大人たちも若い順から焼き肉に手を出した。老人は最後までそれを口にしなかった。だが、このムースの肉は、次の日になると、集団の総《すべ》ての人が口にするようになった。ただ、ムースは生では食べられない肉であり、焼くことによってのみ食べられるものと彼等は信じているようだった。

海岸エスキモーは、彼等の新天地、ビーバー村に到着しない前に、肉を焼いて食べる人々になりかかっていた。

ヤマアラシ（porcupine）が、エゾマツのてっぺんを食べているのを見つけて、子供たちが追い落した。ヤマアラシは全身の針を立てて身を守った。頭も尾も針にかくされて見えなかった。針に手をふれた子供が悲鳴を上げた。犬が鼻を針にさされて悲しげに吠えた。

三日目にビーバー村に到着するまでに、彼等は、狼、ムース、ヤマアラシ、狐《きつね》、穴熊《あなぐま》などに出会った。地リスや兎《うさぎ》、鼬《いたち》などは何回となく見掛けた。

ビーバー村には三十戸の丸太小屋《ロッジ》が出来ていた。川岸近くには倉庫と交易所もできていた。留守番の二人の白人は、フランクにすべてを引き渡して、シャンダラー鉱山に引き返して行った。

「カーターという男は白人にしては信用できる男だな」

ジョージ大島が言った。

フランクは、それには答えず、引き連れて来た二百人を、各戸に割当てた。二家族が入る場合は、親類どうしを組合せた。彼自身は交易所にもっとも近い家を住家として選んだ。そこからはユーコンの河がよく見えた。後に三戸が残った。その一戸をジョージ大島の家とし、後の二戸を旅人の宿舎とした。

家の割当が終ったあとで、彼は全員を集めて暖炉の使用法や便所の使い方などこと細かに教えた。実際に手を取ってやらせてみた。ほとんど半地下壕《はんちかごう》のようなイグルーに住んでいたエスキモーにとって、床が高い、屋根に土が盛ってない丸木小屋は、家という感じには受取れなかったが、外は寒いし、ひとまずはその家に拠《よ》らないかぎり、この冬を過せそうもないので、たいして嬉《うれ》しそうな顔をせずに、その家に、それぞれの私物を拡《ひろ》げて落着いた。

フランクは彼等に森から枯木を取って来て、薪《まき》を作ることを教えた。鋸《のこぎり》と薪割りが与えられた。

ハンターのチームが編成されて、各方面に狩猟に出て行った。

ユーコンの氷を割って、魚を釣った。かなり手応《てごた》えのある魚が、面白いように釣れた。それは、ハーボット、パイク、ホワイトフィッシュ等であったが、フランク等がその名を知ったのは、ずっと後であった。白身の魚で美味だった。

一応、村造りが終ったころ、カーターから使いがあった。カーターの手紙には、インディアンの酋長との間に了解が成立したそうだが、まことに、喜ばしいことであるという書き出しから始まって、来春には、ビーバー宛《あて》に、多量の物資が送られて来るから、その受入れ態勢と、輸送方法について考えてくれと書いてあった。

資材はいくらでも出すから、取敢《とりあ》えずは馬小屋の建設と、シャンダラー鉱山までの馬車道路の測量をたのみたいということが書いてあった。

フランクは、カーターに対して折返し返事を書いた。カーターからの好意を謝し、早速、資材と食糧を取りに人をやるから送って欲しい旨《むね》を告げた。タカブックが犬橇《いぬぞり》の隊長となり隊員五名が選ばれた。五台の犬橇が用意された。

フランクは、彼等の出発に当って、村中の者を集めて言った。

「今後、いかなる理由があっても、自分の妻を他人に貸し与えることを禁止する。そういうことは、ポイントバローにおいては、通用したかもしれないが、ビーバーでは許されない。もし、その掟《おきて》を破るものがあったらこの村から出て行ってもらうことにする」

フランクはそれまでになく強い姿勢で、その言葉を村人に伝えた。

フランクがこの地に新天地を開いて死ぬまでの間に、してはならないこととして、村中全員に言い渡したのはこの一事だけだった。フランクはエスキモーの妻貸しの風習に強く反対していた。この習慣に憎悪感《ぞうおかん》さえ持っていた。彼の語調はきびしくて冷たかった。

ジョージはフランクのこの通達を笑いながら聞いていたが、終ったあとでフランクに言った。

「困ったな、おれは、その妻貸しの風習のおめぐみを頂戴《ちょうだい》しようと思っていたのに」

ジョージは冗談ともほんとうともつかないことを言ったあとで、

「おれ一人がこの村の中に一軒を所有するということは、まことに不都合だ。この村の人口は、今後、どんどん増える。だから、おれは、この村とは別に一軒建てて、そこで住んでいたい」

と言った。

それは口ばかりではなく、彼は、それから一カ月後には、ビーバー村から半マイル離れたところに、自ら永住の地を探し出した。森を背にした湖のほとりであった。湖をへだてて遠くに雪をいただいた山が見えた。

彼はフランクをその場所に連れて来て、

「ロッジを造るから手伝ってくれ」

と言った。

「なぜこんな淋《さび》しいところに一人で住むのだ。ビーバー村でおれたちと一緒に暮したほうがいいだろう、女房もそのうち探してやろう」

と言った。

女房、とフランクが言ったとき、ジョージの顔から血が引いた。

彼は噛《か》みつくように言った。

「余計なことはしてくれるな、そういうことこそ、人を傷つけることなのだ」

フランクは、なぜジョージがそんなことを言ったのか、彼の心の中にまでは踏みこんで行くことはできなかった。

ただ彼は、将来、ジョージの一身上についてはいっさい口をさし控えねばならない、そうしないかぎりこの男と交際して行くことはできないだろうと思った。

あと数日を残してこの年は終ろうとしていた。南の空低くおそるおそる姿を現わした太陽は、男たちが近くの森へ薪取りに一往復する間に、女たちに言わせると、おしゃべりをしている間に、雪面を赤く染めて地の果てに沈んだ。

8

「インディアン地区にエスキモーの植民地ができた」

と白人たちはビーバー村の出現を話題にした。それほど、ビーバー村の誕生は突然であり、そして奇蹟《きせき》的でさえあった。あの好戦的なアタバスカンインディアンが、ビーバー村の存在を看過する筈《はず》はない、そのうち大事件が持ち上るに違いないという者もいた。

だが、ビーバー村はまことに静かであって、その後インディアンとの間にはなにごとも起らなかった。

ビーバー村に落ち着いた二百余名のエスキモーにとって、最初に当面した敵は、人間でも、動物でも、飢えでもなく、寒気団と暖気団との劇的な交替によって受ける肉体的苦痛だった。寒気団が押しよせて来ると、摂氏零下四十度近い日が十日ほども続き、そして突然、暖気団の支配下になると、摂氏零下二十度ほどの日が十日も続いた。摂氏零下四十度と摂氏零下二十度の差は、それが、寒冷の中においての変化であるにしても大に過ぎた。ポイントバローに於《お》いて体験した温度差とははなはだしい相違であり、そしてまた、暖炉を使用することにより、屋外と屋内の温度差のはなはだしい相違は彼等の温度に対する肉体的感応性をすっかり狂わせた。

ポイントバローにおける半地下室の家屋構造は外気との温度差を調整するには格好なものであったことに気付いて、その構造様式に変えようとしても、にわかにできるものではなかった。

彼等は風邪を引いた。風邪など引いたこともない者が風邪を引き、咳《せき》をした。極度の乾燥が彼等の咽喉《のど》をこわした。

二月になるとこの寒気団と暖気団の交替は更に顕著になり、寒気団と暖気団の変り目にはダイヤモンドダストが降った。空も、森も、凍《い》てついた河も湖沼《こしよう》も、ビーバーの村にも、ダイヤモンドの粉が降った。

新設された交易所もダイヤモンドの微粒子で飾られた。小さなアヌラックを着て、よちよち歩きをしているサダは、ダイヤモンドの粉の中から生れ出た天使のように美しかった。

三月になると、寒気と暖気の差が縮まり、四月になると、寒気団は後退して暖気がアラスカの大平原を制圧した。

四月までには、馬小屋はできたし、新しい小屋も、いくつか建てられた。シャンダラー鉱山への道は、ほぼ設定され、多くの犬橇《いぬぞり》がその道を走った。吹雪のときのための避難所のロッジも何カ所か作られ、非常食もその中に貯蔵された。

雪面が固くなった。それまでは、靴ごとすっぽりと雪の中にはまりこんでしまうのに、四月になると、雪の上が歩けるようになった。日照時間が長くなり、太陽高度が高くなって、雪の表面が昼の間に溶け、夜の寒気で凍って、固い板を作ったのである。

子供たちは、雪の上を面白がって走り廻った。しかし、その遊びもそう長くは続かなかった。十日も経《た》つと雪板は、すぽんと抜けた。穴の中に靴が取りこめられ、抜き出すのに困難になった。雪板が溶けはじめたからである。

南向きのユーコン河の岸辺の雪がまず溶け出して、スノージャムを作った。そして或《あ》る日、子供たちが森へ飛んで来た珍しい鳥のことを大人たちにつげた。

それはユキホオジロ（スノーバンティング）という鳥で、春に先立って飛来する鳥であった。ユキホオジロを見掛けた翌日、氷の割れる音を聞いた。それは、ユーコンの河が一度に歯ぎしりを始めたような音だった。村人たちは全員、ユーコン河の土手に立って、その音を聞き、氷の割れるのを眺めた。

彼等は海の氷が溶けて割れる音を思い出しながら、河の氷の割れる音を聞いていた。海の氷は溶ける時の音よりも、凍る時のほうが威力があった。海の氷の溶ける音には情緒感があったが、ユーコン河の氷の溶ける音は生命のたくましい力みに聞えた。

南向きの土手の雪が溶けて、その下から緑の草が出た。それを見つけた子供たちは、まるで白熊《しろくま》でも発見したように、大声を上げて母親に知らせた。

草は去年の秋のものだった。枯れる間もなく雪が降って来て、覆《おお》いかくされ、その雪の温室の中で一冬生き続けたものだった。

翌朝には、その草は凍死していた。そして雪溶け水にたわいもなく押し流された。その後に新しい草の芽が覗《のぞ》いていた。

ユーコン河の氷は堤の際《きわ》から溶け始めて、その面積を増して行った。氷が溶けると、水嵩《みずかさ》が急に増し、岸辺に沿っておし上ろうとした。

新鮮な、刺戟《しげき》的でありながら包むようにやわらかい、春の風が吹いて来た。その春風のにおいの相違は、それを発する植物の個性にかかっていた。その湿った風のにおいの中から、刺戟的なにおいを求めて行くと、それは榛《はん》の木の若芽のにおいだったり、どこかに甘さを感ずる、母の愛撫《あいぶ》のようなにおいをたどって行くと、それは白楊《コットンウッド》の花芽のにおいだったりした。

子供たちが気が狂ったようにユーコン河の堤をかけ廻り、紫色の花を摘み取った。彼等には、その美しい花は宝石に見えた。ポイントバローではけっして見ることのできない花だった。

その花はパスクという早春の草花で、ユキホオジロと共に春を告げる花だった。背丈は一〇センチほどで、桔梗《ききょう》の花とよく似た紫色の花を咲かせた。桔梗の花と違うところは花芯《かしん》にむらがる黄色いオシベと、花びらの外側をあたたかそうに包んでいる白い羽毛のような毛であった。

フランクは子供たちが摘み取って来てくれたパスクの花の、裏側に生えている羽毛に似た白い毛を見て、故郷の早春の花、オキナグサを思い出した。花の色は紫と赤との差こそあれ、白い羽毛に包まれた様子は全く同じだった。

蚊がいっせいに発生した。大地から湧《わ》き出たような感じで大地を覆い、生物の臭《にお》いを求めてやって来た。村は蚊の大群に包囲された。人が歩くと、その後を蚊の塊が黒い雲になってつき廻った。ポイントバローの蚊よりも、いくらか肥《ふと》っている感じだった。蚊というより蚋《ぶよ》に似ているなとフランクは思った。一度頭髪の中にもぐりこむと叩《たた》きつぶすまで血を吸い続けた。追っても逃げないし、殺すにしてはその数が多すぎた。エスキモーはアヌラックを着て、頭巾《ずきん》を深くかぶった。

子供たちは蚊に恐れをなして家の中へ逃げこむことがあった。暖炉に二、三本の薪《まき》をくべてやり、それがくすぶり続けている限り、煙の臭いを嫌う蚊はそれ以上の追撃はひかえた。蚊は発生してから一カ月ほどがもっとも多く、時が経つにしたがって漸減していった。

ウイローが芽を出した。一日にその葉は面積を倍増して行く感じで延びて行って、十日目には立派な萌黄《もえぎ》色《いろ》の葉に生長した。音を立てて延びて行くようにも思われた。ウイローだけではなく、五月になると、植物はいっせいにスタートを切った。その猛烈な生長速度は神秘的でさえあった。

白樺《しらかば》が春を歌い出した。ピンクグリーンの葉をつけた白樺の森が風に揺れ出すとオーロラが大地に降り立ったように美しかった。その葉も更に十日経つと深い緑をたたえて春を誇示した。

或る朝、突然大暴風がやって来た。異様な音がおしよせ、明けて間もない空を再び暗くした。すさまじい物音と鳴き声が静寂を破った。

ビーバーの村人たちは全員外に飛び出した。渡り鳥の大群が南の方からやって来たのである。数えようもないほどの雁《がん》の大群だった。翌日には白鳥の群れが来た。カモの群れもやって来た。

　木々がいっせいに花を咲かせた。目立たない花ほど強烈な匂《にお》いをふりまいた。匂いがあまりに強いので、頭痛を訴える者がいた。春になると、エゾマツの臭いがまた一層強くなった。

　チョーク・チェリーは桜の花に似た白い花を咲かせた。フランクは、その枝を一枝手《た》折《お》って来て壺《つぼ》にさした。ネビロがそのわけを聞いた。彼は日本の伝統である生け花の話をした。姉のお京さんが、桜の花は、生け花の材料としては一番むずかしいものなのよと言いながら、彼が折り取って来た山桜の花を花器にさしこんでいた少年の頃のことを思い出した。

　交易船がやって来た。岸辺には寄らずに河の中程に錨《いかり》をおろした。ビーバー村の前を流れるユーコン河の川幅は七〇〇メートルほどもあった。河の中程に錨をおろした船は大きな船に見えた。船からは小舟がおろされ、注意深く水深を測量してから、交易船を岸辺に誘導した。交易船の人と陸の人とが話ができるだけの距離になってから、荷物は小舟に積まれて岸辺に運ばれた。

　馬は送られては来なかった。馬が来たのは、桟橋ができてからだった。

　交易所で扱うべき多くの荷物と共に、シャンダラー鉱山へ送るべき荷物が次々とおろされた。その船には二十人ほどの人が乗っていた。

交易船は何隻《せき》もあった。次々とやって来た。ビーバー村だけが目的ではなく、ユーコン河に面した各地へ荷物を届けて廻っている船が多かった。

三度目の交易船が入ったころには、白楊の柳絮《りゅうじょ》が舞う季節になっていた。コットンウッドを直訳すると綿の木になる。柳絮とは、白楊の種子がふっくらとした綿様のものに覆われた状態を言う。白楊の森の柳絮が風に吹かれていっせいに舞い上ると、六月の空は千切れた綿の舞い舞う中に白くつややかに輝いて見えた。ブルックス山脈が北側にあるので真夜中の太陽は見えなかった。

ビーバー村は多忙な夏を迎えた。シャンダラー鉱山への物資の輸送と、建物の増設の仕事が、ビーバー村の人たちの手によって進められて行った。

盛夏になると、入道雲が山の頂に姿を見せた。雷鳴が轟《とどろ》き、驟雨《しゅうう》が来たが、一時間か二時間で去った。驟雨はほとんど毎日のようにやって来た。温度は上り、稀《まれ》には摂氏三十度にもなる日があった。

エスキモーにとって雷鳴は無経験ではなかったが、このようなすさまじい雷鳴は知らなかった。彼等は、恐れおののき、声を上げて、神に祈った。だが、雷も日常茶飯事になると、次第に関心を示さなくなった。

彼等は暑熱に対しては徹底的に苦しみ、世界の終りが来たような溜息《ためいき》とともに喘《あえ》いだ。

盛夏でも、摂氏二度を越えるようなことはめったになかったポイントバローに生れた人たちには、アラスカの代表的盆地気候の暑熱の鞭《むち》に打ちのめされると、再び立つことはできなかった。白夜の夏が来た。

日は北東の空から出て、頭上を鉢巻き形にぐるっと一周して北西の空に沈んだ。白夜は数時間続いて、次の日の朝の太陽が出た。太陽が出ると、雲が出て、十時頃からは、諸方の山の頂を積乱雲が占拠した。

村民たちは、日の盛りを避けて働いた。太陽の出ている間には、なるべく休養をとった。日が大地にかくれると、ものの十分もたたないうちに、ユーコン河の河面から水蒸気が昇り始める。ユーコン河は、素直に延びた河ではなく、極度に蛇行《だこう》している大河であった。蛇行が誇張されて、河が環状につながったところもあるし、本流からはみ出て、湖や沼になったところもある。ユーコン河を中心として左右一〇マイルほどは、ユーコン河が作り出した湖沼地帯であった。その一つ一つの湖沼の周囲に回廊のように樹林帯が取り巻き、それぞれ特徴ある景観を作っていた。この広大な沼沢地の景観が著しく東洋的に見えるのは、この日没の瞬間だった。太陽が没すると同時に、ユーコン河を始めとしてあらゆる湖沼は、突然温泉に変ったように、湯気を上げるのである。単に上げるというのではなく吹き上げるという表現が当てはまるように、能動的に湯気を放出した。日没と同時に始まる、輻射《ふくしゃ》冷却のために起る現象であった。

吹き上げた水蒸気は、せいぜい一〇メートルほどの高さのところで停滞する。それより上へは昇らないから、湯気はたちまち、一〇メートルの厚い層を作り、河から、湖から、そして沼から、陸地に向っていっせいにおし出して来るのである。

動き出すと、それは霧である。濃密なしめっぽい霧である。霧はたちまちにして森に拡《ひろ》がり、ありとあらゆるものを虜《とりこ》にしてしまう。

ビーバーの村人たちは、そのころになって、起き出して、犬の背に荷を背負わせて、シャンダラー鉱山へ向って出発する。大きな荷物は犬橇を改良して作った車につけて犬に曳《ひ》かせた。

フランクは犬車隊の出発を見送った後でネビロに言った。

「この一夏だけは夜出て働くだろう。だが、来年から彼等は、ちゃんと昼間でも働けるようになるだろう」

フランクの言うとおりだった。翌年から彼等は暑さをさほどには忌避しなくなっていた。

秋は挨拶《あいさつ》もなしにやって来た。寒い夜が二、三日続くと、木々の葉はいっせいに黄葉する。紅葉もあったが、アラスカの秋は、黄が勝っていた。そして、その木々の落葉も待たずに雪が降った。

十月の中旬に交易船が慌《あわただ》しく去って行った。それを待っていたように、十一月の声を聞くと間もなく、ユーコン河は岸辺の方から凍結を始めた。完全結氷は十一月の終りだった。十二月になると氷の厚さは一メートルにもなった。太陽は一時間ほどしか姿を見せなかった。

村人たちは冬構えに懸命だった。彼等は薪の作り方も使い方も一カ年の間にすっかり覚えていた。彼等は従来のエスキモーの生活様式とは違った方向に足並を揃《そろ》えて歩き続けていた。

フランクとネビロは暖炉の火を見詰めながら夜遅くまで語った。長い放浪に近い生活を互いに振り返りながら、外の吹雪の音を聞いた。

「火がこんなに美しいものだとは知らなかったわ」

ネビロは膝《ひざ》に抱いているサダの小さい手を暖炉にかざしながら言った。

「そうだ暖炉の火ほど美しくて、心の暖まるものはない」

心が暖まると言ったとき、彼は突然故郷を思い出した。石巻の生家の炉に赤々と火が燃えていた。天井から吊《つ》り下げた鉤《かぎ》に掛けられた南部鉄瓶《てつびん》から湯気が吹き出していた。囲炉裏をぐるりと家族がかこんでいた。祖父の顔が奥にあった。両親も兄弟姉妹たちも炉の火に頬を赤く染めていた。どの顔もにこやかにほほえんでいた。

炉にくべた薪がはねて彼の前に飛んで来た。その赤い小さな火の粉はなにかを彼に囁《ささや》きかけるようにぱっと明るく瞬《またた》いて消えた。

いた。

「どうしたのあなた」

ネビロが声を掛けたが彼は返事をせずに考えこんでいた。なぜ、火の粉を踏み消そうとしなかったのだろうか、急にだまりこんで、気分でも悪くなったのだろうか、彼女は彼の顔を覗きこんではっとした。彼の秘密にぶっつかったように彼女はあわてて身を引いた。

フランクの眼は遠くを見ていた。時間と距離を超越して彼自身の姿を見ている眼だった。

おそらく彼は彼自身の故郷のことを考えているのだろう。いままで、そんな眼をした彼を見掛けたことはなかった。呼んでも返事をしないほど、放心した状態の彼の姿を見たことは一度もなかった。なぜ突然、そんなふうに彼がなったのかよくは分らなかったが、彼女は彼女なりに、おそらく彼は、大きな仕事を一つ為《な》し遂げたあとの虚脱感の中で郷愁に襲われたものではないかと思った。彼が郷愁にとらわれることは、彼女にとっては恐ろしいことだった。郷愁に誘われて彼がこの地を去ったらどうしようか。彼女はその不安を、暖炉の火を見詰めながら、押えつづけていた。

「一九〇七年も終りだ」

とフランクはわれに返ってネビロに言った。

「でも私達にも、ビーバー村にとっても、これから先の長い長い年月があるのよ」

そういうネビロの眼に光るものがあった。

フランクはそのひとことで、郷愁に浸りこんでいた自分を恥じた。ネビロにたいへん悪いことをしてしまったように思った。しかし、その夜、寝に就いてからも波状的に彼を襲って来る郷愁は防ぎようもないほど強烈だった。彼は日本と離れ過ぎていた。日露戦争が起ったこともその戦争が一九〇五年（明治三十八年）に終ったことも知らなかった。そのころは、彼自身がアラスカの大自然を相手に戦争をしていた。それだから故郷のことを忘れたのではない、日本のことや故郷のことは時々頭に浮んだ。ネビロに話してやったこともあった。ジェームス・ミナノやジョージ大島と一晩中日本のことを話し合ったこともあった。だが、今度のように深い郷愁に襲われたことはなかった。それは、とめどなく涙が溢《あふ》れ出て来るほどの郷愁だった。彼は夜の暗さでそれを隠した。ネビロに気付かれてはならないと思った。

郷愁が運命を変えるようなことがあってはならないと思いつづけていた。

フランク安田が五〇〇マイルの険難を、多くのエスキモーを率いて「民族移動」を達成し、ビーバー村（町）を創立したということは数多くの本や新聞や雑誌に載っているが、その年度はまちまちで、大体一九〇六年から一九一一年の間のことになっている。

彼の名は、
ヤスダ・マウンテン＝Yasuda Mountain
としてアラスカの地図に載っている。この山はカーター峠の南東一五マイル
の地点にあり、シャンダラー河東股の上流地域を観望するに絶好な場所で、彼
がカーターと共に初めて此処《ここ》を通ったとき登った山である。
この山に彼の名を冠したのは、彼が最初の登頂者であるということの他に、
多分に彼の業績を認めての上の命名と思われる。
アメリカ地質調査所報告一九二九年版第一報にJ. B. Mertine氏が次のように
書いている。
「ヤスダ・マウンテンはNichenthraw山の西方四マイル、ブルックス山脈中
の要衝Arctic Villageの北方二〇マイルにある、高さ五、二〇〇フィートの山
である。北緯六十八度二十五分、西経百四十五度三十二分に位置している。一
九〇〇年頃アラスカにやって来たフランク安田の名前を取ったものである」
ビーバー村のすぐ近くに独りで住んでいたジョージ大島は謎《なぞ》の多い人間だっ
たが、子供たちには愛された人だった。ジョージ大島が住んでいたキャビンは
焼けて今は無いが、彼が朝晩眺めていた湖には、
ジョージ湖＝George Lake
と名付けられ、一九五六年版アメリカ地質調査所の二十五万分の一の地図に
載っている。フランクと親交があったもう一人の日本人、ジェームス・ミナノ

はその後ワイズマンから一〇マイルほど南に下ったコールドフォートに居をかまえて農業をやっていた。一九一八年にジェームス・ミナノからアラスカ農業試験所に出した手紙が、アラスカ農業試験所に保管されている。それには大体次のようなことが書いてあった。

「私は日本人で二十五年間アラスカに住んでいます。現在生活のために野菜を作っています。昨年はジャガ芋、カブラ、キャベツ、セロリー等の収穫があり、キャベツの最大なものは二〇ポンドもありましたが、今年は、六月十五日から八月十六日までの盛夏中にしばしば降霜に見舞われ、ほとんど収穫はありませんでした。早生キャベツ、早生セロリーの種がもしございましたらお世話いただくわけにはまいりませんか。御返事をお待ち申し上げます」

これは、農学にとって重要な資料であると同時に、ほとんど野菜栽培が不可能と思われたような北極圏近くで、農業に打ちこんでいる、ジェームス・ミナノの一面を窺知《きち》するのに充分なものである。

ミナノについては、一九二六年ころ、この地を訪れたMargaret E. Murieさんの記録“Two in the Far North”の中に次のように書かれている。

「……そこは宿になっていた。バーもあった。うしろの部屋にはフランス風の料理台が置かれ、コップ戸棚があった。……彼は実際は六十歳ぐらいなのに四十歳ぐらいにしか見えなかった。ワイズマンには彼の娘のマミーさんが先生をしていた……」

その後彼はフェアーバンクスに移って、戦前には列車食堂のコックをしていた。そのころの写真をハナさんが持っていて見せて貰《もら》ったが、なかなか立派な品のいい顔をした人だった。六人の子供があり、太平洋戦争中に強制収容所で死亡したと聞いた。ミナノの姓は皆野なのか名はなんというのか、また彼の出身地が何処《どこ》だか、ジョージ大島と同じく、最後まで突き止めることはできなかった。

ジョージ大島については、昭和五十年四月になって、彼とともにサンタフェ収容所に居た山本博氏よりかなりくわしい情報をいただいた。山本氏は昭和二十年十月一日に発行されたサンタフェ収容所における日本人名簿を持って帰国された。その中にジョージ大島について次のとおりの記載事項がある。

ジョージ大島、日本名、大島豪十（六十七歳）、現住所、アラスカ・ビーバー村、本籍、群馬県新田郡鳥郷大字大島。家族なし。職業、鉱山師、猟師。現在、収容所の病院に入院中。

早速、大島豪十について群馬県庁地方課に問合せた結果、次のことが分った。

大島豪十は群馬県新田郡鳥之郷村大字大島村（現在太田市大島）五拾弐番地大島伴助の六男豪平として明治十一年十一月二十四日に生れ、明治三十年三月十六日に豪十と改名願いを出して許可されている。父大島伴助の跡目は豪十の兄、大島協が継いだ。ところが、この大島協は昭和三十年にニューヨーク市で死亡し、同居中の親族、ゼーヴィウス・ケイ・松本より届出があったので除籍になっている。大島豪十は戸籍の上では生きていることになっているが、彼がサンタフェの病院で死亡したことは幾人かの証言があるからまず確実であろう。以上の資料によるとジョージ大島は、どちらが先だったか分らないが、兄とともに渡米したものと思われる。

ジェームス・ミナノについては、「アラスカ物語」発行以来一カ年経《た》ったが全く情報は寄せられない。電話帳をくってみても、ミナノという姓は見当らない。また山本博氏の名簿にもジェームス・ミナノの名は載っていない。

終章

1

一九〇八年になって、ビーバー村は更に充実した。船が桟橋に着くようになった。ビーバー村はシャンダラー鉱山と手を取り合って栄えて行った。

シャンダラー鉱山は予想外に豊鉱だったがために、その持続性が約束された。政府も鉱山の将来に着目して、ビーバー村からシャンダラーまでの九〇マイルに馬走路を作ることを許可し、これに援助金を出した。アラスカ道路会社がこの馬走路建設を請け負って一九一一年までに完成した。

これは、難工事というよりも、人手のかかる仕事だった。ビーバーの村民はほとんどこの仕事に従事したばかりでなく、インディアンたちもこの仕事に加わった。白人たちも、相当数この仕事に参加した。馬走路には一〇マイル置きに避難用のキャビンが作られた。

馬車が入って来るにおよんで、ビーバーは村ではなく町の様相を呈して来た。人口は、一時三百人を越えた。エスキモー二百人の他に、白人とインディアンが入りこんだ。インディアンとエスキモーが同じところに住むなどということは古来考えられないことだった。そんなことはあり得ないと信じられたことが、ビーバーに於《お》いて実現されたのである。この奇蹟《きせき》的な融合には、ジョージ大島が一役《ひとやく》買っていた。ジョージはタカブックの命を救ったヴィーカスとシェイカの二人のインディアンの家族をビーバーに連れて来ることに成功した。馬走道路の工事にやって来た彼等を説き伏せたのである。フランクはジョージの熱心なすすめで、インディアンの二家族のためにロッジを建てた。

エスキモーは新入りのインディアン家族に対して特別な歓迎もしないかわりに排斥もしなかった。

彼等が落ち着くと、ジョージは、死んだセニックの許婚《いいなずけ》であったエスキモーの娘サギニヤとインディアンの青年ヴィーカスとの結合を計った。二人はジョージの口車に旨《うま》いこと乗せられた。サギニヤは、ヴィーカスが彼女のことを世界一美しい女だと言っているというジョージの言葉を信じ、ヴィーカスは、サギニヤが死ぬほど彼のことを思いこんでいるというジョージの言葉に動かされた。

二人の結婚式のため、丸木小屋の教会が建てられ、フォートユーコンから牧師が呼ばれた。これらの交渉はすべてフランクが引き受けた。ヴィーカスとサギニヤの結婚によって、インディアンとエスキモーは親類となった。その後も、続々とインディアン家族がビーバーに入り込み、盛んに結婚が行われた。

一九一三年には郵便局ができたがフランクには米国籍がないので、チャリー・ショーという文盲の白人が名義上の郵便局長になった。実際の事務はフランクがやっていた。公立の学校ができた。フランクとネビロが望んでいた理想郷は着々とその基礎を固めていた。

一九一四年に第一次世界大戦が始まったが、ビーバーにはなんの影響もなかった。世界大戦が終った翌年の一九一九年に、禁酒法が施行された。交易所から酒類のすべてが消えた。ジョージは、村はずれの彼のロッジで、自製のドブロクを作って飲んでいた。

十月の終りのころであった。彼はいい加減酔払って交易所にやって来ると、いつものようにキャンディを買い求めて、子供たちに分け与え、彼の最も好きなドロボーごっこを子供たち相手に始めた。

ジョージは例によってドロボーになった。子供たちはすべてが警官だった。子供たちは、棒や縄を持って彼を追い廻し、大地に坐《すわ》って、あわれみを乞《こ》う彼を、引き摺《ず》って行って、ユーコン河のほとりの白楊の木に縛りつけた。ジョージは泣く真似《まね》をしたり、痛がって見せたりした。もう悪いことをしませんから、おまわりさんお助け下さいとあわれっぽい声を出した。子供たちは彼の周囲を取りかこんで、ドロボーめ、許してなんかやるものかとてんでに悪たれ口をたたいた。ジョージはそんなことをして子供たちとふざけているうちに眠くなり、木に縛られたまま、大地に腰をおろして眠りこんだ。

子供たちは彼をそのままにして村に帰った。

薄暗くなって、水汲《みずく》みに来たインディアンの娘が木に縛られたまま眠っているジョージを見て、いそいで縄を解いたが、彼は動けなかった。口がよくきけなかった。日暮れとともに気温が急降したがために彼は凍えかかったのである。

彼女は水桶《みずおけ》をそこに置いて走り帰ると急を村に告げた。

「おいどうしたジョージ」

と駈《か》けつけたフランクが声を掛けると、

「このまま眠らせてくれたら、文字どおりの大往生を遂げることができたのに、ばかな真似をしてくれたものだ」

とジョージは小さい声で言った。そのときなぜか、それがジョージの本心のようにフランクには思われてならなかった。

「酒だ、酒のせいだ。酒は危険な水だ。毒の水だ。ジョージは酒のために、危うく死ぬところだった」

フランクはやり切れない彼の気持を酒に対する呪《のろ》いに変えてそこらあたりに吐き散らした。

　フランクは酒もタバコも飲まなかった。村にはごく少数の酒好きの男がいたが、他の多くはフランクを見習っていた。村中で酒を飲んで騒ぐようなことはないかわりに、日曜日には必ず、エスキモーダンスが行われた。フランクは率先して踊った。

　エスキモーダンスに虫歯抜きという独り踊りがあった。或《あ》る年の夏の終りころフランクはこれを踊った。あまりに真に迫っているので、みんなが盛んに拍手を送った。踊りの会が終ったあと、彼は自分自身で、虫歯を抜歯用ペンチに挟《はさ》んで抜き取った。踊りは半ばが演技で、半ばは事実そのものだった。


　ビーバー村の誕生はアメリカの識者の眼を牽《ひ》いた。人間が生活できる限界に近い極地において、鯨と海獣にたよって生きていた海岸エスキモーが、白人たちの濫獲《らんかく》によって、飢餓に襲われていることはしばしば新聞に掲載された。多くの人々は政府が定期的に食糧をエスキモーに送っていることも知っていた。

　この危機に追い込まれた海岸エスキモーを引き連れて、ブルックス山脈を越え、アラスカの中原の、しかもインディアン地区に移住を試みて成功したフランク安田のことがごく少数の新聞に報道された。それはささやかな記事であったが良識のあるアメリカ人はこれを驚異の眼で迎えた。二十世紀初頭の奇蹟であると評し、フランク安田をジャパニーズ・モーゼだと称《たた》えた人もいた。

フランクはこの新聞や書いたものを見せつけられると、迷惑そうな顔をした。それに対して彼自らは一言半句も発することなくこつこつと村作りを続けていた。

一九二〇年にビーバー村に飛行場ができて、初めて飛行機がやって来た。このころから、シャンダラー鉱山の経営が下り坂になって行った。金の価値が下って来たからである。ゴールドラッシュの夢は遠く去り、多くの鉱山が閉鎖されて行くのに、シャンダラー鉱山が生き続けて来られたのは、鉱山そのものが豊鉱だったからである。

アラスカの砂金熱が去ると共に、アラスカの自然は戻って来た。ブルックス山脈付近から、一時姿を消していたカリブーが再び姿を現わすようになった。

ビーバー村に活路を求めて来ていた内陸エスキモーの一部は、カリブーが帰って来た事実を彼等の眼で確かめてから、彼等の先祖の地に帰って行った。彼等には、鉱山基地の村で働いて生きてゆくより、カリブーを追って歩く自然の生活のほうが合っていた。

ポイントバローからは時々便りがあった。このごろまた鯨が取れるようになったというニュースも伝わって来たが、ポイントバローに帰ろうというエスキモーは一人もいなかった。吹雪に明け暮れしている極地の生活より、太陽に恵まれた、ビーバーの生活の方が遥《はる》かに快適だった。

一九二五年にカーターは鉱山の権利を他人に売り渡してシャンダラーを去った。見切りをつけたのである。そのとき彼はフランクに彼の分け前として五万ドルを渡した。

「アラスカにいるよりも、アメリカ本国に渡って、この金を資本になにか事業をやったらいいだろう」

という彼にフランクは、

「私を信じて従《つ》いて来た人たちを見捨てるわけには行かないでしょう」

と言った。彼の運命はポイントバローを出発したときに決っていた。ビーバー村に定着して以来彼の存在は村民に取って不動なものになった。フランク安田があってこそビーバー村の存在価値があった。フランクが此処《ここ》を去れば、村は崩壊し、住民は再び飢餓の中に放り出されることは明らかだった。

カーターはフランクに強くは言わなかったが、心の奥ではフランクという人間をアラスカに置き去りにしたくなかった。

「これからは、毛皮で村の生計を立てて行こうかと考えています」

フランクはカーターに言った。

「君は運が強い人だからきっと成功するだろう」

カーターとフランクは力強く握手した。ジョージに言わせると、広いアメリカで信用できるたった一人のアメリカ人トム・カーターは去った。

ビーバー村はエスキモーを主体とした、インディアン、白人、そして二人の日本人が合体した村だから、共通語として英語が使用されていた。必要の前に子供たちは敏感だった。英語は子供を中心として村中に拡《ひろ》がり、英語を自由に読んだり書いたりできるようになった彼等はやがて村を出て高等学校、大学と進学して行った。村を出た若者のほとんどは村へは帰って来なかった。

「これでいいのだ。彼等がひとり立ちできたことをむしろ喜ぶべきだ」

とフランクは言った。

フランクの家族にも変化があった。一九一〇年にサダが病死した。冬の寒い日であった。フォートユーコンまで、二日かかるところを、もっとも優秀な犬を使って、一日で飛ばした。フォートユーコンの病院についたとき、サダは虫の息だった。翌朝彼女は死んだ。急性肺炎だった。

一九一〇年に、女児が生れた。バーニスという名をつけた。日本の名前をつけることにネビロが反対したからだった。

一九一四年にハナが生れた。

「次に生れる子が男ならば太郎、女ならばハナとつける」

とフランクは前もって言明したとおりにした。ネビロは反対しなかった。

シャンダラー鉱山が閉鎖された一九二五年には、バーニスは十五歳、ハナは十一歳になり、そろそろ父母の行動を批判する年ごろになっていた。

「お父さん、あなたは他人のために、常に扉を開けている。なぜ私達家族のために扉を開けようとしないのですか」

バーニスは、父を責めた。

フランクは、それに答えられなかった。考えて見ると、ビーバー村を造って以来、彼は他人のためにのみあった。尾羽《おは》打ち枯らして頼って来た鉱山師に、返して貰《もら》うあてのない金を貸し与えたり、仕事の世話をしてやったり、村中の代筆屋となったり、そして結婚の仲立ち、フェアーバンクスの役所への出生届から死亡届、そして葬儀のことまでひとりでやった。

彼はビーバー村における、戸籍係、代書屋、銀行屋、商店主、口入れ業、身上相談所長であった。彼に出来ないことは、産婆《さんば》だけだと言われていた。彼の交易所は赤字続きであった。貸し売りをするからである。

エスキモーやインディアンにとって貨幣は不用のものだった。物々交換によって生きて来た彼等に金の使い方を教えたところで、すぐ飲みこめるものではなかった。

交易船がやって来て、品物が入庫すると、ネビロの親戚《しんせき》の女たちはまだ船が荷役中にもかかわらず、交易所へおしかけて、彼女たちが気に入っている色模様の布地を分け合って持ち帰った。

初めのころ、ネビロはこの行為はよくないことだと彼女等をいましめた。あなた方の働いた金で買いなさいと言った。すると女たちは、早口のエスキモー語で、

「ネビロ、お前はエスキモーなのか白人なのか、お前は私たちと親戚であることを忘れたのか」

と激しく食ってかかった。

彼等における習慣的同族意識は理屈ではなく本能のようなものだった。しかし、ネビロは負けなかった。彼女は、新しい村ができ上ったことを告げ、新しい規律を守らねば、村が立って行かないことを理解させようとしたが、彼女等は聞こうとはしなかった。

「もういいネビロ、お前は黙りなさい」

フランクは見兼ねて言った。彼が彼女等のその非常識な行為を一度認めると、それは公認された形になった。

「お父さんはあまりにもエスキモー的だわ、もう少し、お母さんを見習ったほうがいいのではないかしら」

ワシントン州のタコマの高等学校へ行くようになったバーニスが夏期休暇に帰って来て言った。バーニスにそれを強く言われるとフランクは悲しげな顔をして、助けを求めるような眼をハナに向けた。

ハナはその父が好きだった。たとえ、他人のためにのみ、戸口を開いている父であっても、ハナにとってはやさしい父だった。ハナは憤然としてバーニスに立ち向い父を弁護した。

ハナはタコマの高等学校に進学した頃から、その才能を認められ、一九三四年にはフエアーバンクスのアラスカ大学に学ぶようになった。教職課程を選ぶようにすすめたのは彼女の父であった。

バーニスは、高校を卒業して間も無く結婚して、ビーバー村を去った。若い人たちが次々と村を離れて行き、村には目立って老人が増えて行った。

2

シャンダラー鉱山への補給基地としての村の性格を毛皮の生産基地に変更したフランクの思惑は当った。もともと、エスキモーもインディアンも狩猟種族だった。彼等は村の方針がそのように変ったことを喜んだ。

ビーバー村に再び明るい日がさしかけた。主要な毛皮はビーバーそのものの皮だった。その他、此処《ここ》では貂《てん》、鼬《いたち》、狐、狼《おおかみ》、穴熊《あなぐま》などが、主として罠《わな》で捕獲《と》された。狐は赤狐、銀狐、そして赤狐と銀狐の合の子狐（クロスフォックス）が獲れた。ビーバーの皮はシルクハットの材料として高価であった。気取った紳士はシルクハットとは言わず、鼻にかかった発音で、その帽子のことをビーボァーと言った。その供給の中心地がアラスカのビーバー村だった。

フランクは、シアトル、ロスアンジェルス、ニューヨーク等の毛皮商と取り引きをする一方、夏になってやって来る毛皮商人とも、上手な取り引きをした。

「フランク安田の目玉の動かし方一つでロスアンジェルスの毛皮の相場が変る」

と言われるような数年があった。フランクは、毛皮商に対しては決して甘い顔を見せなかった。従来のように、原住民の無知につけこんで安く買いあさるようなことは断じてさせなかった。

毛皮商人が多数集まって来ると、競《せ》り売りをやった。

ジョージ大島の毛皮がいつでも最高価格で取り引きされた。なめしの方法が抜群だった。時によると、他の皮の倍額で引き取られて行くことがあった。ジョージは時々フェアーバンクスやシアトルやロスアンジェルスへ行くことがあった。そのときになにか、なめしの材料となるものを買って来ているようだった。

ジョージは死ぬまで、その方法を他人に教えなかった。彼と特に親しかったエスキモーのニューマンにさえも教えなかった。

ジョージは毛皮で得た収益は株券にかえていた。日本の商船会社の株券を初めとしてアメリカの有名会社の株券を多く持っていた。その株券の額面総額は第二次世界大戦が始まる前までには、三万ドルになっていた。

ジョージは競り売り以外は、シアトルの毛皮商人との直接取り引きをしていた。たった一枚の毛皮でさえもフランクの経営する交易所へ持ち込んだことはなかった。ジョージは白人を信用しないと言いながら、毛皮の売買に関しては、フランクよりもシアトルの一毛皮商社を信用した。

毛皮に関する限り、ジョージはフランクを敬遠したが、ジョージ以外の者は、すべてフランクを当てにしていた。フランクには絶対の信用があった。毛皮は彼の交易所に集中した。

「ビーバー村のフランクのところへ持って行けば、高い値で買ってくれる」

と言って、遠くから毛皮を持ってやって来る、エスキモーやインディアンでビーバー村は再び活気を呈した。

フランクはネビロをつれて、フェアーバンクス、ロスアンジェルスなどに、数回の旅行を試みた。彼の生涯における全盛期であった。

一九三五年にはビーバー村だけでビーバーの皮が三千数百枚も取り引きされた。

フランクは、間も無く動物の数が激減し、その時はポイントバローの二の舞を演じなければならなくなることを予測してミンクの飼育を始めた。餌《えさ》はユーコン河の魚を与えた。だがこれは失敗した。原因不明の病気で、数百匹のミンクが一度に斃死《へいし》した。彼がこの事業に投資した金は莫大《ばくだい》だった。

フランクは、教会の隣の墓地に村民の死者を埋葬するとき、永久凍土層に掘り当らなかったことからヒントを得て、この台地を大農場としようと考えた。多くの人を雇って開墾した。

大麦、ジャガイモ、茎野菜、キャベツ、などすべてよく育った。

だが、問題はそれを消費地のフェアーバンクスに輸送する方法だった。ユーコン河の岸辺に野菜専用の運搬船を横付けしないかぎり、取れた野菜の処分のしようがなかった。その船を買う金がなかった。

シャンダラー鉱山によって得た財産はほとんどなくなっていた。そうなったのは、ミンク飼育と農業経営という二つの事業に手を出したのが、原因のすべてではなかった。真の原因は彼の人の善さにあった。交易所で品物を売ったが、貸し売りが多く、貸しはほとんど返ってはこなかった。それを請求するようなことは一度としてなかった。

(フランクのところへ行けば、金を貸して貰《もら》える)

(フランクのところへ行けば助けて貰える)

という噂《うわさ》は一時、アラスカ全体に伝えられた。ビーバー村の人の出入りは多かった。だからと言ってフランクは無制限に金を放出したのではなく、ほんとうに困っている者、助けてやることに正当な意義を認め得る人だけを助けた。特にエスキモーやインディアンたちには親切だったが、白人に対しても例外ではなかった。或《あ》る新聞は、フランク安田のことをアラスカのサンタクロースだと評した。その中には、彼の底抜けの善意に対する幾分かの皮肉が含まれていた。

フランクは容易には物に動じない人であったが、ビーバー村を農村にしようとして失敗したときには、かなりのショックを受けたようであった。そのとき彼は珍しく、彼らしからぬ泣きごとを、娘のハナに洩《も》らした。

「野菜運搬船を一艘《いっそう》買えるだけの金があったらなあ、そして、若い青年がもう少し協力してくれたらなあ……」

それに対してハナが言った。

「お父さん、私は大学を卒業したら必ず、村へ帰ってまいります」

その娘にフランクは、

「無理をしないでもいいのだよハナ、お前にはお前としての進むべき道がある筈《はず》だ。それを真直《まっす》ぐに歩いて行けばいい」

と答えてはいたが、ハナにはそれが父の強がりに思われてならなかった。

3

ハナが大学を卒業した一九三八年（昭和十三年）にはフランクは七十歳になっていたが、老いこんだという風はなく、度々訪れてくる、地質調査関係の人たちの世話をしていた。それまでにも多くの科学者や技術者が彼のところを訪れた。ビーバー村が、しばらくの間、これ等の調査、研究の基地となったこともあった。

フランクはこの仕事にはなにをさし措《お》いても協力した。彼は五十歳台から六十歳台にかけて調査団の案内人として、しばしばシャンダラー地区からブルックス山脈にかけて入りこんで行った。

一九二八年に、調査団を案内して、奥地に入ったとき、二十四年前に、セニックとタカブックが、カリブーの肉を雪の中に埋め、その上に目印の石を積み上げたケルンにめぐり合った。

ケルンの下には二十四年前の肉が残っていた。試みに犬に与えたが、犬はそっぽを向いた。そのケルンを積んだセニックも死に、タカブックも既に生きてはいなかった。

フランクは飾らぬ男だった。調査団が、なぜ二十四年前にこのケルンを積んだのかという質問に対しても、要点しか答えなかった。

フランクは料理人としての腕を持っていた。彼は旨《うま》い料理を作って人に食べさせることが好きだった。ハナが大学を卒業した年にビーバー村を訪れた調査団を迎えるに当って、フランク自らがコック長となった。村の近くでムースが撃ち取られたので、彼はこの鹿《しか》の肉を使って、アラスカ一のステーキを作った。

ポイントバローからやって来たエスキモーは、そのころになっても、エスキモー語を使用していた。彼等はフランクに対して、尊敬すべき渾名《あだな》として「クキツラ」を呈していた。クキツラはエスキモーが使う一種のフォークのことであり、それが渾名として使われる場合は「名料理人」という意味であった。もともとエスキモーは料理そのものに工夫をこらして食べる種族ではなく、生肉をそのまま口に入れる種族だったが、部族間で年に一度か二度、その部族を代表する者を招待したり、招待されたりする、儀式めいた行事には、「名料理人」が駈《か》り出された。クキツラは、様々の料理を作って客を喜ばした。

フランクはクキツラと言われることを、なによりも喜んでいたが、その他の呼称は好まなかった。彼は、時たま白人が、不用意に酋長《しゅうちょう》(chieftain)という言葉を洩《も》らすと、即座にそれを訂正して、私の名前を呼んでくれと言った。村人たちにも、チーフとは呼ばせなかったが、彼等の間では、ずっとチーフで通っていた。

フランクは自分の身体《からだ》があいている場合は、自ら家族の食事の用意をした。ネビロは初めのうちはそれをことわっていたが、それがフランクの唯一《ゆいいつ》の趣味であることを理解すると、いつしか、彼女は薪割《まきわ》りや水汲《みずく》みの仕事に廻るようになった。彼女はひどく働き者で、働いていないと気がすまなかった。フランクに、少しは休むようにたえず注意されていた。

彼がもっとも得意な料理は鹿肉のステーキだったが、川魚の料理も上手だった。ユーコン河では鮭《さけ》や鱒《ます》が獲《と》れた。パイクと呼ばれている梭魚《かます》の種類、ハーボットと言われる、鰻《うなぎ》に似た魚、グレーリングという鮎《あゆ》に似た魚、そしてホワイトフィッシュなどが取れた。フランクが最も愛好している魚は、夏でも冬でも獲れる、ホワイトフィッシュであった。白い魚のその名のとおり、刺身は白くなめらかに輝いていた。フランクは薄い切身に醬油《しょうゆ》をつけて食べた。

彼はロスアンジェルスの商社から日本の食品を送って貰《もら》っていた。醬油は年中使った。凍り豆腐（高野豆腐）や昆布が彼の好物であった。これらに、庭の畑から取れた野菜を加えて醬油で味をつけた煮付けを作った。

ハナもバーニスもこの煮付けは大好きだったが、ネビロは終生これには箸《はし》をつけなかった。ネビロにはこのような頑固なところがあった。

食事のことが発端になってしばしばフランクとネビロは喧嘩《けんか》をした。

「ああ、俺は間違えた。日本へ帰るべきだった」

フランクがこの言葉を口にしたとき喧嘩は終りになった。フランクがこれを言うとネビロはしゅんとなり、悲しそうな顔で俯《うつむ》いた。そのネビロの機嫌を、今度はフランクが取った。時には二人で同時に涙を見せることがあった。

フランクには日本へ帰国するチャンスが一度だけあった。第一次世界大戦が終った直後、彼は石巻の実兄安田清安宛《あて》に、古本の中身を刳《く》り抜いて穴を明け、その中へ金貨を数枚隠して小包便で送った。この小包が無事届くかどうか分らないがと、前置きして、長い間音信不通になっていた理由を述べ、現況を知らせてやった。

兄の清安からは半年後に返事があって、金貨が無事着いたことを知らせて来ると共に、兄弟や親戚《しんせき》の消息を知らせて来た。そして、手紙の最後に一度日本へ帰って来たらどうかと付記してあった。フランクの望郷の炎が燃え上った。彼は当時、日本へ帰るだけの余裕は充分あった。錦を着て帰るという子供じみた夢は、やはり彼の中にもあった。

ネビロは彼の帰国を承知しなかった。

「あなたは日本に帰ったら、二度とこの地には帰って来ないでしょう。あなたが、ここへ帰りたいと言っても、周囲の事情で帰れなくなるかも知れませんし、途中で病気になるようなことになるかもしれません。あなたが、居なくなったらこの村はそしてこの村の人はいったいどうなるのですか」

ネビロはその言葉を繰り返した。ネビロの言葉の中に、

（あなたが死んだら私たち母と娘はいったいどうして生きて行ったらよいのでしょうか）

という文句はなかった。

ネビロはその村のエスキモーの女性のリーダーだった。彼女は自由を尊んでいたし、個人と集団との差をはっきりつけて、まず個人の形成をしなければならない、エスキモー社会の連帯感は原始社会においてのみ通用するもので、その連帯感はかえって他人に依存することになるのだと説いていた。その彼女が、フランクが日本に帰ると言ったとき、自分たち親子のことより集団のことを心配したことはフランクの胸を打った。

帰国のチャンスは去った。そして、日本との距離も遠くなって行った。一九三〇年（昭和五年）に兄の清安が死んだという通知を受けて以後故郷との音信は途絶えた。

ハナが大学を卒業して村へ帰り、正式な郵便局長になってからは、フランクとネビロは口喧嘩をあまりしなくなっていた。そのかわり、フランクは、ハナを相手に日本のことをこまごまと語った。ハナには、すべてが想像の中の日本だった。桜の花も椿《つばき》の花も、ロスアンジェルスから父が求めて来た本や写真や絵葉書の中のものであって実感としては映らなかった。どれほど美しいものか分らなかった。

彼は石巻の話をした。北上川はユーコン河のようだと説明し、その両岸に多くの人たちが住んでいて、そこには千年に近い歴史があることを語った。多福院、内海橋、一皇子宮神社、日和山城址《じょうし》、海門寺の盆踊りの話など、ハナには、すこぶる興味があった。

フランクは、彼の家が代々医者で、石巻の名門であり、彼の兄弟も医者であることを正直に話したが、

「なぜお父さんはひとりでアメリカにやって来たの」

と突込まれると、答えに窮した。そんなことがあると、フランクは故郷の話を止《や》めて、ふらりとユーコン河の岸辺に出て行った。その父を追おうとするハナをネビロが引き止めて言った。

「お父さんは、ユーコン河を眺めることによって北上川を思い出すのだよ。そして、お父さんが会いたいと思っている幾人かの人の顔もきっと思い出しているに違いないわ」

ネビロは知っていた。あの長い長い苦しい旅を終って、この地に安住したころ、フランクは炉の火を放心したような眼で見詰めていた。それ以来、フランクは突然、なんの予告もなしに郷愁に襲われて放心したような顔になることがあった。ネビロは、そのフランクをそっとして置いてやった。彼の心だけが日本へ帰国しているのだと思った。

フランクが妙に故郷のことばかり話したがるのと対照的に、ネビロは、ポイントバローからやって来た老婆《ろうば》が彼女の記憶をたどるように低い声で話す話を、低い机の前に坐《すわ》って数時間に亙《わた》って、聞いてやっていることがあった。それは事実ではなく、物語として伝承されて来た海岸エスキモーの父と息子の話であった。ハナはその退屈きわまる話

を働き者の母がなぜ数時間も浪費して聞かねばならないのか不思議でならなかった。

父も母も老いたのだと思った。

4

ハナは大学時代に知り合った白人と結婚した。彼もまた教職課程を終り、すすんでビーバー村へ教師としてやって来た。そしてハナは女児を生んだ。

フランクにとって、もっとも幸福な日が続いた。彼は、孫娘のシェリーを抱いて散歩することがなによりもの楽しみとなった。

一九三九年に第二次世界大戦が起った。日本はその二年前に中国大陸に出兵していた。

フランクは三種類の新聞のほか三種類の雑誌を取っていた。郵便飛行機が定期的にビーバーを訪れていた。目まぐるしい世界の変化は、これ等の印刷物ばかりではなくラジオによっても報ぜられていた。

日本に対するアメリカの批判は総じて冷たかったが、ビーバー村とはなんの関係もないことだった。

一九四一年（昭和十六年）十二月三日、太陽が南南西の空に沈んで二時間も経《た》ったころ、フランクは異常な犬の哭《な》き声を聞いた。彼は長年犬を扱いなれていて、どんなとき、どんな吠《ほ》え方をするかよく知っていた。それは危険な人間が来たことを知らせる警報でも、獲物が近づいたことを知らせる通報でもなかった。その夜の吠え方はいままで、ついぞ聞いたことのない、恐怖に満ち満ちた数十匹の犬の合唱だった。

彼は外に出た。空がオーロラで覆《おお》われていた。空いっぱいに拡《ひろ》がる血の海がたぎり立ち渦を巻いて激しく揺れ動いていた。

彼は、これこそ、エスキモーの古老が言っているもっとも恐ろしい天の予告だと思った。多くの人々が血を流す凶兆が現われたのだと思った。ずっと前に見た骸骨《がいこつ》の踊りとは種類の違った毒々しい、残酷な、意地悪な、そして明確な地球物理学的表顕だった。

血の海は煮えくり返り流動しながらも、絶え間なき明滅を繰り返していた。血の海は空から溢《あふ》れ出そうとし、そしてまた、その空の外の空から空の中心に向って、集中しようとした。血の海からは赤い血に染まったカーテンが重々しく大地に向っておろされた。

血の幕は数え切れないほどの襞《ひだ》があり、襞には明暗のような陰影が感じられたが、それは陰影ではなく血の赤さの相違から来る眼の錯覚だった。

血のカーテンはゆっくりと揺れた。血の風が夜空を叩《たた》き、アラスカの原始林を鳴動させた。

フランクは怖《おそ》ろしさと寒さのためによろめいた。ハナが彼を支えた。

「風が出たから……」

と彼女が言った。エゾマツの森を鳴らしたのは血のカーテンではなく、オーロラとはなんの関係もない夜の風だった。

ハナは父の手を取って家の中へ引き入れた。彼女もそのオーロラが不吉な知らせであることを知っていた。村中の者が外に出て、流血のオーロラにおびえ、恐れ戦《おのの》いた。その人々の不安がさらに犬たちの神経質な遠吠えを誘った。

ネビロは外には出なかった。ハナが、血のオーロラとひとこと言ったのを聞いただけで、何が起ったかを理解したようだった。

「あなたの身の上になにか悪いことが起らなければよいが」

ネビロはフランクに言った。

ネビロは一夜眠らずに、夫の傍に坐《すわ》っていた。血のオーロラが凶事を予告するものであったとすれば、それは人間全般のことであって、フランク個人のものではないことが分っていても、この村での最大な不幸は、フランクが居なくなることだと思いこんでいる彼女にとっては、夫の身のみが心配だった。

血の海の予告は当っていた。

その数日後に日本とアメリカとは戦争状態に入り、そして、その翌年一九四二年の一月早々、数名の警察官を乗せた一機の飛行機がビーバー村飛行場に着陸した。警察官はフランク安田とジョージ大島に逮捕令状を見せた。

なんのために二人の老人を連れて行かねばならないのかその理由を警察官は明らかにしなかった。彼等は、命令だからと言葉少なく語った。突然のことに驚いている家族たちに、警察官は五時間の猶予《ゆうよ》を与えた。

小男のジョージという渾名《あだな》をつけられたジョージ大島は、なぜ連れて行くのか、おれはなに一つとして悪いことはしていないと言い張った。なにを言ったところで警察官には通じなかった。

二人は村人と別れるときに帽子を取って手を振った。二人の白髪が飛行場を吹き渡る寒風に揺れて痛々しかった。ネビロは大地に伏して泣いた。村人たちは呆然《ぼうぜん》として見送った。飛行機が見えなくなってもしばらくはそこを立ち去らなかった。

フランクとジョージはフェアーバンクスの監獄に入れられた。続々と周辺から日本人が送られて来た。老人も男も女も、幼い乳飲み子もいた。

日本人が強制収容されたという報が伝わると、フランク安田を知っている多くのアメリカ人から嘆願書が出された。フランクが原住民の指導者としていかに偉大であったか、そして現在も尚《なお》貴重な人物であるかを警察署長に言いに来る者が跡を断たなかった。警察署長はフランクがフェアーバンクスに到着する前にそのことを知っていた。フランクの為《ため》に特別室が設けられ、食事も特別なものが用意されていた。

フランクはその待遇を拒否した。日本人である以上、すべて同じようにしてくれと言った。フェアーバンクス在住の学者や宗教家やその他数多くの知識人が連名でフランク安田の身柄についてすべての責任を持つから釈放して欲しいと嘆願したが、当局はこれを受け付けなかった。

彼はフェアーバンクスから、アンカレッジに送られ、ここに三カ月居た。その間に日本人の数は次第に増えて、百三十人ほどになっていた。

彼等は、アンカレッジからワシントン州のタコマの仮収容所に送られた。そこからは、テキサス州のヒューストン、そして、ニューメキシコ州のローズバーグ、そして同じ州のサンタフェの強制収容所に移された。ここまで移動するのに、約一カ年半を要した。

ジョージ大島はずっと一緒だった。ジョージは、日本人を敵性国人として強制収容所にぶちこむのなら、なぜ在米ドイツ人やイタリア人を強制収容所に入れないのだと、行く先々で監視人に向って言った。その度に彼は犬のように蹴《け》とばされた。

「アメリカ人ってどんな奴《やつ》かよく分ったろう、アメリカ人に限らず白人は、絶対に信用が置けないのだ」

ジョージはサンタフェの強制収容所に定着してしばらく経ったころフランクに言った。フランクは答えなかった。

フランクは収容所の中ではひとり超然としていた。ラジオを聞いて、あれこれと戦況を批判するようなことはなかった。

暇さえあれば散歩をしていた。

ジョージはこの収容所で死んだ。臨終に立ち会った日本人はいなかった。

彼が持っていた多額の証券のことが戦後問題になった。ジョージは彼の死に立ち会った看護婦に、その証券をすべて譲ったらしいという噂《うわさ》が出たが、それを確かめた者はいなかった。強制立ち退き命令が出てから飛行機に乗るまでの数時間の間にジョージのロッジはきちんと整理されていた。彼が去った後で、村の人たちが彼の財産を保管するために行って見ると、半分ほど減った米袋が棚の上に一つ置いてあっただけだった。二丁の猟銃も、弾丸の包みも、なめしの材料も、ラジオも部屋には置いてはなかった。

5

フランクは一九四六年（昭和二十一年）になって、なんの予告もなしにビーバー村に帰って来た。

村を出るときはしっかりしていた足腰だったのがやや不自由になっていた。彼はそのとき七十八歳だった。彼が乗った飛行機が、ビーバー村の上空を旋回し出すと、彼は乗出すようにして、飛行場へ集まって来る村人たちの一人一人に眼を投げた。ネビロの姿はあったが、ハナも彼がもっとも会いたがっていた孫娘のシェリーの姿もなかった。

「ハナはどこへ行った」

それが、彼が飛行場へ降り立ったとき初めて口にした言葉だった。村は彼が不在の間に大きく変った。若者たちの多くが村を去った。ハナも高等学校の教職を得て彼女の夫と共に任地で教鞭《きようべん》を取っていた。

フランクは村の人口が激減した理由については訊《き》かなかった。そしてまた村人が、もっとも聞きたがっていた強制収容所内のことについても多くは語らなかった。アメリカ政府が在米日本人に対して取った非人道的な行為に関しても触れることを避けているようだった。彼は口にこそ出さないけれど、彼を裏切ったアメリカ政府に、大きな声で言ってやりたい多くのものを持っていることをネビロだけは知っていた。

収容所から帰って来た彼は机に向って書き物をするようになった。時々彼は古い日記を取り出して見ながらネビロに質問した。その内容から、彼女は、フランクは彼がたどった長い長い道を書き残そうとしているのだと思った。

ネビロは彼が書いているノートを覗《のぞ》き込むような、はしたないことはしなかったが、時々彼が若返ったような眼を彼女に向けて来るとき、彼女は、今彼が書いているのは若かりしころの彼とこの私のことに違いないと思った。彼女は、彼が机に向って、それを書いているとき、なるべく傍で針仕事をしていた。二人の静かな生活が続いた。

彼がビーバーに帰った翌年、自然科学者たちの一行がビーバー村を訪れた。フランクの顔見知りの人が何人か混っていた。

　彼は非常に喜んだ。やや曲りかかった腰を延ばして、村中を小走りで廻り、大事な客が来たからなんとしてでもムースを一頭撃ち取って来て貰《もら》いたいと言い歩いた。フランク自身はもう銃を持って森の中へ出掛けることはできなかった。村の者がジョージ湖のほとりで一頭のムースを撃ち取って運んで来たときには、彼は久々に笑顔を見せた。彼は鹿肉《しかにく》のステーキを作った。料理をしているときの彼の姿は十も若返って見えた。

　学者たちは、フランクが身をもって体験した屈辱に対して、同情していたが、それについては触れないようにした。話の中に突然、その暗い時代のことが出て来た場合はお互いに、そこから遠ざかろうとして、かえって気まずい思いをした。フランク一家のことを知っている学者は、そこにハナが居てくれたらよいのにと思っていた。

　戦後のビーバー村は、かろうじて息をついていた。冬の間に伐採した材木を夏になって筏《いかだ》に組んで運び出すための人が入って来た。交易所は細々ながら続いていたし、郵便局もあった。毛皮は化学繊維に追われて戦前のような華やかさはなかった。村の人口が減った一つの理由はこのせいだった。フランク夫婦の収入の道はほとんど絶えたと言っても過言ではなかった。バーニスとハナからの送金が支えになっていた。

　フランクは一層無口になり、机に向う時間が多くなった。日記ばかりではなく、彼はよく手紙を書いた。バーニスやハナ宛《あて》のものばかりではなく、村の者で、彼と同じような境遇に置かれている老人たちのために、代筆を引き受けた。そこに村がある以上、彼が帰って来ると、あらゆることは彼におしつけられた。彼は嫌な顔一つせず、なんでも引き受けた。品物を注文する手紙まで書いた。しかしそれほど、気安く他人の手紙まで書いているのに、日本宛の手紙は一通も書かなかった。

「なぜ日本へ手紙を書かないの」

とネビロが言うと、フランクははっきりと、失言を責めるような眼を彼女に向けた。ネビロは、そのフランクの眼の中に潜んでいる深い郷愁を見のがさなかった。

フランクは時々、長い時間を掛けて日本の書物や、ロスアンジェルスから送られて来る日本語の新聞などを読んだ。日本語の読書に疲れると杖《つえ》を引き、危うい腰つきでユーコン河の岸辺に立った。

彼の頭の中でユーコン河と北上川とが入れ替った。

常に濁っていて、その底を見せたことのないユーコン河は、常に澄んでいて、その底の小石のひとつひとつが光って見える北上川に思われた。

ユーコン河の両岸の森は北上川の両岸に立つ山や丘に変った。寺や神社の木の一本一本までが子供のころのままの姿で浮び上って来た。静物ばかりではなく、兄弟姉妹、そして千代の愛らしい姿が昔のままで思い出された。

「おれは日本に帰らないでよかった」

と彼はひとりごとを言った。日本に帰らなかったからこそ、昔の姿をそのままに残して置くことができたのだと思った。


その朝はひどく寒い朝だった。暖気団が寒気団に変ったばかりの日だった。

「ネビロ、出てごらん、ダイヤモンドダストが日和山に降っている。きれいだなあ」

フランクはネビロを呼んだ。

空はよく晴れていた。ダイヤモンドダストなど見えなかった。それに日和山は、もう何度か聞かされたことのあるフランクの故郷の地名だったので、ネビロは不審に思ってフランクの顔を覗きこんだ。

「見ろ、多福院の屋根にもダイヤモンドダストが降っている」

多福院は彼の生家の菩提寺《ぼだいじ》だった。彼の眼には多福院の屋根いっぱいに降りそそぐ、ダイヤモンドの粉が、たとえようもなく美しく輝いて見えた。

「あなた、どうしたの、あなた」

ネビロがフランクの手を取ると、

「ああネビロ、石巻の……」

石巻の兄なのか、弟なのか、姉なのか、妹なのか、祖父なのかそれとも千代なのか、或《ある》いは母の名を呼ぼうとしたか父に語りかけようとしたのか、その大事な人の名はついに言わなかった。彼はネビロに手を取られたまま大きくよろめき、両膝《りようひざ》を揃《そろ》えて雪の上につき、そしてゆっくりと前かがみに倒れた。

一九五八年（昭和三十三年）一月十二日、日本人《ジヤパニーズ》モーゼと謳《うた》われ、アラスカのサンタクロースと称されたフランク安田はその絢爛《けんらん》にして数奇な九十歳の生涯を閉じた。

アラスカ取材紀行

私が『アラスカのフランク安田』という記事をある雑誌で読み、臆面《おくめん》もなく、著者の東《あずま》良三さんに手紙を書いて面会を求めたのは昭和三十年のことである。

東さんは長いことアメリカにいた方で、アラスカについては特に造詣《ぞうけい》の深い人だった。東さんからは快諾があった。私は東さんの家へ何度か伺って、アラスカの話やフランク安田のことを聞いた。アラスカに関する書物を幾冊か借りた。話の筋は面白かったが、いざ小説を書くに当って、現地を踏んだことのない私にはなんとしても書き難《にく》く、苦心に苦心を重ねてでっち上げたのが「北極光」であった。これは、昭和三十二年の小説新潮四月号に発表された。東さんには、よく書けたと讃《ほ》められたが、私にとっては、なんとなく物足りない作品だった。それは、フランク安田という人の生涯をたったの七十枚ばかりの小説に書いたというもの足りなさもあったが、アラスカを踏まずに書いてしまったという私自身の安易な姿勢に対する反省でもあった。

「北極光」は映画の筋書きを読むような作品だったせいか、何回となく映画化の話があった。そのたびに私は、あの作品はそのうち書き直すから、それからにして貰《もら》いたいと率直に述べた。結局は映画化されずに今日に及んでいる。

私はいい加減な仕事をやったという心の重荷を十六年も背負って歩いた。他にも、けっして讃められないような作品を幾つか書いたが、この作品ほど作家としての精神的呵《か》責《しゃく》に悩まされたものはない。私は必ずいつかはこの重荷をおろさねばならないと思っていた。

昭和四十七年の暮のことである。東さんから日本国立公園協会が主催するアメリカ国立公園視察団の一行に加わらないかという誘いを受けた。一行は日本を出発してアラスカの国立公園を振り出しにアメリカ中の国立公園を見て廻る予定だった。

私は、アラスカのことをよく知っており、しかもフランク安田と面識があった東さんと一緒に旅行できるなら行ってもよいと思った。視察団の一行とのアラスカの旅が終ったところで私は、自分自身の取材をしようという計画を立てた。四十八年の一月一日からその準備にかかった。連載小説の書きだめにかかり、約束した原稿はすべて六月の出発前に脱稿できるように計画した。そしてアラスカ大学で気象学の研究をしている大竹武教授に私の予定を手紙で知らせた。大竹教授とは以前から知り合いだった。手紙の中に、大学院に在学中の堀内紘子さんがアラスカの日本人について研究しているそうだから、もし堀内さんの都合がよかったら、私の取材旅行に協力して貰えないかと頼んだ。堀内さんのことは東さんから聞いて知っていた。

大竹さんから折り返し手紙があった。堀内さんとは懇意にしている、紹介して置いたから直接打ち合せるようにと、彼女の住所を知らせて来た。

私は堀内さんと文通を始め、彼女がフランク安田について、かなり詳しく調べていることを知った。彼女からは、必要ならば、それまでに調査した資料を提供しましょうと言って来た。私にとって、幸先《さいさき》のよいスタートだった。

私は出発前にでき得るかぎりのアラスカの資料を集めた。港区赤坂のアラスカ州政府事務所に所長の勝山義雄さんを訪ねて向うの事情を聞いたり資料を見せて貰ったりした。勝山所長は私の取材に役立つようにと、アラスカ各所の政府関係者に紹介状まで用意してくれた。秘書の新垣《あらがき》光子さんにもこまかいことでいろいろと世話になった。

六月十五日、私はアメリカ国立公園視察団の一行と共に羽田を発《た》った。国立公園協会の東良三さん、千家哲麿《てつまろ》さん、自然環境保全審議会の林修三さん、荒垣秀雄さん等多彩なメンバー三十六名だった。

私にとって団体旅行は初めてだった。切符のことも、荷物のことも、食事のことも、ホテルのことも、なにもかも旅行会社の方がやってくれるし、行く先々に案内が付き添い、それもすべて通訳されるといういたれり尽せりの旅だった。団体と別れるまでの一週間はアラスカの自然についての概念を得るのにまことに都合のよい旅行だった。団体と別れたら急に淋《さび》しくなった。

極北の地バローは夏至だというのに、毎日一度か二度は雪が降ったりみぞれが降ったりした。寒々とわびしい町だった。軍事基地としての町であり、約二千五百人のエスキモーのほとんどは何等かの形で、軍の仕事に関係しているようだった。戦前の根室の町を思い出させるようなところだった。期待していたようなエスキモー古来の姿は見られなかったが、隅から隅まで歩いて見ると、ウミアクがあったり、北極狐《ぎつね》の皮が乾《ほ》してあったり、アザラシの皮が無造作に投げ出されてあったりした。海岸に鯨の残骸《ざんがい》がさらしものになっていた。根室ならば烏《からす》がむらがるのに、ここには烏はいなかった。肉を切り取ったあとの骨はそのままになっていた。歩測で当って見ると七メートルほどあった。内臓の一部が臭気を発していた。

沖は見渡すかぎりの氷原で、岸から二〇メートルほどのところまで氷が溶けていた。町はずれの海岸で、その海水をすくって、口にふくんで見た。気のせいか鹹度《かんど》は非常に少なく感じられた。一度に氷が溶け出したがために、海水の塩分が稀薄《きはく》になったのだろう。

海岸から一〇〇メートルも陸地側に入ると、そこはもうツンドラ地帯で、雪の下から、米粒のような葉が出ていた。

村はずれの砂丘にチャールス・ブロワーの墓があった。墓石の周囲だけに雪がなかった。丁度夏至のころだったから太陽が沈むことなく一日中頭の周りをぐるぐる廻っているからこのようになるのであろう。墓は一つだった。花を捧《ささ》げた形跡もなかった。十四人の子供を生んだ五人のエスキモーの妻の墓はそこにはなかった。そのチャールス・ブロワーの長男のトーマス・ブロワー氏は私が泊ったホテルの経営者だった。

彼は非常に好意的で、チャールス・ブロワーの部厚い日記を持ち出して来て閲覧を許した。五十年に亙《わた》って書かれた日記のうち、第一冊目の中にフランクや、カーターや、ミナノなどの名前が書かれていた。写真で見たチャールス・ブロワーは大柄な人のようだったが、日記の字は小さくて、あまり上手な字ではないが、一字一字が明確に、丁寧に書かれていた。一カ月を二、三行で書いたところもあるし、一日のことを二頁《ページ》にわたって書いたところもあった。トーマス・ブロワー氏はフランク安田や妻のネビロについての話を知っていたが、フランクが移動して行ったのは彼が生れたばかりのころだから、すべては他人から聞いた話のようだった。

彼はフランクの死後ビーバー村へ行ってネビロに会った。彼を見てネビロは言った。

「あなたは白人？　それともエスキモーなの」

彼がエスキモーだと答えると、彼女は何処《どこ》から来たのだと訊《き》いた。

「ポイントバローから来たトーマス・ブロワーだよ」

するとネビロは声を上げて彼に抱きついて言った。

「ああ、あなたがトーマスなの、私がポイントバローを離れず、そのままでいたら、あなたは私の養子になった筈《はず》です」

彼はこのような話をするとき、表情をいささかも変えなかった。彼の話から想像すると、彼はネビロがポイントバローを出発したころ生れたものらしい、そうすると彼の年齢は七十歳ぐらいになる。

彼はたいへん親切な人で、気のせいか、日本人には特別に好意を持っているようだった。フェアーバンクスでも、ロスアンジェルスでも日本人に間違えられたという話をした。静かにものをいう人で感情に起伏がないのもこの人の特徴の一つだった。

滞在中に鯨祭りに出会ったことは幸運だった。雪が溶けたばかりの生乾きの広場に、村中（鯨組の人たち）が集まり、鯨の肉を腹いっぱい食べて、子供や若者たちが興ずる、ブランケット・トスをぼんやりと眺めながら一日をつぶすのが鯨祭りだった。この跳躍はすばらしかった。青年たちはびっくりするほど高く見事に飛んで見せた。エスキモーダンスはやらなかった。この踊りを見学したのは観光団専用の仮小屋だった。

バローとポイントバローとは五マイルほど離れている。エスキモー部落がポイントバローから、この地へ引越して来たころから海岸エスキモーの生活様式は急速に変った。現在では北極海に面したアラスカ海岸エスキモーのほとんどがこの町に集まっているということだった。フランク安田のころのように、海の幸によって生きているエスキモーはもうアラスカにはいないらしい。だが、もとからバローにいた老人はフランク安田の話を知っていた。七十年前に村が二つに分れて、その一つをフランク安田が引きつれて、ビーバーへ移動して行ったことはほぼ正しく語り伝えられて知っていた。

この町は若者が多かった。エスキモーは総じて愛想がよくて、顔を合わせると必ず挨《あい》拶《さつ》した。話しかけて来る者もいた。エスキモーか日本人かと何度か訊かれた。

真夜中の太陽には降参した。ホテルのカーテンの隙間《すきま》からさしこんで来る日の光の中では眠ろうとしても眠れるものではなかった。私は疲労と睡眠不足で食欲を失った。

取材が終ってバローを出発する朝、この町のはずれで白熊《しろくま》が二頭撃ち取られた。飛行機の出発は二時間遅れた。折から吹雪になって視界がきかなくなったからである。

フェアーバンクスに帰ってからのスケジュールはいそがしかった。大竹教授と堀内さんがすべて上手に取り運んでくれた。

大竹教授の私宅で私は、フランク安田と強制収容所で一緒だった、サム木藤さんに会った。サム木藤（本名木藤三郎）さんは大阪府日根郡淡輪《ひねごおりたんのわ》（現大阪府泉南《せんなん》郡岬町淡輪《みさきまちたんのわ》）の人で、一九一八年、丁度十歳のとき、父木藤悦造さんとともにアメリカに渡って来た人である。

彼は、フランク安田とはアンカレッジで初対面だった。アンカレッジからタコマ(ワシントン州)、ヒューーストン(テキサス州)、ローズバーグ(ニューメキシコ州)、サンタフエ(ニューメキシコ州)と移されたが、彼は此処《ここ》でフランク安田と別れて、ミニドカ(アイダホ州)へ移った。

サム木藤は最初のうちはほとんど日本語が話せなかったが、間もなく普通に話せるようになった。彼とフランク安田がいたという強制収容所の名前は、第二次世界大戦中の日本人の強制収容所について書かれた二冊の著名な本を見ても出て来なかった。「アメリカの人種的偏見 日系米人の悲劇」(ケアリー・マックウィリアムス著 鈴木二郎、小野瀬嘉慈共訳)には、アラスカの日本人百三十四人がアイダホ州のミニドカ強制収容所へ移されたと書いてある。

サム木藤氏は最終的にはこの強制収容所へ行ったが、フランク安田はサンタフェの強制収容所に最後まで残されたというサム木藤氏の話を信じて、私は小説の中にもそのとおりに書いた。彼の話によるとサンタフェの強制収容所は山の上にあり、暑いけれど比較的に環境はよかったそうだ。

「フランクの日本語は下手でした。彼とはずっと英語で話していました。エスキモーを二百人引き連れてブルックス山脈越えをした話には感動しました。なんでも、弾丸《たま》がなくなったので、弓矢まで使おうとしたことがあったとか……。なにしろ非常につらい旅だったけれど、誰一人として文句を言うものはいなかったと言っていました。彼はそのときの苦労を毎日日記につけていたそうです。それにも感心いたしましたね」

フランク安田の日記については、娘さんのハナさんに訊いたが首を傾《かし》げた。日記の行方は最後までつかめなかった。

ハナさんはフェアーバンクスから南方約二〇〇マイルのカッパーセンターにある学校の先生をしていた。この学校は一年生から八年生までを教える、日本で言えば、小学校と中学校とを一緒にしたような学校で、生徒数は三十二人、彼女が一年生から三年生、彼女の夫のヘンドリック・カンガスさんが四年生から八年生までを教えていた。児童数は少ないけれど、二、三百人は収容できそうな学校だった。彼女等の家はその学校の一隅にあった。

彼女は五十九歳だったが、五十歳ぐらいにしか見えなかった。夫君のヘンドリック・カンガスさんはフィンランド系のアメリカ人だった。長女のシェリーさんは嫁いでいて二児があり、現在彼女のところには次女のレイナさんがいる。十八歳の美しいお嬢さんだった。

「私は日本人のことは知りませんが、父から聞いた日本人の性格は、なにか私の母に似ているように思われてなりませんでした。そして父は頭のてっぺんから足の爪先《つまさき》まで正真正銘のエスキモーでした。母は非常に厳格な女で、子供たちのしつけはやかましかったけれど、父はエスキモー的になんとなく鷹揚《おうよう》でした。私たち姉妹は父が大好きでした」

ハナさんの言葉には無駄がなく、話の要点を上手に摑《つか》んで、彼女が知るかぎりのことを伝えようとした。

フランク安田が飛行機で連れ去られると決ったとき、彼はハナに言った。

「まさか、アメリカはこの私を殺すようなことはないだろう。私は必ずここへ帰って来る。私が帰って来るまで醬油《しょうゆ》の一罐《ひとかん》だけは取って置いてくれ」

彼は半ば冗談でそんなことを言い、その朝釣り上げたホワイトフィッシュの刺身を醬油につけて、旨《うま》そうに食べてから出て行った。取り乱すようなことは全然なかった。むしろ家族のほうが、どうなることかと心配した。

フランク安田の最期《さいご》をみとったのはネビロである。彼女は急を聞いて駈《か》けつけた二人の娘の前で、私はフランクの墓を死ぬまで守ると言い切った。だが気の強い彼女も晩年は眼が不自由になり、バーニスさんのところへ引き取られて行き、間もなく死んだ。

ハナさんによると、彼女の母のエスキモー名はアーグァネヴロックであるが、アーグァという発音はエスキモー語特有な発音で、日本人にも白人にも真似《まね》ができないので、いつしかネビロと呼ばれるようになったということである。彼女が死んだのは一九六六年（昭和四十一年）一月二十五日だった。

最後にハナさんは、

「あれほど父が帰りたがっていた日本だから、亡《な》き父の身がわりとして一度でいいから行って見たい」

と言った。そのハナさんの表情の中に、写真で見たフランク安田の、あの深い愁《うれ》いを湛《たた》えた叡《えい》智《ち》の眼が蘇《よみがえ》って見えた。

ビーバー村へは飛行機で行くより仕方がなかった。ユーコン河を船で遡《さかのぼ》るという方法もないではなかったが、船をチャーターしなければならなかった。アラスカはエアータクシーが発達していた。道路のないところは飛行機が行けるように、いたるところに飛行場ができていた。

ビーバー行きのセスナ機がフェアーバンクスの飛行場を出発したのは午後の七時だった。大竹教授と堀内さんも同乗した。大竹教授の意見によって日中は大気の擾乱《じようらん》が多くて気分が悪くなるから、この時間を選んだのである。太陽高度はかなり低く、ずっと北の方へ寄っていた。離陸するときから無風だった。飛行機は空中に浮き、景色が後へ後へと飛んで行くような全く安定した航行だった。速度は一二〇マイル、高度計は一、七〇〇フィートのところにぴたりと止っていた。

アラスカに来てから、旅客機には何回も乗ったが、こんなに低いところを飛んだことはなかった。地上の木の一本一本がはっきり見える高さだった。森と湖沼《こしょう》とゆるやかな丘陵の上を飛んだ。

ざっと見て、数百エーカーもあるかと思われるような山火事の跡を下に見ながら飛んでいるときには気のせいか煙の臭《にお》いがするようだった。森は湖沼や川の周囲に発達し、山の方へ行くにしたがって、木の生え方がまばらになり、頂上近くになると、もう木の姿は見えないようなところが多かった。

密林という感じはしなかった。アラスカの森林はなんとなく、つつましやかで遠慮勝ちだった。それは永久凍土層の上に立っているから、せいぜい百年とか二百年とかいう限られた寿命しか与えられない宿命のせいかも知れない。エゾマツ（spruce）の森が圧倒的に多かったが、水辺には白楊や榛《はん》や白樺《しらかば》の密林が見えた。

同じエゾマツの森でも、威勢のいいのと悪いのがあった。それについて大竹教授に訊くと、それは、永久凍土層に達するまでの土壌の深さによって決るのだと教えられた。湖沼の色はカラフルだった。青、茶色、褐色、灰色、黒色等様々だった。永久凍土層に含まれている鉄分の浸《し》み出す量によって色の相違ができるということだった。亀甲型《きっこうがた》の美しい紋様を描いたツンドラの上にさし掛ったとき、私は思わず声を上げた。飛行機がその亀甲型の紋様も地下浅いところにある永久凍土層の影響によって生ずる芸術だった。

私はその生成の科学的な意味より、夕陽を斜めに受けて輝く、その亀甲模様の個々の相似と整然とした配列に眼を見張った。ツンドラの色は鈍色《にびいろ》だったが、夕陽を地表すれすれに受けると金色がかった緑色が浮き出して、模様の一つ一つが神のみが住む、豪華な庭園の飾りに見えた。

遠く白銀に輝くブルックス連山を見たときも深い感動に打たれた。その山を越えて、はるばるやって来たフランク安田の、「民族移動」という仕事がいかに困難なものであったかを思った。

丘陵地帯を飛びこえてユーコン河の流域に出ると、まず眼に入ったのは灰褐色に輝く大河だった。そして、そのユーコン河の両側を取り巻く数限りない湖沼群だった。それぞれの湖沼が色が違って見えるのは光線の加減ばかりではなさそうだった。

飛行機がユーコン河の上空に近づくと、突然人家の集団が見えた。ユーコン河の河岸に沿って細長く延びた数十戸の村だった。学校らしい建物と教会らしい建物、そして、その隣に十字架が立ち並ぶ墓が見えたと思った瞬間、飛行機は着陸の姿勢に入っていた。ビーバー村では二十人ほどの村人が飛行場に出ていた。飛行場は粘土質の赤味を帯びた土だったが、飛行場から一歩離れると、ツンドラの苔《こけ》が木の繁《しげ》みの下を覆《おお》っていた。

地味がよいのか、草も木も繁茂していた。もぐりこんだら容易には出られそうもない藪《やぶ》だった。その中から蚊がいっせいに襲撃して来た。私はいそいで、蚊避《よ》けのクリームを顔に塗った。

村の青年が三人私たちの先に立って案内した。

墓には境がなく死んだ人から次々と埋葬して来たようだった。数十の十字架が立ち並んでいる一番奥にフランク安田とその妻ネビロの墓が仲良く並んでいた。十字架があるだけで墓標はなかった。墓を覆っている背丈の低い雑草に混って、ウスユキソウに似た白い花が咲いていた。何年間も墓参に人が訪れた形跡はなかった。楚々《そそ》としたこの手向《たむ》けの花が二人の墓にはふさわしいかもしれないけれど、私はなにかやりどころのない、不満と悲しみに閉ざされた。せめて村人たちの手によって、この村の建設者フランク安田夫妻のために墓碑でも建てられていたらと思った。

荒れ果てた墓に比較して学校も教会もびっくりするほど立派だったが、何《いず》れも戦後に建てられたもののように思われた。

フランク安田が住んでいた家には人が住んでいたが、人家としてはその限界に達していた。屋根はアラスカペンペングサで覆われ、戸は半ば壊れ、窓ガラスがわりにビニールがピンで止めてあった。家の前には使えなくなった洗濯機と、時代物の金銭登録器がほうり出されていた。或《あ》いは交易所にあったものかもしれないと思ったが、訊いて見る気にもなれなかった。裏庭にはドラム罐が積んであった。ビーバー村は現在三十戸の家に人が住んでおり、人口は約百人だった。空屋が多かった。自家発電によって、各戸に電灯が引かれていた。フランクが建設した当時の家はほとんど半壊の状態で、その後新しく建てられた家が多かった。案内した三人のうち一人の女性は大学生で学校が始まれば、この村を去る予定であり、他の二人の青年は山火事防止のための消防隊員の資格を持ってこの村に残っていた。この村にはたった一人の子供の姿もなかった。若者たちは村を去ると再び帰っては来なかった。老人たちは、政府の保護を受けて生きていた。

ニューマンは公会所のベッドで私たちを迎えた。彼の家が焼けて以来、ここに住んでいるのだと言っていた。柔和な顔の人で、非常に日本人に似ていた。正確な英語をしゃべったし、字も読めた。彼はネビロの遠い親戚《しんせき》に当る男で、フランク安田がビーバー村を建設したと聞いて父に連れられ一九一一年にこの村へ来た人であった。彼は記憶がよかった。声は小さいが、昔のことをよく知っていた。フランクの家は代々医者であり、彼の兄弟も医者であったということも知っていた。シャンダラー鉱山の発見者はフランクとネビロであることもはっきりと言明した。

最後にフランク安田についてどう思うかと訊《たず》ねたら、

「彼は大変親切で偉大なる人だった」

と答えた。彼の枕《まくら》もとにニューヨークの毛皮商から来た手紙があった。

「毛皮の注文がいくらあっても、それを獲《と》る人がいなくなってしまったのではどうにもならないさ」

彼はそう言って淋《さび》しそうに笑った。

この会見にも前のハナさんとの会見にも堀内さんの活躍は目ざましかった。彼女はノートを膝《ひざ》の上に置き、右手に鉛筆を持って機関銃のような速さで質問し、速記文字のような記号でノートに記録して行った。質問の要旨は私と彼女と予《あらかじ》め打ち合せてあった。私は彼女の傍で、会話の内容を懸命に記録した。分らないことが多かった。意味を取り違えたこともあった。途中で私が下手な英語で質問したこともあった。この時ばかりではなく、取材中につい昂奮《こうふん》して、でしゃばった真似をしたことが何度かあった。

会見の結果は彼女と私とが別々に整理し、後で読み合せた。私がどうにかこうにか聞き取れたものは彼女のそれの半分にも達していなかった。

ニューマンにさよならを言って、外に出ると日はもう暮れていた。村は死んだように静かだった。犬は一匹もいないようだったし、猫も見掛けなかった。フランクが建てた交易所はそのまま残っていたが扉は固く閉じられていた。郵便局は落書のあるドアーが開けっ放しになっていて、中には誰もいなかった。

ユーコン河を船が一艘《いっそう》上流に向っていた。日が暮れて来るとユーコン河は土色に濁って見えた。

白夜の中をフェアーバンクスに向って飛ぶ飛行機の中で私は黙りこんでいた。疲労のせいもあったが、フランクの墓場で感じたあの物悲しさはしばらくの間私を支配し、そ

こから抜け出すことはできなかった。私の心の中のフランクが、

（あれでいいのだ。私の任務は遠い昔に終ってしまったのだ）

と言うのを聞いても、私の憂鬱《ゆううつ》を払拭《ふっしょく》することはできなかった。


アラスカ大学に世界一のオーロラの権威赤祖父《あかそふ》俊一博士がいた。彼は四十歳を越えたばかりで多くの研究員を使い情熱的にオーロラの研究を続けていた。

研究室のものものしい雰囲気と彼の下で働いている日本人を含めての多くの外国人科学者の間を通っただけで私は少々緊張して、物の言い方を誤り、私に対する印象をひどくそこねたようだった。だが、彼はすぐに機嫌を直して、私の素人《しろうと》くさい質問に答えたばかりでなく、取って置きの、オーロラのカラー映画の観覧を許した。

それはアラスカで観測された代表的オーロラだけを集めたものだった。写真でしか見たことのないオーロラの実際の姿を次から次と見せられて私はその美しさと怪奇さに圧倒された。私は手に取材ノートをひろげ、右手に鉛筆を持ち、正面からは眼を離さずに、それを見て、頭に浮んだ言葉を、

（ゆらめき、きらめき、矢がとぶ、怪鳥がかける、赤の噴出、緑の垂直幕、放射状に延びる、白鳥の死、白銀の雪が降る、角の生えた人間、平面的点滅、骸骨《がいこつ》の踊り、ミドリのダンス、黄色のヘビのもだえ）

などのごとくノートに書き散らし、そのそばに心に感じたオーロラの図形を、点や曲線や直線で書きとばしていた。

手もとを見ずに書いたのだから明るいところで見ると、それは字とは思われないようなものだったが、私には読めた。私はそれをあとで整理して文章として残した。

時間の感覚が麻痺《まひ》して経過が定かでなかった。あまりにも、常識を脱した超自然の美と色彩の混乱の中に私は自分を失ったような気持だった。

研究所を出て見上げた空は日本の秋のような色をしていた。その日は研究所全体の清掃日なので、大学側から昼食が提供され、教授も研究員も揃《そろ》って庭に出て、青空の下でのんびりとホットドッグを食べていた。彼等の足下には、ヤナギランとハマナスの花が咲いていた。

その後も赤祖父博士には面倒をかけ続けた。自宅に招かれたり、日曜日の自動車旅行に誘われたりした。赤祖父教授の家も大竹教授の家も、白樺の森の中の大きな家で、日本だったら、東京大学の総長の俸給を以《もっ》てしても、在職中にはとうてい作れそうもない、豪華な、そして実用的な、すばらしい環境を背景に建てられた家だった。

アラスカ大学へは毎日通った。大学構内にある博物館にエスキモーやインディアンに関する資料のほか、動物、植物など、アラスカに関するものならたいてい揃っていた。フランク安田がキャビンボーイとして乗っていたベアー号の写真もあった。ロシヤ時代に使われた道の資料などもあった。大学の図書館は自由に出入りができた。入口の老婦人にちょっと頭を下げるだけで、どこへでも行けた。どの本もその場で読むことを許された。

フランク安田がビーバー村の交易所で使った帳簿がこの図書館の資料室にあった。その一部を次に紹介する。

Aug 1st 1929（1929年８月１日）　Newman（ニューマン）
1 PKG　pancake flour（パン粉１袋）　75（75セント）
1 DZ　orange（オレンジ１ダース）　100（１ドル）
2 cn　cream（クリーム２罐）　100（１ドル）
cash（現金）……2.75（２ドル75セント）

この頃の帳簿には一つ一つに、値段がちゃんと書いてあった。帳簿を見るとニューマンは現金でよく支払っていた。現金払いでない人のほうが多かった。一日平均十人ぐらいの人が買物をしており、村以外の人の名前もあった。ところが十二月になってから、

Dec 2nd 1929（1929年12月2日）　George OSHIMA.（ジョージ・オーシマ）

2 cn　cream　（クリーム2罐）
1　watch　（時計1個）
1 PKG　onion　（玉ネギ1包み）
50#　sugar　（砂糖50ポンド）
1 PKG　crackers　（クラッカー1包み）

のように、品物や数量は書いてあるが金額の記入がなくなり、その後はずっとこの調子であった。ハナさんや、ニューマンが話していたように、交易所が貸し売りの金が取れないため、何回もつぶれそうになったというのは事実であろう。放漫な商売だったというよりも、金銭で物を売ったり買ったりするやり方を好まない村民との間で、いつしか帳簿に金額を付けても無意味なことになったのかもしれない。フランク安田の字はなかなか達筆だった。ずっと後になると女文字に変っていた。ハナさんが帳簿をつけていたのである。

大学内での調査が終ったころ、堀内さんは、彼女がそれまでにフランク安田について調査した資料のすべてについて複写を取って私に譲ってくれた。これによって私の労力は非常にはぶけた。彼女には他の仕事があるので、それ以上、面倒を掛けるわけに行かなかった。

いよいよ取材の追込みに入った。ゴールドラッシュの跡を見て廻った。フェアーバンクスの郊外には、観光用のエスター金鉱跡があったが、これは全くの観光用のもので私の求めていたものではなかった。ここには二回行ったが、ほとんど得るものはなかった。観光用に変貌《へんぼう》したゴールドラッシュの夢の町でゴーゴーを踊っているのを見るのは感じのいいものではなかった。鉱夫酒場には観光客の笑いが満ち満ちていた。

大竹教授は彼の家族と共にライブングッド鉱山の跡へ私を案内した。これこそほんもののゴーストタウンで、ゴールドラッシュ時代は五千人近い人がいたが、現在は風変りな一家族を除いては、すべて廃屋が立並ぶ不気味な町だった。その一家の主人が、私の立っているあたりを指して、二時間ほど前にそこを狼《おおかみ》が通ったと言った。ペンキはほとんど剝《は》げ落ちてはいるが、そのころは女の嬌声《きようせい》が聞えていたと思われるような酒場の跡に入り込んでいると、すっかりこわれた戸口から腰に砂金の袋を下げた男がひょっこりと現われて来るような幻想にとらわれた。

この付近では、何人かの砂金取りに出会った。商売ではなく、趣味としてやっているようだった。釣師にも時々出会った。

サークルの温泉《ホットスプリング》は私の疲れを癒《いや》してくれた。アラスカの真中にこんなすばらしい温泉場があるとは思いもかけないことだった。温泉プールで泳ぎながら、ビーバー村からサークルまではユーコン河を船で来ても、犬橇《いぬぞり》で来てもそう遠くないところだから、フランク安田は何度か来たに違いないなどと考えていた。

サークルで見たユーコン河の落日はすばらしかった。丁度日が沈む方向がビーバー村だった。アラスカの夕陽の色は特別で、中国大陸で見る赤さでも、日本で見る紅《あか》さでも、大洋上で見るそれとも違っていた。アラスカの空気は乾燥しており、そして澄んでいるからであろうか、アラスカの夕陽は橙色《だいだいいろ》に輝き過ぎていてまぶしかった。憂《うれ》いも静寂も甘さもなく、すぐまた昇ることのみを意識して叫び続けているような太陽だった。美しさはむしろ、その背景の空にあった。ユーコン河の上流の空は青色から次第に濃い紫色にかわり、やがてユーコン河にその影が黒く映ると、河は白夜に向って、息づくようにさざ波を立てた。

私はツンドラを踏むのが好きだった。森の中のツンドラは繊細な反動を示し、湖沼地《こしょうち》に近いツンドラは柔軟な抵抗があり、そしてイーグル山頂の乾燥ツンドラ地帯は日本の高山に存在する池塘《ちとう》を踏む感じと酷似していた。

私はアラスカを表現する三つのものに特に興味を持った。第一はツンドラであり、第二はエゾマツのにおいであり、そして第三は不可思議な行動をする太陽だった。

白夜になるとエゾマツのにおいが、湖沼から湧《わ》き出す霧の中に溶けこんで私を外へ誘い出しにやって来た。

私はかなり疲労していたが、どうにか持ちこたえたのは、大竹教授、赤祖父教授、堀内さん等の暖かい好意があったからだ。

特に大竹教授の一家には厄介を掛けた。以前からの知り合いだったので私は気を許して甘えた。北から出て北に沈む太陽と白夜は私にとっては手ごわい相手だった。地球儀を頭の中に置いて静かに動かして見ると、なぜこのような現象が起るかは簡単に理解されたが、心理的にはなんとしても納得できなかった。ベッドに入っても、どこからともなく忍びこんで来る、白夜の明るさは私を完全な不眠症に陥《おとしい》れた。食欲がなくなった。この私のところへ大竹教授からは毎日のように電話があった。彼自ら自動車で迎えに来て、彼の家族と夕食を共にするという好遇を受けた。日本に於《お》ける食事と寸分変らなかった。白米、味噌汁《みそしる》、糠味噌《ぬかみそ》漬け、海苔《のり》、昆布、佃煮《つくだに》等なんでもあった。天麩羅《てんぷら》も御馳《ごち》走《そう》になったり、スキヤキも戴《いただ》いた。胡瓜《きゆうり》の糠漬けは特に美味だったが、日本のそれと少々においが違っていた。パンを手で揉《も》んで粉にして糠の代用品としているとのことだった。日本の味を出すために苦心している外地の家庭婦人に頭を下げた。

大竹教授のお宅では、なんでも旨《うま》く、頂戴《ちようだい》した。どうやら病気もせず、倒れることもなく、かなりきつい取材活動ができたのは、この御一家のお蔭《かげ》だった。

大竹教授は気象学の研究をしていた。赤祖父教授と同じ建物に広い研究室を持ち、多くの若い人が彼の下で研究を続けていた。アラスカの気象に関しては権威的な存在だから、彼のところには気象資料ならなんでも揃っていた。彼の家にはトラックが一台と乗用車が二台あって、このうちの一台が彼の足になっていた。

彼の運転する自動車に乗って白夜の森の中を走っていたら、ムースが顔を出したことがある。大鹿《おおじか》という名のとおり馬ほどもある雄だった。自動車を止め、歩きながら近づくとムースは森の奥へ後退はするけれど、逃げようとしない。エゾマツの陰に隠れているつもりらしいが、角と胴体が丸見えだった。頭隠して尻《しり》隠さずどころではない。本を読むと、それはムースの好奇心だと書いてあるけれど、私にはそのようにも思われなかった。やはり人間を怖《おそ》れてのことだろう。

アラスカの国立公園の中には、野生の動物が多く、褐色熊《ぐま》、ヤマアラシ、ムース、カリブー、栗鼠《りす》、狐《きつね》、ダルシープ、マウンテンゴート、山カモメ、雷鳥などの姿を見かけたが、公園以外で見かけた動物は、ムースと栗鼠、鼬《いたち》、兎《うさぎ》などが多かった。自動車にひっかけられて果てた兎の死骸はいたるところに横たわっていた。

アラスカに来てから一カ月ほど経《た》った。取材はほとんど終った。きちんきちんと夜がやって来る日本が恋しくなった。アメリカ本土行きは止《や》めにして、直接日本へ帰ろうかと思ったが、大竹教授に、

「せっかくここまで来たのだから、アメリカ本土を見てお帰りなさい」

と言われて、やっとそのつもりになった。アメリカ本土にはまだ行ったことがなかった。

大竹教授の一家と堀内さんの見送りを受けて、白夜のフェアーバンクスを後にしたのは午前一時だった。私はひとりぼっちになった。シアトルでデトロイト行きのジャンボ機に乗った。私の座席には既にアメリカの中年婦人が坐《すわ》り、その隣には亭主らしい男がいた。私はその窓側の席にどうしても坐りたかった。アメリカ大陸を思う存分眺めたかった。切符の座席番号を示したが、女はこの席は私のものだと言ってなんとしても動かなかった。スチュワデスに交渉してもらったが、やはり無駄だった。他にも席はあるだろうから、そっちへ坐ったらいいだろうと、へんな理屈を言った。スチュワデスは、窓側の別の席を世話してくれた。ところがいざ出発間際《まぎわ》になって、そこへアメリカ人の一家族がやって来て、そのおかみさんが、激しい剣幕で私に立退きを迫った。さっきのスチュワデスが来て、私を最後尾の窓側の席に案内した。彼女は何度か私に詫《わ》びを言ったが、私の気持はおさまらなかった。疲労のせいか眼下に展開するアメリカ大陸の広さにも、それほどの感動は覚えなかった。なんともやり切れないもの淋《さび》しい気持で、フランクが収容所へ送られて行く姿を想像していた。

デトロイトで飛行機を降りて外に出ると、アンナーバーに居る私の次男が迎えに来ていた。私は、アンナーバーのホテルに落着いて数時間後に久しぶりの本当の夜を迎えた。

カーテンをいっぱいに引きあけて夜を迎え入れた。息子に久しぶりで会って安心したのか、夜が私を癒してくれたのか、この町に三日ばかり滞在している間にすっかり元気を恢復《かいふく》した。

私はロスアンジェルス経由でハワイに飛び、ここに二日間滞在した。どっちを見ても日本人ばかりで日本へ帰ったような気持になった。果実が旨いから、腹いっぱい食べた。夜眠れるから疲労は消え、自分の身体《からだ》に自信が持てるようになった。

七月の下旬に日本に帰りついた翌々日に、私は石巻市役所に電話をかけて、安田恭《きよう》輔《すけ》についての調査に行きたいから協力を願いたい旨《むね》を申し入れた。私の気持は、まだフランク安田についての取材を終ってはいなかった。頭の中ではアラスカを彷徨《ほうこう》していた。ほんとうは彼の故郷石巻からまず取材を始めるべきだったのに、一番後になったのは、出発までの仕事のやりくりに忙殺されて時間がなかったからである。そのかわり、安田家の戸籍謄本《とうほん》や、石巻市史の中の安田恭輔に関する記述のコピーなどを取り寄せていた。安田恭輔の本籍地は宮城県石巻市八幡町《はちまんちよう》二丁目一番地の一。明治元年拾一月弐拾日に父安田静娯、母いつとの間に三男として生れたと記入され、戸籍の上では立派に生きているのである。

昭和三十八年三月二十五日に発行された石巻市史第五巻の第二十七篇人物の章に「安

田恭輔」のことが写真と共に約一頁《ページ》に亙《わた》って書かれている。内容は正確である。最後に、「太平洋戦争中収容所に拘束されたと伝えられたので、当時までは生存していたようである」

と記されている。音信不通のため、恭輔の死を知る者は故郷にはいなかったようである。

石巻市役所と電話で話した結果、石巻市社会教育課長の橋本晶《あきら》さんから案内を引き受ける旨の返事があった。

電話の様子では、安田恭輔のことをかなりよく知っているようだったので、早速、安田家の直系であり、現在石巻市在住の安田静子さんと面会できるよう仲介の労を取って貰《もら》いたいと依頼すると、

「それは、市役所から言うよりも、あなたが直接電話で申し込まれたほうがいいでしょう」

と言って、安田家の電話番号と彼女の勤務先の仙台地方検察庁石巻支部の電話番号を教えられた。彼女は検察事務官といういかめしい肩書を持っていた。

私は昼休みの時間を見計らって彼女に電話を掛けた。

「安田恭輔のことならなにも申し上げることはございませんし、来てくださってもお見せするようなものはありません」

彼女の東北なまりの声は亀《かめ》の子たわしで頰ぺたを力いっぱい叩《たた》かれたように痛かった。面喰って、二の句が継げないでいると、

「私は安田恭輔に関することならば、どなたとも会いたくはありません」

とはっきりと拒絶された。こう言われると取りつく島もなく、私は年甲斐《としがい》もなく、おろおろ声で、もう少し私の言うことを聞いて下さいと哀願した。しかし彼女が、私はいそがしいから、これで失礼しますと、電話を切ろうとする気配なので、私はすがりつくように、

「安田恭輔のことを調べるために、わざわざアラスカまで行って来たのです。彼の墓にもお参りして来ました。そのために一カ月あまりかかりました。その安田恭輔の生家を見せていただけないとなると、私のこれまでの苦労はすべて徒労ということになります」

なぜこんなことを言ったのか、後から考えると全く恥ずかしいことだったが、この時は、こうする以外に、安田静子さんを動かすことはできないと感じた。

「アラスカまで行って来られたのですか」

彼女の声が変った。私はここぞと思って、いかに私がフランク安田について熱を上げているかを電話機に向ってしゃべった。どうしても、安田恭輔の生家を見なければ小説は書けないのだとも言った。

「一応考えさせていただきますが、いつごろこちらへお出《い》でになるおつもりですか」

という返事がかえって来たので、切符が買えたら明後日に行きたい、はっきりした予定は今夜にでも電話をいたしますと言った。電話を切ってからも不安でいっぱいだった。切符が手に入ったところで面会を拒否されるかもしれないと思った。それならそれで、外から家の様子だけでも見て来てやろうと思った。

予定した日の切符は買えず、五日後の切符がようやく買えた。八方手を尽した結果だった。その夜彼女の家へ電話を掛けたら、

「あなたは明後日と言ったでしょう。既に私はその日のために休暇願を出しました。五日後に変更されても、その日は役所の都合で休むわけには参りません」

と叱《しか》られたが一所懸命頼んだ結果、それなら役所が退《ひ》けた後、社会教育課長同道で来るなら会いましょうという返事を貰った。私は冷汗を拭《ぬぐ》った。静子さんのことを妻に話したら、

「その人は、きっといいひとですよ」

間違いなく石巻取材は成功するだろうと自信ありげに言った。

妻の予言は当った。石巻に行って、静子さんに会って見るとまことに気のやさしい、きれいなひとだった。彼女が安田恭輔のことなら会いたくないと言ったのは、過去に何回かその事でジャーナリストの訪問を受けたことがあり、その人たちのうち誰かが、た

いへん失礼な言動をとったことが彼女を怒らせたからである。これは社会教育課長の橋本晶さんも知っていた。だから彼は、仲介の労を逃げて、私に直接交渉しろと言ったのである。そのことは後で知らされて大笑いした。

仙台で仙石線に乗り替え石巻には昼ころついた。

橋本さんに連絡を取ると、市役所の自動車が迎えに来た。私は橋本さんにお願いして、午後六時に安田家を訪問するまで、市内を案内して貰うことにした。恭輔が少年の頃、眼に映じたようなものをなるべく多く見たいという、私の希望をもとに橋本さんは一応のルートを用意していた。

石巻市は初めてだった。その私のために橋本さんは、まず日和山城址《じょうし》に案内した。北上川の河口に、川を挾《はさ》んでその両側に発達した町のたたずまいが一望のもとに見渡された。

「あのあたりが安田家」

と教えられたとき目標になったのは、採石のため山肌をけずり取られた跡だった。そこらあたりは恭輔の子供のころは安田家の所有地だった。山と北上川との中間あたりに安田家があり、安田家の菩提寺《ぼだいじ》の多福院はその山の続きに見えていた。

眼を河口の方に向けると港が見えた。恭輔の子供の頃は帆船がちらほらしていたそこには新しい漁港の建設が進められていたし、ずっと右手には石巻工場地帯が見えた。恭輔が子供のころ、まぶしいような眼で眺めたであろう田代島だけは昔のままの姿でそこにあった。

日和山の頂上には老杉、老松があった。その赤松の肌は恭輔も確かに見た筈《はず》だし、城址にある神社もそのままだった。ここに立っていると、海から吹いて来る風が涼しい。汐《しお》のにおいもする。恭輔は此処《ここ》から、海の向うのアメリカを思ったかもしれない。海も青いし、その上の空も青かった。その大空の青さの拡《ひろ》がりを求めるように、眼を左から右にとずらして行くと、突然青空は消え、白い濁った空になった。製紙工場の煙突から噴き出される白い煙は折からの海風によって陸地の方へ吹き寄せていた。石巻の空は半分が白く濁り半分がきれいに澄んでいた。

「北上川を挾んで両側の町はそれぞれ性格が違った町です。西岸は消費地、そして東岸の方は生産地として発展し、その両者を幾つかの橋が接続したのです」

橋本さんの説明で私は空から眼を下に向けた。小さい町だけれどよくまとまった美しい町だった。

昔、海門寺があったという跡を通って町の中へ出た。町の山手側には由緒《ゆいしょ》ある古寺や神社が並んでいた。南北朝時代に南朝派の夢を運んで来た町だけにその遺跡は多く、当時の塔や石碑が無数にあった。

安田家の菩提寺多福院の庭には樹齢五百年と言われる百日紅《さるすべり》の木があった。寺の背後には公孫樹《いちょう》、杉、松、樫《かし》、椿《つばき》などの木が生い繁《しげ》っていた。

安田家の墓は墓地のほぼ中央にあった。

静娯軒学明文達居士《こじ》が恭輔の父の墓碑であり、徹心軒禅学清安居士が恭輔の兄清安の墓であった。この他に安田家代々の碑が整然と並んでいた。

フランク安田は、たった一度の帰国のチャンスに恵まれそうになったとき、日本へ帰ったら、まずこの墓へお参りしたいと言っていたそうだけれど、或《あ》るいはこの先祖の眠る墓地へ彼自身も帰りたかったのかもしれない。墓は綺麗《きれい》に掃除が行き届いていた。

町は全体として明るく、消費都市らしい活気があったが、どことなく雑駁《ざっぱく》な感じがしないでもなかった。石巻市の絵葉書を探したがどこにも売っていなかった。なぜ無いのかと訊《き》いたら、石巻市の観光の焦点は「金華山の鹿」だということだった。たった半日歩いただけで、美しいものや、これはと思うような文化財の数々に触れたのだが、工業を背景としての消費都市の石巻市には絵葉書の必要性はなくなったのだろう。

市内を歩いているとびっくりするような美人を見かけた。恭輔の姉のお京さんのような女《ひと》の下駄の音を聞きたかったが、それは無理だった。

安田恭輔の生家は、彼がアメリカへ渡った後改築されたけれども、ほぼその外様は昔のままだった。

大きな門があり、赤い縁取りをした門灯の電球の笠《かさ》は大正のころのものだろうか。その黒門をくぐった奥に庭があった。

広い家だから、途中で仕切って、入口の方の家は他人に貸し、静子さんは奥の方に独りで住んでいた。

安田家を継いだ恭輔の兄清安にはせん、守治、時子の三人の子供があった。守治が安田家を継ぎ、この家で歯科医を開業していた。守治には静子さん一人しか子供さんがなかった。静子さんは鹿又秀一さんと結婚し、秀一さんは安田家に入籍されたが、その夫君が亡《な》くなられたので今は一人でこの家に住んでいた。

静子さんには身に余るようなもてなしを受けた。わざわざ、田代島から取り寄せたホヤという珍しい貝が用意されていた。ほのかに甘さがただよい果物の芳香を感じさせるような味があった。この旧家にはその中央に一カ所だけ昔のままの部屋が残っていた。改築に当って大工の棟梁《とうりよう》があまりにもよくできているので破壊するにしのびないと言い、そのまま残したのである。二百年以上は経た建物だと説明されて、よく見ると、天井は手を延ばせば届きそうなくらいに低く、天井板も、柱も荒けずりだったが、容易にはこわれそうもないように頑丈な建て方がしてあった。

二階は物置きになっていた。

「アメリカへ行くまで、恭輔が住んでいたのはこの二階です」

と静子さんが言った。

そう言われて見上げると二階を歩く恭輔の足音が聞えるような気がした。

静子さんの居間は、二間《けん》の壁一面を仙台簞笥《だんす》にして、その上に神棚が飾ってあった。そのタンスの中から、彼女はフランク安田とカーターとが並んで撮った写真と、シアトルで、東北地方出身の日本人三人と共に撮った写真を取り出して来た。もっとも期待していた恭輔からの手紙はなかった。

静子さんの夫君が生存中ハナさんの行方を探すために、アラスカ大学の総長あてに出した手紙のコピーと、一九五七年（昭和三十二年）十一月十五日付の総長のパッティー氏からの返書があった。

（ハナさんはこの大学の卒業生であり、たいへん勝《すぐ》れた人である。現在高校の先生をしているから、この手紙を彼女のところへ転送します）

という意味のことが書いてあった。しかし、その後、ハナさんからは待てど暮せど便りはなかった。秀一さんは総長の手紙を受け取ってから三年後の昭和三十五年に亡くなった。ハナさんから返事がないのを死ぬまで気に掛けていたということだった。このような経緯《いきさつ》があったので静子さんはハナさんに対して決して良い感情は持っていなかった。

私はハナさんをかばった。彼女の評判はすこぶるよく、彼女のことを悪く言う人はどこにもいなかった。返事が来ないのはなにかの行き違いだろうと言い張った。

東京に帰ってアラスカのハナさんと連絡を取ったところが、その手紙を受け取ったときは、転任の間際《まぎわ》で、転任のごたごたにまぎれてそれを紛失してしまった、今でも心残りになっていると、たいへん恐縮していた。

運命とはこういうものであろう。総長からの手紙が石巻の安田家に着いたのが、一九五七年の十一月のことだから、その当時安田恭輔はまだ生きていたのである。故郷から手紙が来たらどんなにか喜んで返事を書いたことだろう。彼はその手紙は読まずに、翌年の一九五八年一月十二日に死んだのである。ハナさんが悪いのではない。それがフランク安田に与えられた宿縁だったのであろう。

恭輔がなぜ故郷を棄《す》てて単身アメリカへ渡航したかが私のもっとも訊きたいところだった。が、静子さんは、その点は叔母さんに聞いて下さいと言った。

静子さんの叔母の北田時子さんは現在八十四歳で仙台市南光台の北田二郎氏宅にいた。八十四歳とはとても思えないほどしっかりしていて、父母から聞いた当時のことを順序立てて話した。品のいい人でさぞかし若いころは美人だったに違いないと思われるような人だった。

年寄りの話は途中で本筋からそれて、とんだところへ行ってしまうものだが、時子さんの話は実に整然としていた。一つ一つをきちんと決めてから先に進んで行った。なぜ恭輔が単身渡航しなければならなかったかは、兄弟の中で彼一人だけが突然孤独な境遇に置かれるようになったからである。それにもう一つ恭輔の気性の激しさもあった。話がそろそろ終りかけたころ、私が静子さんに面会を申しこんでことわられた話をすると、時子さんは、わが意を得たりとばかりに言った。

「それが安田家代々の気質なんです。静子はそっくり、それを受けついだのです。恭輔もやはり気性が強く、いったん言い出したら、なかなか引かなかったそうです」

やはり恭輔は気が強い男だったのだなと私は思った。意志が強くなければ、あれだけのことはできなかったはずだ。ただ彼は、その意志の強さを人の前では表わさなかった。彼は東北人らしいねばり強さときわめて謙虚な姿勢でその生涯をおし通した。

時子さんは恭輔の姪《めい》に当るわけだから、現時点では彼の血にもっとも近い一人に私は会えたことになる。そしてその結果は期待以上に満足すべきものだった。

東京に帰ってから取材結果の整理にかかった。帰国一カ月後にアラスカから資料の小包が到着した。いままでは資料集めと取材が終った段階で筋書きができ上っているのだが、今度はそううまくはいかなかった。私は資料の中で構想を練った。十一月に入ってからやっと執筆を開始した。それまでに身辺整理をやって、この長篇を書き上げるために全力を集中できるような態勢に持ちこんだ。脱稿するまでに丸々三カ月かかった。

この間、新潮社出版部の宮辺尚さんとはしばしば会った。彼は原稿の進捗《しんちょく》状況を電話で問い合せて来ては、切れ目のよいところでそれに目を通し、原稿と共に彼の意見を持ち返って来た。彼の注文を受けることもあり、そのとおりにしなかったこともあった。

原稿は行きつ戻りつしながら次第に枚数を重ね、終《つい》に六百五十枚を越えた。

私にとって宮辺さんは編集者以上に重要な存在だった。これは私の創作ではあるが、彼の編集者というよりも一読者としての文学観のようなものが、この作品の中にいろいろの形で入りこんでいることは否《いな》めない事実である。当然この創作に関与した人としてここに明記して置かねばならない。

この作品は海外取材を基盤としたものであり、短期間に力を集中したものとして、私の作品の中では、特異な存在となるであろう。作品のよしあしは読者の判定に任せる以外にないが、いままで、この仕事ほど、書かねばならないという自意識に取り憑《つ》かれたものはなかった。フランク安田こと安田恭輔という人物に惚《ほ》れこんでしまったからであろう。

取材に当っては、前記のように多くの人たちの協力を得た。これら諸賢の一人が欠けていても、この作品は完結を見なかったかもしれない。

参考文献

『アラスカ』明治大学アラスカ学術調査団、渡辺操、岡正雄、杉原荘介編　古今書院発行
『極限の民族』本多勝一著　朝日新聞社
『アラスカ』東良三著　山と渓谷社
『自然保護の父ジョン・ミュア』東良三著　山と渓谷社
『白い地獄』パウロ・シュルテ著　東良三・北澤章平共訳　二玄社
『アラスカ探検記』ジョン・ミューア著　戸伏太兵訳　聖紀書店
『アラスカの原始芸術を探る』宮武辰夫著　萬里閣書房
『アラスカ・エスキモー』祖父江孝男著　現代教養文庫七五三、社会思想社
『極北の人たち』シムチェンコ著　加藤九祚訳　岩波新書、岩波書店
『石巻市史』第五巻　石巻市史編纂委員会
『石巻市医師会史』石巻市医師会史編纂委員会
「宇宙空間から見たオーロラー」赤祖父俊一著「自然」昭和四十八年十一月号、中央公論社

The Lure of Alaska by Harry A. Franck : Blue Ribbon Books, Garden City, N. Y.
Fifty Years below Zero by Charles D. Brower : Dodd, Meed & Company, N. Y.
Animals of the North by William O. Pruitt, Jr : Harper & Row, N. Y.
Alaska and Its Wildlife by Bryan L. Sage : A Studio Book, N. Y.
Wild Flowers of Alasla by Christine Heller : Graphic Arts Center, Oregon.
"Frank Yasuda" by Irving MCK. Reed : Alaska Sportsman, June, 1963.
"Frank Yasuda" by Petty John : Wien Alaskana. Vol. 1No. 8, Sept. 1971.

昭和四十九年一月三十日

解説

尾崎秀樹《ほつき》

新田次郎は処女作の「強力伝《ごうりき》」から、絶筆となった「孤愁《サウダーデ》」まで、その一貫した誠実な生きかたを文学に反映させ、ひたすらに生きようとする人間の歩みを描いてきた作家だった。「私の文章作法」というエッセイを読むと、「私はものを書く場合、書かねばならないから書くのではなく、書きたいから書くのだという姿勢に自分自身をまず置いてから、ペンを取る。そのような状態に自分自身を持って行くには簡単なようでいてなかなかむずかしいことだ」と述べている。

たしかに書きたいことを書くというのは容易にみえて難しい。それにはまず書きたいことが、作者自身に明確につかまれていなければならないからだ。だが彼の場合は、大自然の猛威や社会の矛盾、歴史の非情さなどの中で、誠実に生きるさまざまな人間像を描くという点でははっきりしていた。彼はその書きたいことを、自分の納得のいく形でまとめるために、書下ろしを重視した。

マスコミの要求によって諸雑誌に多くの中・短篇を書き、また連載ものも手がけてはいるが、彼はそれと平行して書下ろしに取り組み、そのペースをくずさずに仕事を続けた。彼の主要な作品の多くは書下ろしとしてまとめられたものであった。昭和四十九年五月に新潮社から刊行された『アラスカ物語』もそのひとつである。

『アラスカ物語』が出版されてまもなく、彼は「小説ができるまで」と題した談話の中で、その成立過程にふれ、つぎのように語っている。

「この小説は書下ろしという形で書いたわけですが、私は小説は書下ろしでなければいけないように思っています。連載で書いて単行本にするときは直せばいいという考えもありますが、一度活字にしたものを直すのは大変ですし、書下ろしだったら本になるまでに構成を変えることもできます。連載形式で発表した場合接合点をセメントするのが非常に難しい。上手な人はそこを実にうまくつなぎますが、大きな人間像を作るのには接合点がひっかかって書き上げにくいのじゃないかと思いますね。だから完全な小説というのは書下ろし以外にはないと私は思うのです」

巻末の取材ノートにもあるように、昭和四十八年の初夏、アラスカへ取材旅行に出かけた新田次郎は、帰国後、日本での取材や資料整理を終えて、十一月からまる三月『アラスカ物語』の執筆に没頭した。書下ろしの利点をフルに活《い》かしたこの作品は彼自身にとっても充実した仕事であり、読者にふかい感動を与える理由のひとつも、そこにあると思われる。

『アラスカ物語』の主人公・フランク安田について関心を抱き、小説化をこころみたのは、昭和三十年のことだと取材ノートには書かれている。彼が「強力伝」で「サンデー毎日」の懸賞小説に入選したのは昭和二十六年、その単行本で直木賞を受賞したのが昭和三十一年だから、かなり早い時期であり、そのときまとめた「北極光」が物たらず、以後十数年も心の重荷を感じつづけて、ようやくアラスカ行を実現し、全力でその素材ととり組んだことは、彼の作家としての責任感を物語るといえよう。

同様なケースに『八甲田山死の彷徨《ほうこう》』がある。これもかつて「八甲田山」という短篇を書いたものの、描ききれなかった不満から、後に再度の調査にもとづく長篇を手がけたのである。一度書いたことで満足せず、長い間、自責の思いを持ちつづけ、現地踏査の機会を待って、もう一度挑戦するといった姿勢は、彼の素材にたいする誠実さのあらわれでもあるが、その前とあとの作品の間に、作者の大きな成長がみられることもたしかである。

新田次郎の小説は技術畑の出身らしい合理主義、実証主義を感じさせるが、それを裏づけるのは彼の丹念な資料調査と現地踏査であろう。とくに後半期の作品はそれが徹底しており、くわしい取材ノートを付したものも少なくない。『アラスカ物語』でも一月ほどの旅行で、アラスカの土地を実際に踏み、現地の自然に接し、そこに生きる人々の姿を目にしたことで、作品の構想が大きくふくらんだに違いない。学者や関係者の話も聞き、アラスカに関する資料を片はしから集めたが、しかしいざ創作の筆をとると、そうしてあつめた材料の八〇パーセントは捨てたと語っている。全体像をつかむための大きな労力を払い、その何をとり何を捨てるかを厳密に考慮した上で筆をすすめるのは、どの作家にも共通する努力ではあるが、新田次郎はそのスケールが大きいのだ。

彼は語っている。

「調査が好きだというのも、やはり私が科学者のはしくれだった、その折りの癖が残っているからじゃないかと思いますね。論文を書く場合でも、調査に調査を重ねて、それが終わったときには一つの理論ができ上っているというような行き方です。実験もそうですね。実験の過程で一つの筋書きができ上っている。だから論文を書くことよりも、調査したり実験したりすることそのものが大事なんですね。そんなことを長くやっていたから、小説を書くときも資料や現地調査に打ちこんで、それに打ちこめば打ちこむほどいいものができあがるのだと信ずるようになりました」(「小説ができるまで」)

もっとも彼自身、史実や材料の裏づけがないと書けないのは、想像力の不足をしめすものだと自己批判しているが、しかし丹念な調査を通して、主人公の像や作品の主題を明確につかむといったやりかたは、新田次郎の文学の大きな特徴というべきだろう。

またアラスカの取材を先にし、石巻をあとにしたことについて、巻末の取材ノートでは単に時間的な余裕がなかったためのように書かれているが、別の理由もあったらしい。それは故郷の人たちがフランク安田によせる一種の英雄観を先に耳にすると、彼の気持の中に特定な偶像ができ上ってしまうことを警戒し、フランクが生涯の大半を過したアラスカの土地を先に見ようと思ったというのである。これは『小説に書けなかった自伝』の中の「転換期を迎える」という章に記されており、彼は「結果的には成功であった」と述べている。そのあたりにも実証主義的な彼の意識がうかがえる。

アメリカの沿岸警備船ベアー号のキャビンボーイだったフランク安田が、海上で氷に封じこめられた乗組員の食糧危機を救うため、ポイントバローをめざして氷原の上を歩きつづけるあたりから、作品ははじまる。乗組員中ただ一人の日本人である彼は、船長や事務長の信頼を得ていたことが、かえって仲間の反感を買い、危機を避けるためにこの決死行を志願したのだ。冒頭のオーロラの描写は自然の神秘さを伝えていかにも美しいが、それが暗黒の氷原におかれたフランクのきびしい運命と対置されて、みごとな導入部となっている。

明治元年、宮城県石巻町の医師・安田静娯《せいご》の三男として生れた恭輔《きょうすけ》は、十五歳のとき、母につづいて父を失い、兄弟とも別れて一人で生きることになる。三菱《みつびし》汽船の給仕から外国航路の見習船員となり、ついでサンフランシスコの農場や化粧品製造会社で働き、二十二歳で米国沿岸警備船のキャビンボーイ募集に応募、採用された。三年後には英語も上達し、ベアー号になくてはならない存在となったが、人種差別の問題に直面したことから、無事ベアー号救援の使命をはたした後に、同船を下りる結果となった。

ポイントバローにとどまったフランク安田は、エスキモーの社会にとけこみ、すぐれたハンターの技術を身につけ、やがてエスキモーの中でも進歩的な考えをもった女性ネビロと結婚して、フラックスマン島へ行く。その頃、密猟船の乱獲によって、ポイントバロー付近では鯨の不漁がつづき、海岸エスキモーたちは食糧危機になやまされ、フランクがもどってくると、彼を指導者と仰ぎはじめる。

フランクは食糧不足や疫病《えきびょう》の流行で、滅亡に瀕《ひん》したエスキモーたちを救う道を考えたが、そのきっかけとなったのは、鉱山師トム・カーターと同行した金鉱探しの旅であった。彼らはブルックス山脈を越え、アラスカ内陸部へ入り、途中ジョージ大島やジェームス・ミナノなどの日本人とめぐりあう。そしてシャンダラー河流域でフランクは砂金を発見し、カーターが鉱山経営に着手するとともに、彼はユーコン河のほとりのビーバーをエスキモーたちの移住地に選んだのだった。

フランク安田は約束どおり、ポイントバローまでエスキモーたちを迎えに行き、多数の希望者たちの民族移動を実現させた。金鉱の採掘に成功したカーターの資金援助もあったが、彼はそれをすべて移住やその後の村の建設費にあてた。彼はエスキモーたちに旧習を改めさせ、村づくりの努力を惜しまず、インディアンや白人まで受け入れて村は栄えた。

フランクの事績は二十世紀の奇蹟《きせき》と称され、ジャパニーズ・モーゼとたたえられたが、彼は生涯日本へ帰国することなく、ビーバー村のためにつくし、望郷の思いを抱きながら一九五八年一月、その数奇な生涯を終えた。

新田次郎はフランク安田こと安田恭輔の生きかたにふかく感動し、その歩みを描くのに全力を傾倒したと思われる。「この仕事ほど、書かねばならないという自意識に取り憑《つ》かれたものはなかった」と言い、彼の人物に惚《ほ》れこんでしまったと書いているのも、そのあらわれだ。

しかし彼は単にフランク一人に光をあてるのではなく、その周辺の人物やエスキモーたちの生態、また彼らをとりまくアラスカの自然にひろく目をくばり、ゴールドラッシュに湧《わ》くアラスカの状況や、白人たちのさまざまな姿、さらに太平洋戦争中の日本人の強制収容にまで筆をおよぼし、社会的な背景をも見落していない。この作品が波瀾《はらん》に富んだ冒険小説といったものにとどまらず、感動的な美しい物語としてまとまっているのは、そのためである。とくに自然描写に精彩が感じられるのは、山岳小説を多く手がけた作者の特色が、そこに発揮されているからであろう。『アラスカ物語』が刊行されてまもない時期に、フランク安田の娘さんであるハナ・カンガスさんが、次女のレイナさんとともに来日し、父の故郷石巻を訪れたいというので、新田次郎が紹介の労をとり、関係者や地元の人々におおいに歓迎されたときの模様を、彼は七月二十一日付の読売新聞に書いている。この後日譚《ごじつたん》もまた興味ぶかい。

海外取材による本格的長篇として『アラスカ物語』は、彼の文学の中でも特異な位置をしめ、その作品世界を大きくひろげた話題作であった。

（昭和五十五年十月、文芸評論家）

この作品は昭和四十九年五月新潮社より刊行された。

新田次郎著
縦走路
冬の八ヶ岳を舞台に、四人の登山家の男女をめぐる恋愛感情のもつれと、自然と対峙する人間の緊迫したドラマを描く山岳長編小説。

新田次郎著
強力伝・孤島
直木賞受賞
直木賞受賞の処女作「強力伝」ほか、「八甲田山」「凍傷」「おとし穴」「山犬物語」など、山岳小説に新風を開いた著者の初期の代表作。

新田次郎著
孤高の人
（上・下）
ヒマラヤ征服の夢を秘め、日本アルプスの山々をひとり疾風の如く踏破した〝単独行の加藤文太郎〟の劇的な生涯。山岳小説の傑作。

新田次郎著
蒼氷・神々の岩壁
富士山頂の苛烈な自然を背景に、若い気象観測所員達の友情と死を描く「蒼氷」。谷川岳衝立岩に挑む男達を描く「神々の岩壁」など。

新田次郎著
チンネの裁き
北アルプス剣岳の雪渓。雪山という密室で起きた惨劇は、事故なのか、殺人なのか。予想が次々と覆される山岳ミステリの金字塔。

新田次郎著
栄光の岩壁
（上・下）
凍傷で両足先の大半を失いながら、次々に岩壁に挑戦し、遂に日本人として初めてマッターホルン北壁を征服した竹井岳彦を描く長編。

井上靖著
北の海（上・下）
高校受験に失敗しながら勉強もせず、柔道の稽古に明け暮れた青春の日々——若き日の自由奔放な生活を鎮魂の思いをこめて描く長編。

井上靖著
風林火山
知略縦横の軍師として信玄に仕える山本勘助が、秘かに慕う信玄の側室由布姫。風林火山の旗のもと、川中島の合戦は目前に迫る……。

吉村昭著
漂流
水もわかず、生活の手段とてない絶海の火山島に漂着後十二年、ついに生還した海の男がいた。その壮絶な生きざまを描いた長編小説。

吉村昭著
羆（くまあらし）嵐
北海道の開拓村を突然恐怖のドン底に陥れた巨大な羆の出現。大正四年の事件を素材に自然の威容の前でなす術のない人間の姿を描く。

吉村昭著
破船
嵐の夜、浜で火を焚いて沖行く船をおびき寄せ、坐礁した船から積荷を奪う——サバイバルのための苛酷な風習が招いた海辺の悲劇！

吉村昭著
ふぉん・しいほるとの娘
吉川英治文学賞受賞（上・下）
幕末の日本に最新の西洋医学を伝え神のごとく敬われたシーボルトと遊女・其扇の間に生まれたお稲の、波瀾の生涯を描く歴史大作。

吉村昭著　ニコライ遭難

〝ロシア皇太子、襲わる〟——近代国家への道を歩む明治日本を震撼させた未曾有の国難・大津事件に揺れる世相を活写する歴史長編。

吉村昭著　アメリカ彦蔵

破船漂流のはてに渡米、帰国後日米外交の先駆となり、日本初の新聞を創刊した男——アメリカ彦蔵の生涯と激動の幕末期を描く。

開高健著　パニック・裸の王様
芥川賞受賞

大発生したネズミの大群に翻弄される人間社会の恐慌「パニック」、現代社会で圧殺されかかっている生命の救出を描く「裸の王様」等。

開高健著　日本三文オペラ

大阪旧陸軍工廠跡に放置された莫大な鉄材に目をつけた泥棒集団「アパッチ族」の勇猛果敢な大攻撃！　雄大なスケールで描く快作。

開高健著　輝ける闇
毎日出版文化賞受賞

ヴェトナムの戦いを肌で感じた著者が、戦争の絶望と醜さ、孤独・不安・焦燥・徒労・死といった生の異相を果敢に凝視した問題作。

開高健著　フィッシュ・オン

アラスカでのキング・サーモンとの壮烈な闘いをふりだしに、世界各地の海と川と湖に糸を垂れる世界釣り歩き。カラー写真多数収録。

沢木耕太郎著

チェーン・スモーキング

古書店で、公衆電話で、深夜のタクシーで——同時代人の息遣いを伝えるエピソードの連鎖が、極上の短篇小説を思わせるエッセイ15篇。

沢木耕太郎著

彼らの流儀

男が砂漠に見たものは。大晦日の夜、女が迷ったのは……。彼と彼女たちの「生」全体を映し出す、一瞬の輝きを感知した33の物語。

椎名誠著

わしらは怪しい雑魚釣り隊

—マグロなんかが釣れちゃった篇—

雑魚を愛して早7年。椎名隊長率いる雑魚釣り隊にも、まさかのブランド魚に挑むチャンスがやってきた！　抱腹絶倒の釣り紀行。

星野道夫著

イニュニック〔生命〕

—アラスカの原野を旅する—

壮大な自然と野生動物の姿、そこに暮らす人人との心の交流を、美しい文章と写真で綴る。アラスカのすべてを愛した著者の生命の記録。

星野道夫著

ノーザンライツ

ノーザンライツとは、アラスカの空に輝くオーロラのことである。その光を愛し続けて逝った著者の渾身の遺作。カラー写真多数収録。

堀江敏幸著

いつか王子駅で

古書、童話、名馬たちの記憶……路面電車が走る町の日常のなかで、静かに息づく愛すべき心象を芥川・川端賞作家が描く傑作長篇。

藤原正彦著　遥かなるケンブリッジ
―一数学者のイギリス―

「一応ノーベル賞はもらっている」こんな学者が闊歩する伝統のケンブリッジで味わった波瀾の日々。感動のドラマティック・エッセイ。

北村薫著　スキップ

目覚めた時、17歳の一ノ瀬真理子は、25年を飛んで、42歳の桜木真理子になっていた。人生の時間の謎に果敢に挑む、強く輝く心を描く。

北村薫著　飲めば都

本に酔い、酒に酔う文芸編集者「都」の恋の行方は？ 本好き、酒好き女子必読、酔っぱらい体験もリアルな、ワーキングガール小説。

真保裕一著　ホワイトアウト
吉川英治文学新人賞受賞

吹雪が荒れ狂う厳寒期の巨大ダムを、武装グループが占拠した。敢然と立ち向かう孤独なヒーロー！ 冒険サスペンス小説の最高峰。

深田久弥著　日本百名山
読売文学賞受賞

旧い歴史をもち、文学に謳われ、独自の風格をそなえた名峰百座。そのすべての山頂を窮めた著者が、山々の特徴と美しさを語る名著。

西村淳著　面白南極料理人

第38次越冬隊として8人の仲間と暮した抱腹絶倒の毎日を、詳細に、いい加減に報告する南極日記。日本でも役立つ南極料理レシピ付。

アラスカ物語《ものがたり》

新潮文庫　に-2-21

昭和五十五年十一月二十五日　発行
平成十四年十月二十五日　四十四刷改版
平成三十一年四月二十日　六十三刷

著者　新《に》田《た》次《じ》郎《ろう》

発行者　佐藤隆信

発行所　株式会社　新潮社

郵便番号　一六二―八七一一
東京都新宿区矢来町七一
電話　編集部(〇三)三二六六―五四四〇
　　　読者係(〇三)三二六六―五一一一
http://www.shinchosha.co.jp

価格はカバーに表示してあります。

乱丁・落丁本は、ご面倒ですが小社読者係宛ご送付ください。送料小社負担にてお取替えいたします。

印刷・錦明印刷株式会社　製本・錦明印刷株式会社

ISBN978-4-10-112221-2 C0193